差距在哪里

全球财富精英的
传奇历程

蓝天出版社

SUN(m)EDIA
陽光文化

图书在版编目(CIP)数据

差距在哪里/杨澜主编．—北京：蓝天出版社，2004．12
ISBN 7－80158－572－0

Ⅰ.差… Ⅱ.杨… Ⅲ.名人－生平事迹－世界 Ⅳ.K811

中国版本图书馆 CIP 数据核字（2004）第 133282 号

出版发行：蓝天出版社
社　　址：北京市复兴路 14 号
邮　　编：100843
电　　话：66983715
经　　销：全国新华书店
印　　刷：中国文联印刷厂
开　　本：16 开（787×1092 毫米）
字　　数：370 千字
印　　张：23
印　　数：1－12000 册
版　　次：2005 年 2 月第 1 版
印　　次：2005 年 2 月北京第 1 次印刷

定　价：32.80 元

前　言

一个人的存在可以改变几代人的命运。

一个人的经历可以影响世界历史的进程。

这是一部以图文结合形式全景展现三十几位世界精英和伟人传奇人生的著作，他们从平凡到成功再走向卓越的成长历程是对"生命不息，奋斗不已"的最好诠释。

他们各不相同：从科技天才到管理精英，从文艺明星到设计大师，从商业巨子到政界伟人……他们拥有不同的人生轨迹。他们有所相同：或在举步维艰的困顿中奋力拼搏，或在云谲波诡的商海里翻波逐浪，或在变幻莫测的股市中跌打滚爬……他们始终执著于自己的理想。软件帝王比尔·盖茨拥有过人的胆识和能量，他永远在为心中的未来进行设计；自由斗士托马斯·杰斐逊一生追求智慧真理，他为能够实现"人人生而平等"终生奋斗不已；时装设计大师乔治·阿玛尼曾饱受战争创伤，然而他却怀着一颗塑造美的心打扮这个世界；脱口秀女皇奥普拉·温弗瑞从一个黑人穷学生变成今天的亿万富婆，靠什么在事业上获得如此的成功？她的答案是：你要对你的一生负责！

他们认为成功其实没什么高深莫测的诀窍，亨利·福特会告诉你"一个年轻人只要他下定决心，没有什么事是他办不到的。"因为他正是坚信这一点才成为汽车王国的主宰。他们总是对自己充满自信，雅诗·兰黛将让你知道"世界上没有丑女人，只有不关心或者不相信自己魅力的女人。"他们不在乎一时的得与失，狂人纳尔森·洛克菲勒在叫嚷"回顾是浪费时间，我真正的兴趣是始终朝前看！"他们始终诚信待人，米尔顿·赫尔希坚信"给顾客质量，这就是全世界最好的广告。"他的名字也因此连同他神奇的巧克力产品一起享誉全球。

阅读此书，是这个时代的我们终生享用不尽的精神盛宴，因为它承载的厚重，也因为它真实的再现。展页细读，这些人的生平故事以风趣酣畅的语言风格跃然纸上，宛如一条条清澈见底的小溪。我们能从每一处细节中获得强烈的阅读快感，欲罢不能。掩卷沉思，这些鲜活的人物呼之欲出，成为我们精神的导师，给我们以冲破羁绊的前进动力！

■目录

我们永远为心中的未来进行设计,我们的员工永远跟着最新的硬件和软件科技走!

——比尔·盖茨

软件帝王:比尔·盖茨

当传记作家和历史学家撰写20世纪历史的时候,比尔·盖茨一定是20世纪最成功的生意人,他的成功是商业达尔文主义和全球资本主义联姻下的奇迹,也是自由竞争与市场强权双重杠杆游戏下的神话。微软公司在短短的时间内创造了软件行业的奇迹,这无疑是20世纪最伟大的成功故事之一。而微软的头号人物比尔·盖茨能够在众多的竞争者中脱颖而出,将微软推向软件业的霸主地位,充分显示了他在经营方面有着过人的胆识和能力。

竞技思维的酝酿

美国西北部广袤的太平洋地区有着高山和大海的秀丽景色,在那里的西雅图,比尔·盖茨的曾祖父 J. W. 麦斯威尔成立了第一国家银行。麦斯威尔家族在当地具有很高的社会地位,并享有一定的特权,大儿子威尔勒德也是银行家,他的妻子艾德勒热衷于玩扑克,是西雅图扑克牌高手之一。他们惟一的女儿玛丽聪明活泼、迷人果敢。玛丽在华盛顿大学读书期间,邂逅并爱上了一个文静的学者型青年——小威廉·盖茨,他后来成为了西雅图最著名的律师之一。

1951 年,玛丽与小威廉·盖茨结婚。婚后玛丽放弃了老师的职业,全心照顾家庭并投身于慈善工作。1953 年,盖茨家 3 个孩子里最大的孩子克里丝蒂出生。1955 年 10 月 28 日,她的弟弟比尔·盖茨三世出生了,小名"三点"。

小比尔从小欢快活泼,是一个高能量的孩子。他和母亲关系非常亲密,玛丽每次到西雅图学校当志愿老师时都会带上他,这也是早熟的比尔为什么很小就把世界百科全书从头到尾熟读一遍的原因。比尔有着强烈的好奇心,一直渴望知道更多的东西,他的父母也不断鼓励他去学习更多的知识。盖茨家庭历来鼓励竞赛,年轻的比尔尤其喜欢测试自己在户外活动和室内游戏的勇气。他最喜欢玩"冒险"游戏,因为要在这个游戏世界里成为统治者和最有钱的大富翁,就得选择最好的场合和时机。比尔经常受到竞赛游戏的熏陶,每年夏天,盖茨一家会到他们位于霍德运河的名叫"乐土"的别墅去小住,那里是比尔和他的妹妹丽比以及亲友一起玩奥林匹克游戏的地方。那是一个充满活力、充满竞争的地方,他们经常进行各种活动,直到筋疲力尽。不断参加竞赛游戏培养了比尔一种良好的竞技心态。

1962 年,世界博览会在西雅图举行,盖茨全家一起去参观了那些神秘的未来 21 世纪的新科技,其中包括电脑技术。从那以后,比尔就常常去参观高科技展览,表现出了对数学和电子科学的极大兴趣,但同时也变成了一个孤僻的孩子,还不到 10 岁就表现出了一个十几岁男孩才具有的叛逆性格,等到他十一二岁的时候,在情绪上就已经表现得很独立了。他对于自己想做或不想做的事都非常坚决。比尔一方面受不了学校简单化的教育,另一方面又不清楚应该怎样分配自己的时间。他是个非常聪明和有才能的孩子,但缺乏目标,为此他甚至看过心理专家。尽管如此,盖茨父母仍然笃信常规的教育，他们认为比尔会在湖畔学校，也就是西雅图最昂贵的私立学校找到目标和纪律。湖畔学校一般只收最聪明和最优秀的学生，它让比尔的才华得到了发挥，在那里他交上了新朋友，并且选修了许多具有挑战性的课程。在这所学校里，比尔的数学成绩异常优秀，其他方面也都很突出，对于阅读任何不同的书籍都非常有兴趣，所以他不只是一个数学和科学很棒的学生，同时也具有非常广泛的兴趣。

1969 年，比尔刚上中学，正值美国太空计划如火如荼地进行着，"阿波罗"11 号在那一年 7 月把宇航员送上了月球，这其中电脑帮了很大的忙。那时候的电脑还是一个电子巨人，要花费几百万美金，而且只有军方才能使用，当时很多学校还没有能力买一部如此昂贵的电脑，但是湖畔学校做到了，也从此改变了比尔的命运。有一家西雅图的公司通过一种电讯的方式让湖畔学校可以

幼年的比尔·盖茨

使用它的电脑，年轻的比尔马上被这个现在看起来非常初级的机器给迷住了。他把所有的业余时间都泡在了电脑上。甚至会在晚上起来离开家到电脑室去工作，然后再回来睡觉，连他的父母都不知道他出去过。湖畔学校有一次开家长会，有家长问校长："你们学校里有吸毒问题吗？"校长回答说："我不觉得我们有毒品的问题，但是我们的确有很多学生捧着电脑不放。"他所说的捧着电脑不放的学生里就有比尔。

比尔和比他高一年级的学长保罗·亚伦一起研究电脑。亚伦和比尔完全不同，他长比尔两岁，身材比较高大，是一个天性安静、喜欢沉思的人，而比尔却是尖锐且爱辩论的人，令人感到惊讶的是这对奇特的朋友竟然会一起改变整个软件世界，他们合作编写了微软软件。亚伦和比尔是合作伙伴，但在某些方面也有竞争，所以他们时常会吵架。有一次，亚伦因为比尔太年轻而把他赶出了微软的编写小组，可很快又发现他需要比尔回来，因为没有比尔他一个人没法完成工作。但比尔却说："嗯！我很高兴能回来，但是这一次得由我来做主。"就这样，1970 年比尔还只有 15 岁的时候就开始和亚伦一起创业了。他们集资了两万美金编写了一个叫做"交通资料"电脑软件，这个软件可以测量西雅图地区的交通流量。

虽然比尔有充裕的家庭资助，但他还是决心自己创造命运。1972 年夏

天,比尔决定休学,他和亚伦在一家电脑公司得到了第一份真正的工作,而且他们要成立自己的公司。盖茨父母听说后坚决不同意,要求比尔完成中学学业,进入大学之后再说。这样,比尔在1973年从湖畔学校正常毕业,同时他的父母还得到了一大惊喜,哈佛大学给比尔发来了入学通知书。

1973年秋天,比尔告别父母离开了西雅图,向东部马萨诸塞州的剑桥出发。在哈佛,起初他想攻读法律,做一名律师,但是没有一门课程可以像他在电脑前那样激发他无限的创造力。比尔的友人安迪·布莱特曼回忆道:"比尔是那种一意孤行地做他感兴趣的事的人,对那些他没什么兴趣的学院功课,他常常只是用他的聪明去应付。例如,有一门希腊文学课,他得到的成绩和那些用功的学生没什么两样。他们没有任何选修,考试前通宵苦读,可结果还是只拿了一个B。"而对比尔来说,考试的时候睡觉并不是什么新鲜事。一天24小时,他都花在应付功课和哈佛的电脑房里了。他对他想做的事总是非常专注,每次一走进自己房间,衣服没脱倒在床上就睡着了,因为他没有时间做这些。就这样敞着门、穿着衣服睡上一个好觉。精力恢复后,他又回去工作了,从不管后面会发生什么事。

比尔在哈佛的时候交了很多朋友,但是社交生活并不是他的主要目标,他只花很少的时间约会,大部分时间都放在他所追求的电脑事业上。比尔的数学成绩很好,但他发现自己并不是哈佛数学成绩第一,所以决定不当数学家。他放宽了志愿选择,同时也在学校之外学了一些新的东西。他花了很多时间,去学习弹珠游戏和电子游戏,还有大学里常玩的扑克牌。扑克牌是竞争性很强的游戏,而且在很多方面,可说是想像中的未来生意世界的最佳热身。比尔在玩牌时能认识到一副好牌所应有的全部优点,这方面的潜质在他童年的时候就已经得到了很好的培养。

起步 MITS

1974年12月,因为工作的关系从西雅图搬到波士顿的保罗·亚伦,在哈佛广场看到一本杂志。这本流行电子杂志的封面上写着:世界第一部迷你电脑工具"欧提尔"8800已经面世。他赶紧拿给比尔看,比尔和亚伦同时意识到,个人电脑的时代已经来临。那时,他们就知道这对整个社会都将是一种不可想像的力量,一种不可思议的动力。"欧提尔"8800是新墨西哥州亚伯卡奇的微型仪器和遥感系统公司(MITS)发明的电脑。这家公司离美国原子弹试验区不远,老板艾德·罗伯兹正在找一些可以让这台手提电脑运行起来的软件设计师。比尔和亚伦让老板相信他们两人就是最合适的人选,为此他们在哈佛的电脑中心整整工作了两个月,为微机编写了 Basic 程序。这是他们的首创,此前从来没有人为微机编写过这种程序。

1975 年 2 月,亚伦到亚伯卡奇测试他们设计的新程序。当他把这个比尔自诩为自己所写过最棒的程序下载到欧提尔电脑上的时候,它成功了!这个时刻是电脑工业一个历史性的重大突破。他们跨出了一道门槛,开辟了 PC 软件业新路,奠定了软件标准化生产的基础。1975 年春天,亚伦加入 MITS,担任软件部经理。刚结束大学二年级课程的比尔也飞往 MITS,加入亚伦从事的工作。1975 年夏天,他们创立了微软公司,开始设计微软软件。他们一边在艾德·罗伯兹的公司工作,一边要为自己的公司编写软件。由于每天需要长时间工作,所以比尔在哈佛上到 4 年级的时候不得不休学搬到了亚伯卡奇。他的母亲对此非常失望,她告诉比尔,如果他不完成学业,他们就会把供他上学的钱放在其他用途上。比尔同意了,他坚信自己的选择是正确的。

事实上,专注于电脑软件并不那么容易成功,因为当时个人电脑的发展背景就是资源共享,使用者可以分享电脑新信息和软件。如果需要付钱,就不会引起他们那么大的兴趣。这种传统令比尔在他的同行中成为异类,他反对资源共享,为此他写了一封公开信给那些喜欢玩电脑的人,告诫说:"作为大多数的电脑爱好者,你们必须了解大部分的软件你们都是盗用的。人们愿意付钱买硬件,但是有时他们却只愿意和别人分享软件,谁会关心是否要付费给那些努力设计程序的人呢?这公平吗?但是那些盗用软件的人最后将会受到制裁的。"他被人视为叛徒。这是不同于一般的叛徒,不同在于他遵循的并不是那些流行的道德。但无人能确定那时的软件行业会达成这种共识,因为之前还没有人站出来说过这种话。

除了抵制软件的开放传统,比尔还要和他的老板艾德·罗伯兹对抗。艾德认为他被惯坏了,而且让人讨厌,他们两个人几乎对每一件事情都看法不同。艾德身材高大而肥胖,有 6 英尺多高、300 磅重;而比尔才 19 岁,可看上去像 13 岁。他站在像熊一样庞大的艾德面前,和他面对面地尖叫和大吼。最后的冲突发生在 1977 年 5 月,艾德卖掉了他的公司,并要把软件作为交易的一部分。比尔和亚伦不同意,他们提出申诉,想保住为 MITS 公司设计的软件。结果在盖茨父亲及其律师朋友的帮助下,他们侥幸获胜。

比尔和亚伦开始对微软程序进行扩充,加入新的软件语言,并把他们的产品卖给了其他电脑公司。1978 年底，他们一共卖出近 100 万套的产品，并把微软公司从亚伯卡奇搬到西雅图。比尔很高兴能回到家乡，他在工作中投入了巨大的热情，努力提高公司的知名度。比尔对公司的宣传是：我们永远为心中的未来进行设计，我们的员工永远跟着最新的硬件和软件科技走！

比尔·盖茨(右)与亚伦

发家于"DOS"

比尔成了微软公司幕后的市场天才，开始他只是在大街上推销他的公司和软件，后来比尔常常带着母亲进行商务旅行。比尔最尊敬、最亲密的母亲对他早期的事业和微软的未来，起到了非常重要的作用，她促成了微软与 IBM(国际商用机器公司)的合作。母亲玛丽曾经在很多社团工作过，包括华盛顿大学，她曾是"联合之路"国家委员会的成员之一。而"联合之路"国家委员会里正好有一个 IBM 的执行总裁，通过玛丽，比尔与 IBM 的执行总裁见了面。

1980 年 11 月，IBM 为没有什么经验的微软公司打开机会之门。这个全世界最大的电脑公司想请比尔和亚伦为他们的新一代个人电脑设计一个操作系统。初次见面之后，IBM 对比尔做出了错误的判断，因为比尔看起来像一个毛头小伙子，一头乱发，穿着随意，可 IBM 很快就发现比尔绝非等闲之辈。比尔让 IBM 相信微软有能力开发新软件。他首先花 5 万美元买下了一个可以扩展的操作系统，这个系统能够包容 IBM 的个人电脑，它就是 MS-DOS。更聪明的是，当比尔和保罗为 IBM 发展这个操作系统的时候，IBM 想买下这个可以令电脑运作的盘片程序，但是微软拒绝了。没有 DOS 的拥有权，就意味着 IBM 每有一部电脑输入这个软件就要向微软支付一次使用费。而且当其他的电脑公司推出比 IBM 更便宜的个人电脑的时候，微软也可以将这个操作系统卖给他们。微软公司副主席杰夫·雷克斯说："那时候所有的电脑都被说服使用 DOS 系统，这实在令我震惊。我不知道谁会赢得硬件的生意，但微软肯定会是软件生意的赢家。"

从 1978 年到 1981 年，微软公司获得惊人的成长，员工从 13 人扩充到128人,年利润从400万增长到1600万。到了1983年,全世界有30%的个人电脑使用微软的软件。可是比尔永远没有满足的时候,微软公司开始为一些像苹果那样的新兴公司设计软件。

1983年,28岁的比尔和他的微软公司前景继续看好,个人电脑的生意直线上升,而且大家对软件的需要也一直在增加。在个人电脑的年代里,比尔和亚伦就像是戴上皇冠的王子。但在公司迅速发展的同时,却发生了一件令他们非常震惊的事,亚伦被诊断出得了霍金斯疾病,那是癌症的一种。经过一年的治疗,亚伦的病情渐渐好转,可是他再也不能从事全日制的工作,再也不能像从前那样为微软日复一日地工作了。这样,在1984年比尔就成了微软公司惟一的形象代表。同年4月,《时代》评选比尔为新生代商人的典范,因为他能够同时了解软件和硬件科技,并有计划地把它们结合在一起。微软公司常常被比作一个数学阵营,在那里比尔决定管理方式,保持创造性的开发,当然也会有热烈的辩论。比尔几乎对每一件事都会发起挑战,他相信,不断挑战的理念是一个变化快速的工业能够一直领先的原因,比尔和围绕着他的工作小组都遵守这种原则。

比尔·盖茨与亚伦

当他们计划要发布一个新的软件产品时,他们在西雅图是不眠不休的。比尔的助手玛瑞安·鲁伯曾经说过一个有关他的故事。她刚到公司没多久,有一天早上到公司上班,她不知道应不应该叫警察,因为有一个人睡在桌子底下,最后才发现这个人就是比尔。不懈的工作有了回报,1985年,微软公司宣布它的营业额达到1亿4千万美元。这样一家和时间赛跑的公司,也让比尔的社交生活付出代价,虽然他的确想要和一个住在吉尔贝尼特的女孩建立稳定的关系。但是对于一个女孩子来说,和一个可以工作3天不睡觉的人维持关系是很困难的。大部分时间比尔都会累得半死,躺在地板上,然后告诉她他在想软件或是其他的事情,几次约会都是这样。这种马拉松生活的中心,就是一个新的电脑产品。

开创视窗软件时代（Windows）

1986年，比尔推出微软视窗软件，这是微软公司的标志性程序，批评者马上指出它的鼠标和图标使用方法同苹果系统太相像了。苹果电脑上次请比尔设计一个新软件时，曾经让比尔全面了解了他们的技术。比尔早先曾经建议苹果为他们的软件注册，但那个时候苹果只有兴趣去卖电脑，而没有把心思放在软件上。他们忽视了这个建议，所以比尔因为他们的软件没有注册而取得了优势，他可以使用这个软件。苹果决定禁止比尔使用他们公司的软件，并且威胁要控告视窗软件。相反，比尔却说他会扣留苹果电脑目前正在使用的微软软件，最后微软打赢了和苹果的这场官司，开始大行其道。尽管第一版的微软视窗软件离完美还很遥远，但是它给了微软公司一个新的利润和创造的基础。

1986年，比尔将微软公司上市。他拥有45%的股权，这使他在31岁的时候就成为亿万富翁。比尔并不会就此停步不前，他仍然在孜孜不倦地追求着，同时也因为他冷酷的名声，招致一些有力量的团体开始联合起来对抗他。IBM一直想在个人电脑的占有率上抢得先机，更想把微软踢出电脑界。

1987年，比尔是世界上最年轻的亿万富翁之一，而微软也因为提供了个人电脑的软件而打开了一个新世界，同时它也将要面对一个新的挑战。现在个人电脑已经起飞，IBM决定对他们自己的操作系统做重大修改，以替换微软公司注册的DOS系统，新系统叫做"OS二号"。IBM公司副主席杰夫·雷克斯说："可以说，我们关心的是我们是否可以操控大权，特别是对改变电脑市场的大风暴。IBM是一家非常有实力的公司，有很多软件设计师，有一大堆的现金和足够的力量，把微软赶出电脑操作系统业务。"

可具有讽刺意味的是，发展"OS二号"的正是微软公司。因为早在1985年6月，微软和IBM达成协议，联合开发"OS二号"操作系统。根据协议，IBM在自己的电脑上可随意安装，几乎分文不取，而允许微软向其他电脑厂商收取"OS二号"的使用费。当时，IBM在PC市场拥有绝对优势，兼容机份额极低；而到了1989年，兼容机市场已达到80%的份额。微软在操作系统的许可费上，短短几年就赢利20亿美元。就这样，双方在"OS二号"上的合作未能持续下去，IBM收回了"OS二号"。比尔决定放弃这个软件，全面开发视窗软件，视窗软件一直由他的小组在升级和加强。终于在1990年5月22日，微软公司发售视窗3.0新软件。这个最新版本一下子变成了最畅销的软件，1992年销售量达到 1000 万套。而 IBM 的"OS 二号"软件只有 100 万套,最后在市场上宣告失败。微软理所当然地独占了个人电脑操作系统的市场。

随着微软的强势发展,联邦贸易委员会开始注意到,比尔利用操作系统的优势,通过将微软的产品减价让其他竞争者无法生存。这位微软主席在市场上确立了优势,却摧毁了别人对他的印象。其实比尔并不是一个令人讨厌的人,他只是要赢,而且立志要赢,不管手段是否光彩,胜利就是胜利。

降低价格,并不是微软公司惟一被非议的事。1993 年,司法部门开始了新的调查,一些电脑生产商起诉微软公司根据电脑的数量收取他们电脑的注册费用,即使那些公司卖的电脑并没有使用微软的软件。司法部控告微软公司使用了不公平的市场策略和契约条款。1994 年 7 月,微软公司同意停止要求那些没有安装的电脑付费,司法部也就撤销了这个案子。虽然结果是微软妥协,但微软的视窗软件站稳了脚跟。比尔一直不承认微软是独占者,他一直宣称他只是用比较低的价钱提供更好的软件而已,他说:"我的意思是,我们不是一头鳄鱼,四处乱走,然后吃掉一些东西。我们只是从这些小盒子中获利,这些奇妙的小软件包,你把它们放在你的电脑里,也很乐意使用它们,它帮你解决或者没解决一些事情。"

世纪末的腾飞

政府和 IBM 公司以及苹果电脑针对微软的详细调查和对抗,令微软的股价直线下落,他们比以前更有压力去开发下一个版本的视窗软件,就在这个艰难的时期,玛琳达走入了比尔的生活。玛琳达那时 28 岁,是法国公爵的后裔,拿过一个商业管理学士,她在微软做了好几年的行政人员。越来越明显的迹象表明,这个女人就是 37 岁的比尔未来的伴侣。

1994 年 1 月 1 日,比尔和玛琳达在夏威夷结婚。比尔觉得他找到的不止是一个能够给他带来个人幸福的伴侣,而且是个可以了解他生意要求的女人。正当比尔与他的家庭分享幸福的时候,母亲玛丽因患乳腺癌去世。比尔为此非常痛心,他用了几个月时间收拾母亲遗留下来的东西,并成立了一个以健康和教育为主的慈善基金会。

1995 年,母亲去世的伤痛过后,比尔开始了全新的生活。他将视窗 95 软件(Windows 95)推荐给所有的电脑用户,还请了著名《今夜》节目主持人杰·雷诺亲自主持新软件的宣传会,比尔现在可以说是微软最成功的推销员。Windows 95 的发布,正式把微软推向计算机业的巅峰。42 岁的比尔成为美国成功人士的典范。他此时是全世界最富有的人，拥有价值超过 500 亿美元的个人资产，同时也是权力精英中的一分子，美国总统比尔·克林顿成为他的高尔夫球球友。

1994 年 1 月 1 日比尔与玛琳达在夏威夷举行婚礼

但到了 1997 年，比尔发现他在互联网的市场上已经远远落后。有一个叫做网景的公司专门设计互联网浏览器，这是一种可以与互联网网页链接的软件。比尔决定用自己的浏览器取代网景公司的浏览器，这个大动作可以把他的竞争对手远远抛在后面。比尔想在互联网市场扮演一个一流的角色，因为当时微软在全世界的个人电脑操作系统占了近 95％的使用率，他不需要做出更好的产品就可以实现垄断。

1998 年 3 月，参议院对比尔以前的案子进行复议，他再一次被控告垄断。虽然有那么多的控告，比尔却因为一项决策而成为胜利者。基于一项早期的法令，微软仍然可以把它的互联网"探索者"浏览器——IE Explorel 与它的视窗 98 软件——Windows 98 捆绑出售。但是比尔还是有麻烦。1998 年 5 月，司法部门连同 20 个州提出了一个反对信任案，控告微软公司。这个案件的法律诉讼可能需要很多年的调查才能解决。比尔因为别人对他和微软公司的攻击而受伤，但是他的生意还是在不断扩大，他还在努力竞争。

如今微软已成为了业内的"帝国"，除了主宰 PC 操作系统和办公软件（这是微软的命脉）外，还插足个人财务软件、教育及游戏软件、网络操作系统、商用电子邮件、数据库及工具软件、内部网服务器软件、手持设备软件、网络浏览器、网络电视、上网服务以及近 20 个不同的万维网站。与约翰·洛克菲勒不同，比尔清楚地认识到，他的垄断行为没有界限。除了反垄断法，他已天下无敌！

　　我是地球上最幸运的人。我不认为我做到了一切,但是我有最精彩的经历。

——杰克·韦尔奇

世界第一CEO:杰克·韦尔奇

　　从19世纪托马斯·爱迪生发明电灯泡开始,时间已经走过了120余年。在这沧桑百年中,有多少公司或诞生、或消亡,即使曾经叱咤一时,到如今也是销声匿迹了。但是,爱迪生创立的"通用"电气公司,却是今天世界上最有价值和最受人尊重的公司。能够谱写出这样的商界传奇,在很大程度上要归功于1981年入主公司的首席执行官——杰克·韦尔奇。

　　杰克·韦尔奇20世纪30年代诞生于美国马萨诸塞州的赛勒姆小镇,淳朴的生活环境、严格的家教和良好的教育使他逐渐成长为一个健康、自信和优秀的小伙子。60年代初博士学位毕业后,韦尔奇成为"通用"塑胶事业部的一名普通工程师,21年后,他成为公司历史上最年轻的董事长和首席执行官。在之后 20 年的潮起潮落中，"通用"电气公司的市值增长了三十多倍，并连续四年被评为"全球最受赞赏的公司"，杰克·韦尔奇也因此成为 20 世纪最伟大的管理者之一。

赛勒姆的棒小伙

20 世纪三四十年代的赛勒姆是一个平静、快乐又充满斗志和竞争的地方。1935 年 11 月 19 日，41 岁的检票员"老杰克"和 36 岁的格蕾丝·韦尔奇终于迎来了他们企盼多年的宝贝儿子杰克·韦尔奇。韦尔奇的父母都是爱尔兰移民，他们和众多其他爱尔兰的工人阶级一样，都聚居在赛勒姆。韦尔奇一家的生活并不优越，但有一种东西却始终充满了这个温暖的小家庭——无尽的爱。

韦尔奇的父亲是一个非常勤劳的人。他是波士顿——缅因通勤线上的一名检票员，每天工作 12 个小时，而且从未耽误过一天的工作。"老杰克"以切身的经历教会了儿子艰苦工作的价值。在每一个运营高峰，他都以微笑和热情面对乘客。他喜欢和人们打招呼，邂逅有趣的人。每天晚上回家，他都会为儿子带回一堆乘客们丢下的报纸。读报也因此成为韦尔奇一生的嗜好。

从九岁开始，韦尔奇便在父亲的鼓励下去当地的高尔夫俱乐部当球僮。这不仅为他带来了赚钱的机会，还让不擅长速度运动的他学会了这种耐心和智慧相结合的运动。如果运气好，他还能为一些成功人士服务。

每次说到自己的经历，韦尔奇总是会提到一个人，那就是他的母亲。格蕾丝是对韦尔奇一生影响最大的人，她帮助儿子建立了自信，鼓励儿子要学会独立，督促儿子不断地学习，还教会了儿子勇敢地面对现实、通过竞争去获取成功。韦尔奇和母亲的关系非常亲密、温暖而且牢固，她是他的知己，他最好的朋友。

韦尔奇从小就有口吃的毛病，而且也因此碰到过不少尴尬的场面。但是，韦尔奇从未因此自卑或忧虑过，因为格蕾丝曾经告诉他："这是因为你太聪明了。没有任何一个人的舌头可以跟得上你这样聪明的脑袋瓜。"他充分相信母亲的话：他的大脑比他的嘴转得快。在他当运动员的日子里，他的个头几乎总是整个球队中最矮小的，但是当时的韦尔奇一点都没有察觉。直到几十年后翻看以前的照片,他才突然发现,那时候的自己真像一个小虾米。自信,是母亲送给韦尔奇最伟大的一件礼物。

从韦尔奇入学时开始,格蕾丝就开始培养他如何成为一个优秀的人。在学业上,格蕾丝要求非常严格,如果韦尔奇不完成作业,就没有资格吃晚饭。但是,她也会在适当的时候给儿子一次拥抱,一个亲吻,让他知道自己是被关心和疼爱的。

格蕾丝也深深懂得独立的重要性。韦尔奇不到15岁时,就可以一个人跑到波士顿看球赛或电影;周末的时候,他可以和别的男孩子一起去城里玩一整天;每年夏天,几个男孩子会乘火车到缅因州老果园海滩的游乐场去玩,如果到回家之前已经身无分文了,大家就会在海滩上捡空瓶子去卖,小"赚"一笔后再回家。

赛勒姆是一个让男孩子茁壮成长的地方。在这里,他们每一个人都是一名运动员。孩子们总喜欢一起玩这种或那种体育项目,社区学校也会经常组织各种竞争激烈的体育比赛。天性活跃的韦尔奇每年都会参加篮球、橄榄球、冰球或者棒球比赛。在高中最后一年某个赛季的最后一场冰球比赛中,韦尔奇所在的女巫队连续七场失利。沮丧至极的韦尔奇愤怒地把球棍扔出去,头也不回地冲进了休息室。母亲跟着走进来,一把抓住韦尔奇的衣领吼道:"如果你不知道失败是什么,你就永远都不会知道怎样才能获得成功!"瞧! 这就是格蕾丝。她希望自己的儿子要永远面对现实,既要争取胜利,也要懂得如何在前进中接受失败。

1953年,韦尔奇进入马萨诸塞大学的阿默斯特分校学习化学工程。在这里,他遇到了更加厉害的对手们——来自他校的优秀学生。从未缺乏过自信心的韦尔奇完全被这种离家上学的感受击垮了。开学后不久,格蕾丝亲自驾车到学校鼓励心情郁闷的儿子。在挣扎着度过了大学的第一年后,韦尔奇开始脱颖而出。到1957年毕业时,他是大学里两名获得化学工程学位的最优秀的学生之一。

韦尔奇的教授们都建议他继续深造——即使当时有很多公司都表示了接受他的意愿。最后,他决定到伊利诺伊大学攻读硕士,因为那里的化学工程研究一直排名前五名,而且他已经获得了那儿的奖学金。1958年,硕士毕业的韦尔奇又开始了他在伊利诺伊大学的博士学习。那时的生活几乎都是在实验室里度过的。尽管他不是最聪明的学生,但他知道集中精力做一件事是最高效的办法。在导师吉姆·威斯特沃特的强力支持下，韦尔奇只用了三年就获得了博士学位。等到 1960 年离开伊利诺伊时，他已经可以肯定什么是自己喜欢的，什么是自己想要做的，还有更重要的：什么是自己不擅长的。

当初选择化学工程专业，是因为韦尔奇觉得这是商业职业所需的最好的背景之一。在整个学习过程中，他也很注重对自己思维的启发和训练。但是他知道，他是那种喜欢人胜过喜欢书、喜欢运动胜过喜欢科技发展的人。如果有一份既涉及技术又涉及商业的工作，那对他会很合适。

除了学位、长久的友谊以及思考问题的方式之外，韦尔奇在伊利诺伊的另一大收获就是他拥有了一位了不起的妻子卡罗琳·奥斯本。卡罗琳身材修长，既漂亮又聪慧。1959 年 11 月，刚满 24 岁的韦尔奇和卡罗琳在伊利诺伊的阿灵顿结婚了。之后，两人边度蜜月，边到处找工作。1960 年 7 月，韦尔奇接受了 GE 在马萨诸塞州匹兹菲尔德 GE 新化学开发部门的工作，开始研究一种新型的热塑产品。

四十余年风雨"通用"路

在"通用"的第一年，韦尔奇可以有一个自主的环境，为他的新型产品的研制而设计和建立一个崭新的实验工厂，他还拥有一个像小公司一样的精干团队。每个月，他都会驾车到 55 英里开外的 GE 中心研究与发展实验室去"推销"他的新项目，试图激发他们对这种产品潜在用途的兴趣。每天他们都要在办公室后面附属建筑里的实验工厂进行几次试验，测试不同的工序。这对一个刚出校园的人来说，确实是一次真正的挑战。

尽管这都是一些他很喜欢做的事情，杰克·韦尔奇还是一天比一天更觉得萎靡不振。本来，他觉得 GE 是一个充满无限希望的地方，但是他的老板却把处处节省当成是首要工作，好像这个公司正处于破产的边缘一样。1961 年年底，老板给所有的人都加了同样数额的薪水，这让韦尔奇非常愤怒，他开始寻找新的工作机会。

正当韦尔奇向老板提出辞职的时候，来自康涅狄格州 GE 的一位年轻主管说服并留住了他。这位主管对韦尔奇与众不同的出色表现有着很深刻的印象。他答应对韦尔奇区别对待:涨一点工资,并让他担负起更多的责任。从那以后,区别对待成为韦尔奇管理的一个基本组成部分。区别对待可以奖赏那些最好的人才,剔除那些效率低下的人。严格执行区别对待的措施可以产生真正的明星,建立起一支强有力的明星团队,通过这些明星创建伟大的事业。这就像是一场棒球或冰球比赛,谁能够最合理地配置运动员,谁就能取得成功。

杰克·韦尔奇的出色表现最终受到了当时董事会主席雷杰·琼斯的赏识。从 1977 年开始,韦尔奇进驻费尔菲尔德 GE 总部,同另外四个优秀的部门执行官一起,公开竞争雷杰的职位。经过一番紧张的较量,杰克·韦尔奇终于成为"通用"电气公司历史上最年轻的董事长和首席执行官。到此时为止,他已经为 GE 工作了整整 21 年。

变 革

在韦尔奇接手"通用"的前一年,公司有 250 亿美元的销售收入,利润达 15 亿美元,并且被作为一个典范案例收录于全美各大经济院校使用的许多畅销的管理学教材中。但是,韦尔奇却认为,如果不对公司的结构、产品、规模等方面进行一些更加激烈、触及深层次的变革,通用就会走向衰退。

其时,大多数人都觉得公司的运营是很正常的。韦尔奇却已经察觉到美国的高通货膨胀和来自太平洋另一端的威胁:日本的崛起。他非常了解,美国的制造业利润正在日益下降,而 20 世纪 70 年代公司高达 80%的利润仍来自传统的电机和电子制造业。诚然,公司在塑胶、医疗器械和金融服务方面的业务表现也非常不错,但是这些只占 1981 年利润总额的 1/3,"通用"许多其他的业务还是常常入不敷出。与此同时,韦尔奇有一种强烈的感觉:公司的许多经营活动开始变得疲惫。

为了应对不断变化的现实环境,韦尔奇要求人们时刻"保持清醒和警觉,并随时准备行动",鼓励他们永远不要停止变革。他主张淘汰"通用"的一些过时业务,只保留那些在市场上占据统治地位的业务。1985 年,韦尔奇"破坏"了"通用"由来已久的传统,以 62.8 亿美元收购了通讯业巨人——美国无线电公司,其中包括美国国家广播公司——组成了一个销售

额高达 400 亿美元的强强联合超级企业,以期从服务业和科技产业中获得 80% 的收入,实现"通用"由制造业向偏重服务业的转变。

1987 年,韦尔奇放弃了"通用"最珍爱的家用电器分部,换取了进入欧洲医疗诊断市场的捷径——托马斯公司的医用成像设备制造分部。这样的重组行动一个接着一个。进入 20 世纪 90 年代后,韦尔奇又发动了"引发员工智慧"和"提升产品和工序品质"的行动。要抛弃旧习气,接手新东西,这对任何人来说都是非常困难的。但是韦尔奇心里非常清楚,变革是企业永葆生命力的基础。

"简 单"

官僚作风是韦尔奇最鄙视和痛恨的东西。从坐上董事长席的第一天开始,韦尔奇就着力铲除公司上下各种官僚做派和风气。当时,公司有 41.2 万名雇员,韦尔奇认为这样臃肿的等级制度已经成为"通用"的累赘。在他大刀阔斧的改革之后,35% 的员工离开了工作岗位。大规模的裁员为韦尔奇赢得了一个讨厌的绰号"中子杰克"。虽然对他的指责甚多,但是韦尔奇却说:"这是工作中最困难的一部分。但是我们不得不摒弃任何阻碍向自由、迅速和无界限前进的东西。"

韦尔奇早年就对"通用"的官僚主义行为感到非常不满。虽然它带来了秩序和控制,但它却窒息了创造性和激情,产生了过度的迟钝。变革前的"通用"有多达 2.5 万个雇员拥有管理者的头衔,其中有 500 名高级管理者和 130 名副总裁以上级别的管理者。韦尔奇觉得他们除了像漏斗一样地传递信息以外,实在是首席执行官与基层主管和普通工人之间最大的障碍。

韦尔奇废除了这个巨大的金字塔等级体系,摒弃了他自己和分支机构首席执行官之间的等级差别。10 年之后,从董事长到工作现场管理者之间管理级别的数目从 9 个减少到 4 个。"通用"每个企业只留下了 10 个副总裁,而其他类似"通用"规模的公司中通常却有 50 个。通过消除这些等级差别,"通用"这样的大公司也可以像小公司一样更加精干和灵活,人们能够为他们自己以及公司的生存而负责,而韦尔奇也可以直接和他的企业领导者交流了。

除了精简,另一个清除官僚习气的办法是使用新的管理办法。韦尔奇觉得,控制和监督在"通用"管理工作中的比例太高了,而过多的管理只能导致懈怠、拖拉的官僚习气,所以,管理越少,公司情况会越好。

事实上,韦尔奇更喜欢用"领导"而非"管理"这个词,因为管理似乎是控制和抑制人们,让他们把时间浪费在琐事和汇报上。而领导,就是了解所有关键的实际情况、能够清楚地告诉人们如何可以做得更好,并且能够描绘出远景构想来激发人们的努力。优秀的领导者应该是团队的成员和教练,他要为最优秀的职员提供最广阔的机会,将资金做最合理的分配并投入到最适宜的地方;之后,他让开道路,让职员拥有更大的自由和更多的责任,充分发挥他们的聪明才智为公司做贡献。

"通用"标志　商界旗帜

"简单"也是韦尔奇的获胜秘诀之一。通过清除官僚风气和建立简单、通畅的上下级关系,"通用"公司的效率更高、发展速度更快了。

速　度

"速度"是韦尔奇一直强调的另外一个管理秘诀。在"通用",人们把以创纪录的时间完成交易作为荣誉的象征。为了获得速度，每一个层次的决定都是在几分钟内作出。

1989 年，GE 仅仅用了三天就完成了与英国某家企业的联盟，在医用系统、电器、电力系统以及输电与控制这四项业务上提高了在欧洲市场的份额；1993 年，"通用"电器事业部每 90 天就有一个新产品发布会；世界上最有力的商用飞机发动机 GE90 仅用了正常时间的一半就设计和制造出来了；"通用"电力系统事业部仅在 1994 年一年就设计了三种新的汽轮机并投入市场。

韦尔奇强调速度的战略从下例中可见一斑。1995 年，"通用"旗下的美国国家广播公司想试试对 2000 年悉尼奥运会和 2002 年盐湖城冬季奥运会同时投标，这样就可以让一个广告商同时投资于两个奥运会。虽然这个想法有些奇特，但韦尔奇还是当场拍板敲定，并派了一架"通用"专机送相关人员到蒙特利尔和瑞典国际奥委会官员中游说这一计划，并最终达成了一揽子价值 12.5 亿美元的交易。之后，他们又以 23.3 亿美元的价格购得了截至 2008 年的所有奥运会的转播权。等到其他竞争者回过神来，他们已经以 35.5 亿美元的价格得到了从那以后六届奥运会中五届的美国电视转播权。无疑，速度是达成这次交易的关键。

质 量

上个世纪 80 年代后期，"通用"电气公司开始转向以质量为重点。韦尔奇认为，要改变竞争局面，必须将产品质量提高到一个全新的层次，而不仅仅是好于对手，要让客户觉得"通用"的产品在他们眼中是绝对独特的、绝对珍贵的、对他们的成功是绝对重要的，也是他们惟一划算的选择。

1995 年，韦尔奇发动了一场全公司范围内旨在提升"通用"电气公司产品和工序品质的行动，这就是著名的"六个西格玛"。"六个西格玛"是一种规定极为严格的过程，它注重于开发并提供几近完美的产品和服务。"西格玛"一词是一个统计学术语，用来衡量一个给定的过程偏离完美的定义有多远。它所包含的中心思想是，在一个过程中能否测量出有多少"缺陷"，以及能否系统地找出消除它们的方式，并尽可能地接近"零缺陷"。

　　为了实现"六个西格玛"战略,每次过程只能产生不大于每百万之中发生 3.4 处缺陷的机会。这里,"机会"被定义成产生不合格产品或者不能满足所要求规格的机会。这意味着我们需要几乎完美无缺地实施我们的关键过程。"六个西格玛"已经成为"通用"电气公司全体员工的奋斗目标,它贯穿于他们所做的每一件事情,融入了他们设计的每一件产品,成了他们的运作方式以及"通用"企业文化的重要组成部分。

倾力解决,善于学习

　　20 世纪 80 年代"通用"的大裁员后,很多留下来的员工都对自己的工作和未来感到惴惴不安,他们迫切需要找回自信。向来不会逃避现实的韦尔奇开始重新审视"通用"对待员工的态度。经过深刻的观察和思考,韦尔奇开始建立起"通用"电气公司最宝贵的财富——开发员工的智慧,并将绝妙的决策以光的速度传播到公司的各个角落。这就是著名的"倾力解决"计划,"通用"的最大的精神财富。韦尔奇认为,"通用"员工们才是富于想象力的新办法不可或缺的、永不枯竭的源泉,允许他们参与公司的日常工作可以改善经营并极大地提高劳动生产率。"倾力解决"计划将那些在最下层工厂中工作的工人们都包括了进来,它是专为员工智力而设计、以便有效地将思考与辩论的层次扩大到公司的每一个角落。

　　韦尔奇希望"通用"是一座共享思想、金融资源和管理人才的大本营,是一个开放的、不断学习的组织。对一个企业来说,最终的竞争优势就在于它的学习能力,以及将其迅速转化为行动的能力。20 世纪 90 年代初发起的"倾力解决"计划激发了"通用"对新思维的渴望,而保持对这种新思维普遍的、永不满足的渴求又是"通用"惟一的出路。所以,韦尔奇一再强调要强制分享和运用那些新主意。

　　在"通用"各事业部之间,韦尔奇鼓励大家进行"无边界"的交流,将一个好的决策迅速有效地贯彻到各部门。事实上,"通用"各事业部之间共享了很多东西,包括技术、设计、人员补偿和评价系统、生产以及顾客和地区信息。比如"通用"资本事业部从电力系统事业部得到可靠的情报,从而发现一些新的商机,而电力系统事业部在寻找办法分离其诸如提单和托收之类的配套业务操作时,也可以从资本事业部操作的相关业务中得到有效的帮助。如果一个部门有了好的主意,别的部门可以专门派出一个小组前来学习经验。

为了确保各事业部之间可以有效地分享知识,韦尔奇组织高级主管们每季度固定举行三天的会议,这就是公司的执行委员会。执委会的意义就在于提供一种学习的经历、一座自由的论坛,形成一种真正的交流氛围。通常,执委会用 10% 的时间讨论一个主意的内在价值,而剩下 90% 的时间都在讨论如何运用、如何传播。这种内部的好学精神既给领导们带来了压力,又刺激了他们神经的兴奋点,因为他们都希望能多带回几个在工作中用得上的好主意。

除了倡导在内部的相互交流和学习,“通用”也从别的公司借鉴有益的经验,比如采纳克莱斯勒和佳能的新产品介绍技术、从摩托罗拉和福特公司学习质量行动,通过采纳强生、施乐等公司的建议和最佳方案迅速打入中国市场。

有人认为“通用”的盈利主要依赖于它独特的企业文化,尤其是 20 世纪 90 年代后期的好学精神。管理分析师将这种“令人赞叹的管理艺术”称之为“韦尔奇”因素。事实已经证明,它使一个公司变成了世界上最具竞争力的企业,而杰克·韦尔奇无疑也是 20 世纪最伟大的管理者之一。

GE 是自道·琼斯工业指数 1896 年设立以来惟一至今仍在指数榜上的公司,如今,它仍然是世界上最大的多元化服务性公司,同时也是高质量、高科技工业和消费产品的提供者。GE 公司致力于通过多项技术和服务创造更美好的生活。目前,GE 在全世界 100 多个国家开展业务,在全球拥有员工近 30 万人。

2002 年,GE 销售收入为 1317 亿美元,净利润会计累计变动前 151 亿美元,总资产高达 5750 亿美元。GE 已连续五年被《金融时报》评为“全球最受尊敬的公司”。2001 年 9 月 7 日起,杰夫·伊梅尔特开始接替杰克·韦尔奇担任 GE 公司的董事长及首席执行官。

退休后的韦尔奇除了出版自己的自传外,还为《财富》500 强的一些小公司提供咨询。他说自己很看中这样的机会:静静地做一个教练,并和来自商界的不同精英一起工作。

一个年轻人只要他下定决心，没有什么事是他办不到的。

——亨利·福特

汽车王国的主宰：亨利·福特

　　汽车发展到今天，已经有 100 多年的历史。站在今天，通过历史的隧道，能看到隧道尽头站着一个巨人，那就是亨利·福特。他瘦长，沉默，目光锐利。上个世纪初，他开创了美国的汽车制造业，独领风骚 20 年。他给美国带来了汽车。他相信人要发奋图强，要求人们努力工作，以致在他手下工作的人这样说："你必须抛弃你的自尊，你的人格。"但是，从胡佛总统到人民公敌约翰·迪林杰，人人都对他赞美有加。"他是改变我们生活方式的人"，"他是美国的传奇"，"他为我们造了难以计数的产品：T 型车、V8 和交通警阻塞"。他既是一个战争反对者，同样也是一个反对工人成立工会的人。他对犹太人的言论也让人吃惊。但无论如何，与 J.D.洛克菲勒、科尼里科斯·范德比尔特、J.P.摩根和其他企业界精英们非常混乱

21

的评价比较起来, 人们对亨利·福特几乎一致持肯定态度。亨利·福特终身致力于机器制造, 不以金钱自娱, 更不会强取豪夺, 他用自己的发明和创造贡献于人民, 制造人民买得起的大众型汽车, 给人们带来无比的欢乐。

好奇造就了天才

亨利·福特出生于 1868 年 7 月 3 日。他的父母在密歇根州的迪尔伯恩拥有土地, 但是亨利压根儿就是一个不爱务农的孩子, 后来他来到当地的一家学校上学, 才得以摆脱无休无止的劳动。他天生有着很强的好奇心, 是玩机器的好手。他 13 岁生日那天, 有人送了他一只手表, 他像很多其他的喜欢玩机器的小孩一样, 把表拆了。但不同的是, 他还将它重新组装了起来。1876 年, 他平静有序的生活被打破了, 他的母亲玛丽死于难产, 当时他才 12 岁。丧母之痛令他无比悲伤。16 岁, 他离开了农场, 走了 9 英里路, 来到了底特律, 最后, 在船坞公司找到了工作。这里专造铁船, 他有机会在这里学习维修马达。船坞手艺学到手之后, 福特又回到了农场。他没有把他对机器的热爱丢在大城市里, 开始受雇于威斯汀豪斯公司。他跑遍了密歇根, 示范和修理机器。这期间, 他遇上妹妹玛丽的朋友克拉拉·布莱恩特, 他对她一见钟情, 一开始她拒绝了他, 但最后还是接受了他。1888 年春天, 布莱恩特穿着她自己缝制的婚纱与福特结婚了。福特为新娘子搭造了新房子, 准备在农场生活下去。但是, 农夫生涯无法满足福特的野心。

工业时代造就了大城市, 福特当然想投身这个浪潮, 于是, 他前往底特律。这回, 福特对汽油驱动车辆产生了兴趣, 这是马萨诸塞州斯普林菲尔德的杜莱时兄弟公司建造的汽车。虽然那时的汽车跟我们现在的三轮车差不多, 但这却是一个信号, 敏感的福特已经感觉到了。

从 T 型车到五元日薪制

一场革命已经开始了, 福特当然不想错过。他踌躇满志, 充满信心。1891 年, 福特把妻子接到了底特律, 他在爱迪生照明公司找到一份工作。他迅速被提升。当他做到总工程师时，薪水已是当初的两倍。1893 年 11 月 6 日，布莱恩特生下了一个结实的儿子，取名艾德塞尔·布莱恩特·福特。受灵感的启发，福特着手制造早在他脑海里已经形成的汽油驱动车。

在爱迪生公司同事的帮助下，福特开始制造他称之为"四轮车"的汽车。他的计划是把两部自行车并列起来，用他那粗糙的汽油引擎来驱动它。1893 年 6 月 4 日的晚上，他进行了一次试跑，除了一次抛锚，这次试验还是取得了成功。福特完成了他的第一辆汽车。

福特制造的"四轮车"

仅仅三年之后，福特用他的汽车带着当地的投资商在底特律兜了一圈。兜风结束之后，他们的合作也开始了。底特律汽车公司开张了，福特担任公司的总机械师，遗憾的是公司只维持了一年。福特没有放弃，他又拟定了一个新计划，制造一辆赛车。福特发现赛车是一个向全世界推广汽车和提高名声的有效途径。但他的认识得不到认同，这也成为他和投资商合作的第二家公司散伙的一个原因。投资商们希望他能把精力专注于常规汽车的生产上。

福特继续造他的赛车，后来终于获得了投资商的支持，福特公司成立了。他设计了公司的第一辆汽车，并为过去困扰他的生产问题找出了解决办法。他开厂雇用人员，推出一辆汽车后，等待回应。1903 年 7 月，福特卖掉了第一辆车：A 型车。买主是一位芝加哥的牙医。经历了两次失败之后，年届不惑的福特第一次尝到了成功的滋味。

到了 1904 年，福特已经卖出了 500 多部 A 型车。为了纪念成功，他第一次专门买了一件西装，跟儿子照了一张相。与此同时，福特汽车开始更新产品，推出了 B 型车。B 型车比 A 型车体形更大更强劲，当然更贵了。不过，福特一直不喜欢豪华的汽车。美国汽车制造业有两派意见。一派认为，"汽车就是没有马的马车"，为富人专用，体现出他们的高贵典雅，威重一时；另一种意见以福特为代表。福特梦想要制造出这样一辆汽车：它能穿越崎岖的道路，驶过翻过土的农田。农夫也可以使

用它，可以卸下一个轮胎套上链子，帮助砍树或者剥玉米。

福特经过多次修改，终于有了一个接近他理想的新车：T 型车。T 型车设计简单，是它那个时代最可信赖的汽车，非常耐磨损。它的车身很高，离地有相当一段高度，彻底脱离了地面。这听上去不是什么优点，但是当时的马路都给马车辗坏了，离地高就显得很重要，而且这种车还很便宜。T 型车获得了惊人的成功，它在 1908 年 11 月上市，几个月之后，福特被迫宣布公司不能再接新订单了。之后的几个月，工厂一直在忙于完成订单。福特成功地造出了可供大众使用的汽车。

T 型车引出了另一个问题，就是如何满足市场需求。当时的技工在固定的工作台上装配汽车，一天可以出厂 25 辆 T 型车。但是 25 辆是不够的。为此，福特和工程师产生了一个革命性的设想：一条活动的装配线。

1913 年 8 月，高地花园有了机械滑盘。工作和配件被严格地安置于沿线。通常在最高的效率下，老系统要出产 1 辆汽车，需要 11 个小时，而有了滑盘，时间缩短了一半。1 年后，这个时间又被缩短到了 93 分钟。随着生产效率的不断提高，福特得以将汽车的价格下调几百美元。降价让福特实现了他生命中的两个目标：一个是让尽可能多的人享受汽车的乐趣；另一个是为他的工人带来高收入。

工厂的发展成为一个问题，以致公司每填补 100 个职位，就需要雇用将近 1000 名工人，但是聘请和训练工人都要花钱。福特推出了 5 元日薪制，福特支付工人的报酬两倍于普通日薪。这个消息成为全国头条新闻，人们都拥向福特公司的大门口求职。5 元日薪确实是一个好的生意经，不过福特也是真心诚意地想改善工人的生活。

反对战争者与梦想家

从 T 型车到 5 元日薪制，福特获得了一连串的成功。在公众有力的要求下，福特发觉他在其他问题上也该说几句话了。这时正值欧洲爆发战争，他开始关心国际政局。一位年轻的记者对福特做了次专访，推出了这位汽车商的另一段佳话。福特宣称他不惜倾家荡产，也要阻止这场战争。报道很快传开，著名的和平代表找到福特磋商。他们想出一个很简单的办法：包一条船去欧洲阻止开战。福特连 T 型车都能造出来，难道不能阻止一场世界大战吗？这件事足以证明福特的理想化。但是，和平代表之间可没有那么团结，他们不停地争吵，恶语中伤。随船记者最乐意把这些丑事传回美国。当他们开到挪威时，福特彻底失望了。靠岸不久，他就回美国了。

老年福特

回到家乡，福特再次成为美国人心目中的英雄，一位现代的唐吉诃德。当美国被卷入战争时，福特还是站在了自己国家的一边。美国的年轻人离开家乡奔赴战场，福特则向政府开放了公司的设施。政府和人民都认为福特能够创造奇迹。T型车被用做救护车和政府专车。盟国商船在北大西洋屡遭德军潜艇的袭击，美国政府找福特造出神鹰号——一种反潜战舰，可是直到停战日才造了几艘。

1919年，是福特出现重大变化的一年。那年他收购了所有股东的股份。他觉得那些人过多地干涉他的事务，他要不惜千金购回他的股份，让妻子和儿子成为福特公司惟一的拥有者。从那时候起，他独自拥有了绝大多数股票，成为福特汽车公司真正的独裁者。有了权力，福特计划要干的事，比他以前要大得多。

福特是一位梦想家，自他买下了公司其他股份之后，他便可以自如地将福特公司带向他梦想中的境界了，尽管他的梦想甚至会使他远离汽车业。他生产过名叫福特生的拖车，驾驶着这种拖车驶过田野。他也试过让普通人开飞机，在车道上起降单座小型飞机。他控制着一条早期空邮线路和名叫"我们一伙"的世界上首次出现的定期往返客户空运服务。他设立和资助一些实验学校。在格林菲尔德村的爱迪生学院，他修建了福特博物馆。他还修建了一些旧时风格的美国小城镇，显示了他对变革创新的推崇，并以此纪念他的朋友托马斯·爱迪生。

福特最大的梦想，就是建造一个罗奇工厂，这工厂本身就是一个巨型的机器。他在密歇根州迪尔伯恩的罗奇河边建造了这个工厂。在当

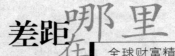

时，它是地球上最大的工业体系，今天它仍然称得上是工业奇迹，是体现亨利·福特梦想和决心的一个永久性纪念。这个时候，罗奇的第一座熔炉投产，福特再次向世界传达他的思想。

20世纪来临，罗奇工厂仍在生产成千上万辆的T型车。不过，亨利发现自己已经赶不上潮流了。他喜欢旧美国，一点也不喜欢他自己帮助建立起来的新世界。他的儿子艾德塞尔已经坐上公司的第二把交椅，他显然是另一代人。他喜欢爵士乐、现代艺术，偶尔会喝一点鸡尾酒，而福特却滴酒不沾，喜欢去观鸟和跳老式的乡村舞。

在福特沉迷于跳舞的时候，市场发生了令他不可思议的变化。20年来的第一次，老福特的真正劲敌出现了。那就是雪佛莱汽车。

华尔街股市催生的 V8

1927年5月，T型车时代结束了。雪佛莱的成功不仅反映了公众不只需要实用，还需要外表。老福特车已不合时宜，必须解体再造了。多

福特与儿子艾德塞尔合影

年来，福特公司只有一个目标，就是全力发展 T 型车，但是市场变了。

变革是福特汽车所需要的，但这是有代价的。数千名福特员工被解雇，他们在家中等了 6 个月，等待福特思考怎么在市场上卷土重来。随着新款的福特汽车的推出，福特汽车又重现生机。

A 型车是福特和儿子合作开发的少有的成功车型。多年来，他们的关系并不和睦。他望儿子更强硬、更果断一些。他希望通过公开推翻儿子的决定、事事提出反对意见的方式，迫使艾德塞尔进行反击。A 型车取得成功之后，亨利和儿子开始步调一致了。他在汽车制造的技术细节上做了很多工作；艾德塞尔则在汽车的外观设计上有很多贡献。

1929 年 10 月，华尔街传出股市大跌的噩耗，百万人失业。他和好友托马斯·爱迪生、哈维·法尔斯通一起，在一次历史性的电台广播中，为解决这次大萧条贡献他们的智慧。福特说："如果一个年轻人决心不顾一切地去干，如果他只想闷头乱撞，那么他成功的机会不会很大。他需要学习和实践，需要从基本的事情做起，从头开始学习一些技艺，越是脚踏实地，他越能创造光明的未来。"

福特与爱迪生、法尔斯通在一起为大萧条贡献智慧

大萧条蹂躏着美国产业界，很多人没有工作，没有钱，没有希望。福特公司比一般人要好一些。福特熬过了头一两年，因为 A 型车的出色表现，福特甚至在独自与大萧条对抗。他给工人加薪，大幅度削减汽车价格，但是，1931 年，大萧条降临福特公司。上市 3 年后，A 型车消量

大跌。雪佛莱的 6 引擎车，还有新型普利茅斯车瓜分了部分福特汽车市场。福特再次停产，一部分工人被迫回家，留下来的也被迫减薪。

工人们愤怒了。群众聚集到罗奇工厂大门口，要求福特让他们工作。警察在迪尔伯恩境筑起人墙，但是示威者不肯离开。警察发动攻击，引起大骚乱，导致 4 名示威者当场死亡，第五名示威者几天后也不治身亡。最后，让工人回到罗奇工厂的是福特的另一项新产品：V8 汽车。

V8 汽车是福特最后的一大成功。雪佛莱推出的 6 引擎比福特的 4 引擎好，但是亨利不喜欢 6 引擎，所以他推出 V8。V8 1 小时可以跑 70 到 80 英里，极限速度还要快。

福特的这一天才之作广受好评随着 V8 的成功，福特可以抽出空来，关注 1932 年胡佛总统的连任竞选。平常他不爱公开发言，但是这一次，他说了几句话："我支持这位最佳人选来做这份工作。我觉得胡佛应该也能够连任，3 年来，他一直面对敌人的挑战，熟悉各种破坏性招数，现在为什么要放弃一个合适的人选，而去另挑新人呢？我看好热情、忠诚、勤勉的胡佛。"

大多数的选民反对胡佛 1932 年的政治主张，但是反观 V8 的销量，就知道福特和艾德塞尔完全有理由对未来充满乐观了。艾德塞尔说："他们问我们对今后几年的形势怎么看，我只能说是一片大好。美国经济看上去处于低潮，但是我坚信，这个国家在下一年会有决定性的进展。我们必须尽力帮助它稳步成长。"福特说："我觉得大家应该回到自己的工作岗位。从现在起，没有人能够阻止这个伟大的国家向前发展。"

被迫承认工会

福特和他的工人走过了一段漫长的路程。这些年来，他起先表现得很慷慨，其后开始了威胁恐吓。他一直抵制工会的成立，虽然克莱斯勒和"通用"汽车都成立了工会。最后，在 1937 年 5 月，仇恨爆发了。在工会召集人的带领下，他们得到许可在福特工厂里发传单。他们来到工厂最高处的天桥上，就遇到了公司服务部的几个人。他们在工厂门前打了起来，工会首领被打伤，但事态没有进一步扩大。

4 年后，1941 年 4 月 11 日，安迪·杜华，一个轮轴工厂的工人改变了福特的历史。前福特公司雇员大卫·摩尔这样描述："有一天，安迪终于忍无可忍，跟组长吵了起来。突然，一个爱尔兰大汉和一个苏格兰大汉冒出来。安迪说：'我听够了你的鬼话了，给我滚开！罢工，我要罢工！'大家从生产线上望过来。开始有人跟着喊'罢工，罢工'，又有工人跟着喊'罢工，罢工'。喊声从一个部门传到另一个部门，顷刻间工厂瘫痪了。那儿是造钢铁成品的厂，没有钢铁，车也就造不成。"

福特本来准备打持久战，但是，他的妻子促使他做出明智的选择。她要求福特与工会妥协，她担心事情会演变成真正的暴乱，所以她威胁说，如果他不妥协，她就要离开他。福特最后派代表签了字。就这样，福特公司有了工会，工厂暂时重新恢复了平静。

谁来掌管福特公司

从 25 岁起，艾德塞尔·福特就一直担任福特公司的主席。福特是工程师兼发明家，艾德塞尔则是另一种人。他是一个真正的绅士，是底特律的艺术天才，一位设计师，一位现代思想家。他的这种性格，很难让他的父亲亨利接受。艾德塞尔欠缺的就是与父亲对抗的能力。长年以来，福特每次都低估艾德塞尔的能力，只知道如何使他变得强硬一些。艾德塞尔每次都尽量使冲突内部化，继续履行他在福特公司的职责。他的坚定表现，成为福特思想多变的稳定剂。

第二次世界大战爆发，盟军节节败退，国家只好找工业界帮忙。人人都想分一杯羹。福特被要求造吉普车、军队运输车、货车、坦克等等，而公司最主要的产品是 B–24 解放者轰炸机。福特 80 岁生日临近，可他还没有从 1941 年的一次中风中康复。管理大权落在艾德塞尔身上，而他也是大病缠身。不过公司发言人还是对每小时可以出产 1 架 B–24 轰炸机的计划表示乐观。但到 1942 年末，只完成了 56 架飞机。

1943 年 5 月，艾德塞尔去世。80 岁高龄的福特开始重新掌管福特公司。作为国家第三大国防产品承包商，福特在战时供应中扮演着主要角色。由于生产上存在严重问题，有人曾提出引进外来经理人，或者干脆将工厂国有化。1943 年 8 月，美国海军把 26 岁的亨利二世（艾德塞尔的儿子）送回迪尔伯恩的福特汽车公司，或许福特的孙子能够为混乱的福特公司带来秩序。福特公司的一位执行总裁杰克·戴维斯在战后说，

福特公司不是面临死亡，而是已经死了。强硬的政策把它逼上了绝路。

几个月来，布莱恩特一直在迫使丈夫福特退休，让孙子来接手。但是福特坚决不走。最后，艾德塞尔的遗孀伊莲诺威胁他的公公说，如果不让她的儿子当主席，她就立刻卖掉手上的股份。老人最终屈服了。1945年9月，亨利二世终于加冕。

没有公司业务的干扰，福特开始他的隐居生活。他在格林菲尔村安度晚年，偶尔也会参加一些公司聚会。但储存在体内的使他得以奋斗70年的能量已经耗尽，在1947年4月的一个夜晚，福特靠着妻子的肩膀去世了，死因是脑溢血，享年83岁。

数万人排队瞻仰了福特的遗体。一些工厂停工，其余的工厂默哀一分钟。总计约有700万人举行了各种悼念活动，纪念这位改变他们命运的人。在底特律，所有的汽车被要求停下来，好让这位汽车业巨子入土。在那一刻，汽车都停了下来，底特律好像又回到了福特当初发现它时的情形，福特可以滑着雪消失了。

　　可口可乐和百事可乐已成为美国文化的两大象征。它们的
触角遍及各个角落。没有可口可乐的日子已经无法想象。

饮料巨头的较量:可乐战争

　　你喝过可乐吗?你喝可口可乐和百事可乐吗?无论是在美国的大街
上,还是在世界任何一个偏僻的角落,可口可乐和百事可乐的身影随处可
见。与电灯、自来水和卫浴设备一样,可口可乐和百事可乐已经成为现代
文明的一部分。软饮料行业超过千亿美元的全球市场,仅可口可乐和百
事公司就控制着庞大的帝国。它们的触角遍及世界各个角落。依靠巨大
的装瓶、分销和零售网络,无论你身在何处,感到口渴的时候,总能买到一
瓶可口可乐或百事可乐。凭借着凌厉的广告攻势,可口可乐和百事可乐
风靡一时。它们已成为美国文化的两大象征。在今天,没有可口可乐和
百事可乐的日子,已经变得无法想像了。

约翰·彭伯顿的可口可乐

　　1886 年,内战结束了,美国正大步迈向现代化。电灯发出嗡嗡的电流声,老式的留声机播放着轻歌剧,出现了第一辆汽车,第一座摩天大楼高耸入云。镀金时代的美国社会,就像一支万花筒,一切都是新奇的,一切都蕴藏着巨大的能量。在这种背景下,全世界最著名的商标诞生了。它出现在亚特兰大的一则报纸广告中。

　　可口可乐是亚特兰大原约翰·彭伯顿医生创造的。彭伯顿不是什么医生,他只是花了 5 美元买了个医生的执照。19 世纪 80 年代,各种特效药品和非处方药品大行其道,药店的货架上充斥药效令人怀疑的令人眼花缭乱的药品。彭伯顿配的药中,也含有各种乌柏之类的滋补成分。由于美国政府对食品和药品的限制早已撤销,销售非处方药也就畅通无阻了。大部分非处方药中含有大量的酒精或者烈性药物,甚至两者都有,如鸦片酊,一种非常流行的止痛药。实际上,它是鸦片和酒精的混合物。很多药品里还含有大量的可卡因。但在 1886 年,它被公认为神奇的药物。

　　可卡因被美国人熟知是在 1884 年。当时的美国总统、内战英雄尤里西斯·格兰特患了喉癌,医生给他开的处方上就有可卡因。格兰特命在旦夕,服用可卡因缓解了他的病痛,而格兰特是当时最受欢迎的名人,这就为可卡因作了最好的广告宣传。人们有充分的理由相信,可卡因是好东西。而彭伯顿也相信它。他早年也配制过一种药物,名叫法兰西古柯酒。在早期的几种配方中,彭伯顿便使用了可卡因和咖啡因。可口可乐问世前,它是最成功的掺有可卡因和咖啡因的红酒。

　　法兰西古柯酒一上市就受到欢迎。可是好景不长,古柯酒销售仅几个月,就被列为违法商品。不是因为加入了可卡因,而是因为酒本身。1885 年,亚特兰大市开始禁酒,彭伯顿十分惊慌,于是他开始思考,如果古柯酒是非法的,该怎么办? 彭伯顿做出决定,不再经营处方药,改为经营软饮料。

　　当时在亚特兰大有 5 家很受欢迎的冷饮店,在烈日炎炎的夏天,他们出售清凉的苏打水。彭伯顿希望拥有一种能在冷饮店出售的饮料。彭伯顿面临的挑战是如何将酒和可卡因变成软饮料。彭伯顿后来想出的配方,一点也不"软"。他用的是两种兴奋剂:可卡因和可乐果的提出物。

可乐果是一种原产于西非的坚果，包含使人兴奋的咖啡因。彭伯顿将两种兴奋剂同时加入一种饮料中，因为不含酒精，所以能够在冷饮店中销售。彭伯顿改进了法兰西古柯酒的配方，除去了酒精成分，加入了少量的糖和酸，这基本上就是今天的可口可乐。

彭伯顿的记账员弗兰克·罗宾逊创造了饮料的名字。《秘密配方》的作者，弗雷德里克·艾伦说："弗兰克·罗宾逊灵机一动，想出了可口可乐这个名字。他很喜欢这个名字的发音，并且将可乐果的首写字母'K'改为'C'"。除了这个朗朗上口的名字外，罗宾逊还创造了可口可乐的商标，并用数月的时间来完善字样。

但是，这种日后成为全球最知名品牌的商品，几乎在问世的第一年就遭到失败。彭伯顿是个糟糕的商人，几次濒临破产，没有人想成为他的合伙人。销售量增长缓慢，第一年仅卖出25加仑可乐糖浆。更糟糕的是，彭伯顿的健康状况每况愈下，他正受到一种疾病的折磨。1888年冬，彭伯顿终于病倒，可口可乐似乎也大势已去。但就在这个冬天，冥冥之中似有贵人相助，确保了可口可乐未来的发展。

头痛挽救了可口可乐

乔治亚州的亚特南大市是美国南部最繁忙发展速度最快的城市之

各种包装的可口可乐和百事可乐

一。19世纪80年代，那是所有人都梦想一夜暴富的年代。在这些人中，有一个意志坚定的药房伙计，年仅21岁，来自维那瑞卡，他就是艾萨·坎德勒。

他身揣1.75美元来到亚特兰大，开始个人奋斗。他在一家药店找了一份差事。4年后，他自己当上了老板。坎德勒的苦心经营没有白费，他也为成功付出了代价——令人痛苦不堪的偏头痛。然而，坎德勒受的压力，还不足以和彭伯顿的麻烦相比：濒临破产，生命垂危。这位可口可乐的创造者，不得不卖掉自己的产业，卖给那个曾经被他拒绝过的年轻人。而一开始，坎德勒的兴趣也不大，直到有一次偏头痛发作，碰巧喝了一杯可口可乐，情况才完全改变。他曾经试过很多治疗偏头痛的方法，却无一有效，而可口可乐对他好像很有效。

偏头痛治好了，坎德勒也下定了决心。1889年5月，他花2300美元买了可口可乐的专利。坎德勒接手后的第一件事，是改良配方，去除可口可乐里的药味。他加入了更多的糖，还加了一些柠檬，掩盖本来的味道，使口感更好。除了可乐的味道，性情忧郁而又笃信宗教的坎德勒，对可口可乐商标上标明的成分也不太放心，他把一份可乐糖浆样本送去化验，想知道里面的可卡因到底有多少。报告结果显示，其含量之高让人担心。坎德勒发现了一种新方法，去除了古柯叶，仅仅保留了微量的可卡因。从那时起，可口可乐商标上标明的两种成分的含量，变得微乎其微。

弗兰克·罗宾逊，彭伯顿的前记账员，现在是坎德勒的广告总策划，他又一次将可口可乐推向了更高的台阶。他策划了一次广告活动，开创了用邮寄的方法进行商品宣传的先河。他们拜访了市中心最大的几家药店，那里都有冷饮专柜。他们询问了哪些人是专柜的老顾客，并得到他们的地址，然后给每个人寄去了可口可乐的赠饮券。借助凌厉的广告攻势，可口可乐迅速遍及各家冷饮店。到1891年，糖浆的销量高达50万加仑，合6亿瓶可口可乐，美国人似乎喝可口可乐上了瘾。惟一的问题是，有人对此产生怀疑。大量的报道开始见诸报端，越来越多的人因为喝可口可乐或其他含可卡因的软饮料而上瘾。抵制的呼声一浪高过一浪。

1906年，面对日益增长的公众压力，坎德勒重新回到了实验室，采取更为复杂的工艺，彻底去除了配方中的可卡因成分。1899年，第一家可口可乐瓶装工厂在查培努加建成投产。很快，瓶装加工厂如雨后春笋般涌现，而可口可乐已是随处可见。

不久,越来越多的人想在可乐行业占一席之地。他们采用听上去相似的名字,看上去差不多的瓶子和广告。为了使自己的产品与众不同,坎德勒要装瓶商发明一种独一无二的包装。1916 年,这种包装推向了市场,它是那么简单而又如此富有创意,一夜之间,就成为美国的象征。《你的友好邻居》的作者麦克·奇塔姆说:"各地都一样,一样的瓶装可乐,即便是盲人,手里拿着这样的瓶子,只要一摸瓶子的轮廓,就知道是可口可乐。"就像保护自己的商标一样,可口可乐公司同样花费了很大的力气,保护自己的配方。多年来,他们打赢上百起侵权官司,击败了许多竞争对手。可口可乐配方的惟一一份手稿,存放在银行的保险柜里。

在成功改进了可乐口味的同时,坎德勒在市场和销售方面也获得了巨大的成功。但他对自己的巨额财富有负罪感,因为他靠卖可口可乐发财,可他并不认为可乐有那么大的价值。1919 年,坎德勒和他的家人决定卖掉可口可乐公司。在众多买家中,有一位很有实力的亚特兰大的银行家,他叫欧内斯特·武德夫。

坎德勒不想把自己的公司卖给像武德夫这样的人,因为他的口碑很不好。当他的家人同意以 250 万美元出售公司时,坎德勒估计武德夫会被淘汰出局,但是他错了,当他发现谁是可口可乐真正的买主时,不禁大吃一惊。

武德夫只是把收购可口可乐当做一项投资,对如何经营公司不感兴趣。1923 年,武德夫把可口可乐公司交给了 33 岁的儿子——罗伯特·武德夫。

与他父亲不同的是,罗伯特非常热衷公司的经营,从生产到销售,每个环节他都亲历亲为。

加勒布·布拉德姆的百事可乐

可口可乐公司是在繁华的大都市亚特兰大起步的,而百事可乐的发源地是一个偏僻的小地方。1898 年,在北卡罗来纳州的新伯恩,一个名叫加勒布·布拉德姆的人创造了百事可乐。

加勒布是个药剂师,喜欢在冷饮店闲逛。他发明的一种名为布拉德的饮料,在新伯恩十分畅销。与可口可乐一样,他们都来源于药物,但有一点却截然不同,可口可乐是作为药物被发明的,而百事可乐从一开始就是饮料,一种提神的饮料。1902年,布拉德姆将布拉德可乐更名为百事可乐。布拉德姆用了可乐这个名字,因为当时它非常流行。最初的广告称百事可乐可以帮助消化,尽管百事可乐中没有这种物质。

1907年,百事可乐糖浆的年销售量达到了10万加仑。在不到10年的时间内,布拉德姆的可乐王国蒸蒸日上,在全美24个州,拥有300家瓶装加工厂。百事可乐一举成功,到1910年,百事可乐的销售遍及南北卡罗来纳州、弗吉尼亚州、乔治亚州和阿拉巴马州。

然而,第一次世界大战爆发,灾难接踵而来,糖价飞涨。为保证百事可乐在各大冷饮专柜的销量,布拉德姆作了一次投机生意。布拉德姆决定孤注一掷,订购了大量的糖,并用高价购买了糖的期货,因为他认为糖价会涨得更高。不幸的是,一夜之间,糖价从每磅22美分再次跌落到每磅3美分。百事可乐公司处于破产的边缘。

生意破产了,公司倒闭了,布拉德姆又回到了原来的药品房。如果此时不是可口可乐公司犯下了大错,百事可乐的命运可能就此终结。

战争结束后,由于实行了禁酒令,可口可乐的销量一路飙升,1923年的销售额高达2300美元。随着酒吧的关闭,各家冷饮店的买卖都异常红火,丝毫没有受到经济大萧条的影响。几乎所有的硬币,都叮叮当当地跳进了收银机,落入了可口可乐公司的腰包。不论年景是好还是坏,可口可乐公司都会有一大笔稳定的收入。仅仅纽约市的一家连锁冷饮店——洛夫特糖果店,一年就要卖出近400万瓶可口可乐。

1932年,洛夫特糖果店的董事长,一心只想赚钱的查尔斯·古思找到了武德夫,要求降低在他的冷饮店销售的可乐糖浆的价钱。但可口可乐公司的态度傲慢,不给任何人折扣,所以古思转向百事公司,而当时百事公司面临破产的威胁,这样,古思开始在他的连锁店卖百事可乐。

但是,因为只有洛夫特糖果店一条销售渠道,不久百事公司又一次濒临破产,《百事一百年》的作者鲍勃·斯托达德说:"此时古思意识到,也许把百事可乐引入洛夫特的做法,不是最好的。古思放下架子,又回去找武德夫,提议把百事卖给他。可口可乐公司说,你一无所有,我们对你毫无兴趣。"这是个天大的错误,可口可乐公司本来可以用很低的价钱,一举消灭其主要竞争对手。武德夫失去了这个在百事成为威胁之前就粉碎它的天赐良机。

1934年,整个美国陷于大萧条之中,上百万人失去工作,收入减少。对于饥饿的消费者来说,一个 5 分的硬币都是一大笔钱。古思有了主意,既可以让人们觉得物超所值,又能使百事公司摆脱困难。他设法买到了很多旧的啤酒瓶子,那时的啤酒瓶都贴着纸标签,所以可以贴上想要的任何新标签。他花了很少的钱,然后出售只要 5 美分的 12 盎司的瓶装可乐。当时,所有的软饮料都是 6 盎司卖 5 美分,不久,所有的库存百事可乐销售一空。人们喜欢仅售 5 美分的 12 盎司的百事可乐。当时的百事广告,也都围绕 5 美分做文章:美国最大的 5 美分饮料、5 美分买两倍的可乐……

短短 6 个月内,百事公司起死回生,并且盈利 10 万美元。和可口可乐相比,百事可乐的销量不值一提,重要的是百事还活着。而在亚特兰大,可乐行业的巨人,也突然有了一丝担忧。

特权下的可口可乐

第二次世界大战席卷整个欧洲,美国的钢铁厂、飞机制造厂、造船厂,都因为生产军用物资而一片兴旺。然而,战争给可口可乐和百事公司带来的是严峻的挑战。第二次世界大战爆发之后,可口可乐公司立即面临食糖配给的威胁,那将可能使他们的产量减少一半。

正当公司的管理者惊慌失措时,武德夫却争取到了主动权。他赶到华盛顿,谋求说服政府,让他们相信可口可乐是战争必需品。他的游说在很大程度上取得了成功。不久,成千上万箱可口可乐源源不断地运到了各个军事训练营地。但是,武德夫设法为士兵提供软饮料的同时,更想给百事可乐以致命的打击,《秘密配方》的作者弗雷德里克·艾伦说:"所有送往部队的可口可乐,可免受食糖配额的限制,而百事公司没有这个特权。"可口可乐公司可以随意获得限额供应的糖和其他物资,而百事公司在苦苦挣扎。

《你的友好邻居》的作者麦克·奇塔姆说:"我记得在可口可乐公司有一份镶在镜框里的电报,它就挂在四楼的总裁办公室里。上面写道:'再送 6 个可乐瓶装厂来。艾森豪威尔'。"

二战期间,美国士兵消耗掉几亿瓶可乐。可口可乐对战争的支持,不仅给自己创下了惊人的销售纪录,也在公司的发展史上写下了浓墨重彩的一笔。可口可乐给美国大兵带来了家的味道。它就在那儿,当士兵战斗归来,或在前线阵地。公司还派驻了技术顾问,只要你愿意,你可以观看如何进行装瓶。可乐和其他新产品不同,它不会像干卤肉那样给美国大兵留下糟糕的印象。可口可乐成为美国大兵心中家的象征。也正是凭借美国军人对可口可乐的喜爱,可口可乐带着不可战胜的感觉进入了20世纪50年代。武德夫和公司上下都不再理会来自百事公司的威胁了。

自从1923年担任可口可乐公司的董事长以来,武德夫领导公司急速扩张,可口可乐已遍布全世界,年销售额高达10亿美元。武德夫向自己的父亲,向可口可乐公司的股东们,向所有因可口可乐变得富有的人证明了他的能力。1919年,每股40美元买进的可口可乐股票,1950年已涨到了每股5000美元。可口可乐在世界软饮料行业独占鳌头。

百事可乐的崛起

20世纪五六十年代的软饮料行业,如同当时的世界格局,经历着剧烈的变动。各大公司都在努力扩大生产,使产品市场营销多样化。百事公司不像可口可乐公司那样由一个人掌控,它由多位主管和品牌策划人共同管理。

软饮料行业日益壮大,每年都有很多新产品、新口味、新包装面市。就连武德夫这样顽固守旧的人,也不得不跟随潮流。1955年,武德夫接纳了一种容量更大的可口可乐。他们推出了雪碧,并开始生产其他口味的汽水。

当时还出现了其他变化,使可乐大战不断升级。因为在战争期间出现了一种全新的无比强大的武器——电视。为了使销售量赶超可口可乐,百事充分利用了新媒体的优势。因为二战中生长起来的一代,狂热地迷恋可口可乐,百事就不去纠缠了,而把注意力转向了他们的孩子。世界创意组织高级副总裁艾伦·波斯特说:"我们的想法是,不过多地谈论产品,只多谈产品的消费群,无论哪一类人,会购买和消费这种产品。这就是我们所说的'领带哲学'。意思是,你看一个人的领带,就可以知道他是什么样的人。看他的手里拿什么软饮料,也同样如此。如果他手里拿的是百事可乐,那他就不是一个因循守旧的人。而应该是年轻有为的。"

很快,可口可乐公司就意识到,如果向百事让出年轻人的市场,最终将会失去所有的顾客。可口可乐反击了。他们创作了当时最有名的商业广告,各种肤色、不同年龄的男女,手握可口可乐唱着歌。《秘密配方》的作者弗雷德里克·艾伦说:"当时公司总经理认为,这首广告歌不好,歌词平庸造作,还甜得发腻。但他还是耸了耸肩说'这就是我们要成立广告部的原因'。他一路开绿灯,这首歌很快变得非常流行。在我看来,这首歌牵动了整整一代人的心。"

尽管可口可乐独特的广告宣传获得了成功,但它来晚了一步。百事可乐的市场占有率不断攀升。1975 年,百事公司向可口可乐挥出了致命的一击。他们发起了一轮名为"百事挑战"的广告宣传活动。世界创意组织高级副总裁艾伦·波斯特说:"我们进行合法的测试,用各种指标测试两种产品,而且轮换品尝两种饮料的顺序。我们发现,在不知情的情况下,人们更乐意选择百事可乐。"

到 1984 年,百事可乐已经从萧条的病猫变成了下山虎。百事可乐的市场占有率只比可口可乐落后了 3 个百分点。

历经数年激烈的市场争夺战,"模仿者"终于赶上来。在亚特兰大可口可乐总部,恐慌随之产生。

可口可乐的"经典"败笔

20 世纪 80 年代初,可口可乐公司陷入困境,百事公司不断开拓年轻人的市场,他们的"百事挑战"活动,取得了巨大的成功,并趁机吃掉了可口可乐的一些世袭领地。除了可口可乐的高层领导,所有的人都不知道,公司将要修改保管最严密、几乎是可口可乐帝国最神圣的基石——可乐配方。

如果罗伯特·武德夫仍然控制着可口可乐公司,这种变化是无法想象的。但在 20 世纪 80 年代,这位经营可口可乐公司长达 60 年的决策者,已经是风烛残年了。他已经 95 岁了,年老体衰,而且又聋又哑。接替武德夫运作公司的是罗伯特·戈伊兹塔。他出生在古巴,当上 CEO 后,他首先声明没有什么是不可以改的,配方也是这样。他所做的就是积极进取,让公司继续前进。

对戈伊兹塔来说,配方、市场、占有率、广告,都只是公司经营的一部分。可口可乐必须做出改变。在可口可乐诞生 100 年之际,戈伊兹塔决定抛弃彭伯顿和坎德勒的配方。1985 年春天,罗伯特·武德夫,这位让可口可乐成为全世界最受欢迎的软饮料的传奇人物,悄然辞世,终年 95 岁。一个时代结束了。

公司创始人的去世，并不是当年可口可乐经历的惟一巨变，武德夫的后继者们，发明了一种全新的配方，可口可乐更甜了，酸味减少了。虽然可口可乐公司内部没人会承认，但可口可乐的口味，的确更接近他们一直嘲笑的"模仿者"了。

戈伊兹塔坚信，新可乐是了不起的产品。他开始对新配方大肆宣传，邀请了700名新闻记者来到纽约的林肯中心。他们向全国隆重推出新的可口可乐。广告人这样说："请品尝新口味的可口可乐，你会像罗特公园里的所有人一样喜欢它。请到罗伯特公园来品尝新口味的可口可乐。"

几天之内，戈伊兹塔就不得不面对这样的事实：坎德勒和武德夫是那么地深入人心，可口可乐拥有一大批忠实的拥护者，"这不像是我们所认为的口味"。人们不断拨打可口可乐的800电话，报纸纷纷发表社论，抨击改变配方的做法。而在45个城市新可乐的展销会上，新配方也遭到强烈抗议。《秘密配方》的作者弗雷德里克·艾伦说："成百上千，乃至成千上万的抗议电话打了进来。其中很多人甚至都没有喝过可口可乐。只不过美国人认为，未经他们同意，就把他们生活中那么熟悉那么重要的东西拿走了。"可口可乐公司找来了心理医生，专门接听800电话。心理医生说，有人听上去就像失去了家人一样。

控诉信雪片般飞来，传递着一个清楚响亮的信息："想夺走我的可口可乐，没门儿。"

可口可乐多年树立起来的高大形象，毁于一旦。百事当然是大赢家。百事公司为了庆祝胜利宣布放假。他们宣称，已经取得了可乐战争的胜利，所以每人放假休息一天。

可口可乐配方的改变，更坚定了百事可乐的信心，百事可乐的销售额大幅上升，成为了全球销量最大的可乐公司。

今天，可口可乐和百事可乐还在为争夺市场份额而殊死搏斗。可乐的战争将永无止境。我相信可口可乐和百事可乐在这场持续数十年的可乐战争里，其实是互相帮助卖出了数量惊人的产品。我想他们对彼此都有好处。如果市场被一种可乐垄断，那将发什么情况，谁知道呢？

　　金钱买不来品格，对于一个没有品格的人，他就是有天下所有的股票，也无法从我这里借到一分钱。

——约翰·皮尔彭特·摩根

华尔街的皇帝:约翰·皮尔彭特·摩根

　　金钱是什么？也许没有人能说得清，但每个人又对它孜孜以求。我们不可否认，金钱是刺激社会进步的原动力，它是企业的动脉，更是衡量人生成就的重要指标。为了成功，你绝对应当具有运作金钱的观念和果敢机智的行动。你有吗？金融皇帝摩根玩转金钱魔方的本事无人能敌，他传奇的一生会给你以启迪……

　　19世纪初，正在成长中的美国开始缔造一个金融帝国，这是个充满机遇的时代，一个金融巨子即将出现，他对美国直至全球的金融业将产生巨大的影响。他就是约翰·皮尔彭特·摩根。他两次应美国总统的要求，挽救了美国经济，但是两次他都被指控为滥用权力。他权倾天下，成为整个美国乃至全球的最大债主;他力挽狂澜,积聚了一笔巨额财富;他挥金如土,这既激励了一些人,也激怒了一些人。然而,对于金钱、权力和品格,他却认为品格永远是最重要的。他身材肥胖而又令人畏惧,一个与他同时代的人曾说:"面对他那双炯炯有神的黑眼睛,就像面对着一辆呼啸而来的列车,它那明亮的前灯夺人魂魄。"摩根和任何世界级领袖一样有权有势,华尔街就是他的帝国。

领导天赋的彰显

1837年,新式的蒸汽引擎正改变着美国,它创造了许多令人激动的机会。这年的4月17日,约翰·皮尔彭特·摩根就出生在这个充满机遇的世界里。他生于康涅狄格州的哈特福得镇,他的父亲朱尼厄斯·斯宾赛·摩根是一个富有的商人,他的母亲朱丽叶·皮尔彭特·摩根是一位充满激情的传道士和诗人的女儿。童年时的摩根深受祖父和外祖父的影响,每个星期天他都陪祖父约瑟夫·摩根去当地的圣公会教堂做礼拜。摩根喜欢礼拜仪式,尤其是唱赞美诗的情景。他的外祖父约翰·皮尔彭特牧师以激进的政治言论和宗教布道而闻名,为此,他后来不得不离开布道台。

《摩根家族》的作者罗恩·切诺认为:"从祖父那里,摩根继承了一些浪漫主义色彩,它表现为一种道德观,一种领导某个社会运动的天赋,这对他后来的生活影响很大。"这种领导社会运动的天赋,当摩根还在学校念书的时候就表现了出来,他在同学中俨然是个天生的领导者。摩根的父亲注意到了儿子的这种能力,在后来的日子里,他着意培养他,要他在商界有所作为。由于特殊的家庭氛围和商业环境的熏陶,摩根从小就极具商业冒险精神,对于运筹金钱,他有超越常人许多倍的判断力。

但是,摩根的身体却不太好,他经常因病而缺课。有一次患重病,他不得不休学在家。他经常一个人呆着,为了摆脱烦闷,他逐渐精通了单人纸牌游戏。当他感到紧张想要放松时,他就会玩这个游戏。在健康逐渐好转的过程中,摩根经常同家人一起去艺术展览馆或音乐会。正是在这段时间里,他培养了自己的艺术爱好,而且终身不渝。摩根病好后,返回了高中课堂。对历史的偏爱带给他很大的帮助,他毕业论文的主题就是关于他的偶像拿破仑·波拿巴,他决心要像拿破仑一样有权有势。

摩根的父亲也在为自己寻找一个有权有势的新位置。在合伙人詹姆斯·毕比的推荐下,1853年,朱尼厄斯携全家访问了被伦敦金融界誉为"美国金融大使"的乔治·皮博迪,深得皮博迪的赏识。1854年,他接受了皮博迪银行的邀请,正式成为皮博迪的合伙人,同时迁居伦敦。这是一个令人难以置信的机会,朱尼厄斯将有机会接触到富有的欧洲银行家,而他们将为蓬勃发展的美国提供资金。后来著名的摩根财团,正是由朱尼厄斯通过继承皮博迪在伦敦创办的金融机构而逐步发展起来的。但从某种意义上说,朱尼厄斯才是摩根财团的真正缔造者,而摩根则是使这一家族事业达到如日中天的金融巨擘。

当朱尼厄斯举家迁移国外时,摩根只有17岁。很快,他进了德国哥廷根大学。在那里,他表现出了惊人的数学天赋,但他的父亲却认为他应该及早开始创业。在父亲的安排下,摩根得到了一份在纽约邓肯商行工作的差事。到了1857年摩根20岁时,他告别家人,乘船前往纽约,开始独自创业。

积极挑战生活

摩根初踏社会只是华尔街一个银行的小职员,他在查尔斯·达布尼的指导下学习会计和记账。那时候,年轻的摩根身材魁梧,神采奕奕,深邃的双眼闪耀着锐利的光芒,似乎能够洞穿人心。他年纪虽不大,却给人一种老谋深算的印象。摩根努力工作,讲求秩序和方法,并能以闪电般的速度进行计算。他还在纽约这个城市里创建了自己健康的社会生活体系。他逐步打入上层社会,成为名门望族的座上客,这对他日后的事业很有帮助。在一次社交聚会中,他认识了一个有钱人家的女孩。她的名字叫爱米丽亚·斯德格斯,昵称咪咪。摩根很快被端庄妩媚、多才多艺的咪咪迷住了,而她的家庭也很快接受了这个家在大洋彼岸的野心勃勃的年轻人。

在工作上,摩根表现出了杰出的商业才能,公司老板开始注意到他了。1860年,公司派摩根去南方考察,希望他能获得关于棉花和航运的第一手资料。在新奥尔良,摩根遇到了一个让他无法抗拒的商业机会,但是机会和风险总是并存的。

一位当地的船长手中压了一船咖啡,由于收获商破产了他一时找不到买主,但必须立即采取行动,不然咖啡就会坏掉。摩根果敢地用公司的钱低价买下了咖啡。当遭到邓肯的坚决反对后,他求得父亲的援助,归还

了公司的钱，继而又以很便宜的价格买下了其他几条船上的咖啡。不久，巴西咖啡因受寒而减产，价格涨了几倍，摩根趁机把咖啡卖给了新奥尔良的商人。他赌赢了，从中赚取了第一笔风险收益。纽约公司的老板们不以为然，他们觉得这笔生意太冒险。但摩根却相信他有了解别人的本能，对于第一次见面的人，他很快就能判断其性格和品质，这正是摩根最厉害的地方。

在新奥尔良牛刀小试之后，摩根发现银行提供的机会已无法满足他的雄心，他急于开创自己的事业。1861年，他离开银行，成立了摩根商行。那时，美国正笼罩在内战的阴影下。美国需要资金，摩根开始与父亲联手，把欧洲的资金投入到美国的工业建设中去。美国南方和北方之间的仇视情绪迅速升级，最终内战爆发了。年轻人纷纷应征入伍，为联邦抛洒热血。像许多有钱的年轻人一样，摩根付300美元给一个替身，逃脱了兵役。随后，他就把全部精力都集中到工作上来。摩根的事业正式开始了。

但是，天有不测风云。1861年的夏天，在他和咪咪相识3年后，咪咪得了肺结核病，这种病在19世纪几乎可以说是绝症。摩根十分痛苦，他向咪咪求婚，并向她保证一定会治好她。在纽约，他与她在家中举行了婚礼。实际上，他不得不从楼上抱她下来参加婚礼。婚礼是在咪咪家的豪宅举行的，但现场却笼罩着静寂、哀伤的气氛。摩根的父母没有参加婚礼，显然他们不很赞同这样的结合。

婚后，摩根立刻带咪咪到阿尔及尔去度蜜月，他以为热带气候可以帮助她康复。当咪咪的情况恶化时，他找来了最好的专家为她治疗。但是，他的努力都是徒劳，在他们结婚4个月之后，咪咪死于摩根的怀中。摩根精心营造的井井有条的生活被彻底打乱了。

扼住命运的咽喉

当摩根回到纽约时，他完全变了。他埋头于工作，试图忘却失去咪咪的巨大痛苦。他继续和父亲合作，把欧洲的资金投向美国工业。摩根在寻找一个更大的发展平台，但是目前，他忙于满足父亲的要求。当然，这也帮助他暂时忘却痛苦。1863年，摩根解散了摩根商行，另和查尔斯·达布尼一起组建达布尼·摩根公司，从事政府债券业务。新生意并没有占据摩根所有的时间，他从城里的社交活动中也得到了安慰。

摩根仍然记得,他和祖父一起去圣公会教堂做弥撒时所感受到的巨大宽慰。他加入了圣约翰教堂,并沉浸于教堂活动。在他继续为咪咪悲痛时,教堂意外地弥补了他的损失。在那里摩根遇到了年轻美丽的芬尼·翠希,她是一个著名律师的女儿。经过

摩根起草的建立一个两千五百万美元资金库的协议

一年的恋爱,摩根和芬尼于 1865 年 5 月 31 日在圣乔治教堂结婚。婚后第一年,芬尼生了一个女儿,他们叫她路易莎。在随后的几年里,芬尼又为摩根生了一个儿子和两个女儿。摩根为他的家人买了一幢漂亮的夏日别墅。这是一幢很大的维多利亚式房子,从那儿可以看到哈德逊河。

但是,摩根的健康又开始出现问题。他经常头痛、头晕,而且还深受一种叫做酒糟鼻的皮肤病之苦。这种病使他的鼻子肿大,双眼疼痛,也正因为这个原因,所有摩根的画像都经过了重新处理,这样使他的鼻子看上去小一点。摩根的医生建议他多休息、多放松,他采纳了,选择了一个既能促进健康又对生意有利的娱乐。他买了一艘 165 英尺长的游艇,给它取名为"考莎儿"号。在游艇上,他可以边工作边娱乐。在 33 岁时,摩根有一个美满的家庭,一艘游艇,两处房子。他年薪 7.5 万美元,当时这可是一大笔钱,因为只要 2000 美元就可以过上舒适的生活。摩根甚至考虑退休了。但是,他的父亲又一次介入了他的生活。为了使摩根改变主意,朱尼厄斯建议他和很有实力的银行家安东尼·德莱克赛尔合伙,创立了德莱克赛尔·摩根公司。在摩根的领导下,这个新公司很快成为国际金融界的新贵。随着摩根权力的不断增长,他的影响力也日益扩大。所有关于退休的想法都被抛到了九霄云外,摩根决心要大展拳脚。

1879 年他的机会来了,范德比尔特财产的继承人威廉姆.H.范德比

尔特来找摩根,他想卖掉他所拥有的纽约中央地铁的 25 万份股票。这笔买卖太棘手了,因为如此大的交易势必会引起市场的混乱。然而摩根运用自己的聪明机智,在丝毫没有惊动市场的情况下,成功地抛出了范德比尔特的所有股票。这次交易是他的转折点。作为回报,摩根成为纽约中央地铁董事会中的一员,控制了对铁路的财政权。从此,为了得到控制权,摩根经常使用这一招。财政界开始关注摩根,他很快成为华尔街最受欢迎的经纪人,这既因为他在生意场上的精明,也因为他总能得到他想要的东西。从外貌上看,摩根给人的印象异常深刻,他那黑色的眼睛仿佛能洞穿一切,看穿人心;他那巨大而扭曲的变色鼻子令人害怕,他自己也知

摩根购买的游艇

道这一点。

不久,人们请求他运用智慧和影响力来解决一个财政难题。当时,美国两个最大的铁路公司正在进行一场你死我活的财政大战,他们在同一地方几乎并排修建了各自的铁路线。恶性竞争引起了极大的混乱,大把的钱财被浪费在不盈利的铁路线上,两大公司随时都可能倒闭,这将是投资者的灾难。而许多投资者都是请摩根父子做代理人的。皮尔彭特·摩根临危受命。他很有策略,这既说明了他的确是个天才,也显示了他不达目的绝不罢休的个性。

他邀请两个老板到他的游艇上去商谈,讨论一下是否有可能达成协

议。等他们一上船,摩根就让两个老板知道,他期望他们之间会妥协。时间在流逝,游艇在哈德逊河上开来开去。很明显,除非这两个铁路老板达成协议,不然,摩根不会让他们下船。摩根的计划成功了,地铁老板迫于当时的危机形式,最终同意互不侵入对方地盘。摩根的策略令人震惊,因此这一协议赢得了一个特殊的外号,叫"'考莎儿'号协议"。

1890年4月,朱尼厄斯死于一起马车事故。父亲的死对摩根影响很大,然而这也是一个自由的信号。在新的合作协议中,摩根接替父亲管理欧洲事务,他将公司总部从伦敦迁移到了纽约。1894年,在安东尼·德莱克赛尔去世一年后,摩根将公司更名为"J.P.摩根公司"。从此,摩根公司就成为摩根财团的核心和大本营。摩根已经爬上了华尔街金融霸主的宝座,开始对美国许多大银行和大工业公司发号施令。

"再摩根化"

19世纪90年代初的美国经济非常脆弱,1893年股票市场垮了,美国进入了一段艰难的萧条期,100多家铁路公司宣布破产。这威胁到了其他行业,整个市场发生了经济上的多米诺效应。权贵们请求摩根帮助他们摆脱危机,摩根出面重组铁路公司,精简铁路机构。很快,他扭转了局势。可是,摩根的帮助是要求回报的,他控制了他所插手的许多公司的财政权,成了世界上最有权势的人物之一。当时美国竟生出了一个新词"再摩根化"。摩根的胃口大得惊人,他仍要继续扩大自己的影响力。机会来了,但这几乎是一场灾难。

1893年,由于经济萧条联邦政府的黄金储备下降到了极限水平。政府曾经承诺归还国债,但是没有黄金,这种承诺毫无意义。在美国有大量投资的外国银行惊慌起来,他们纷纷提取黄金。到了1894年,形势已经非常严峻,美国政府面临破产的局面。摩根迅速采取行动,他制订了一个计划,即由美国和欧洲的银行直接投资黄金给美国政府,以避免其破产。他立即将此计划交给了美国总统格罗夫·克里夫兰,然后就在他的图书馆边玩单人纸牌边等总统的回音。

最终,总统答复了,可这个答复令摩根很失望。总统没有接受他的提议,相反,他支持另一个计划,即通过直接向公众出售债券来筹款,摆脱危机。事实上,即使克里夫兰总统与摩根意见一致,他也没有办法实施。因为只有国

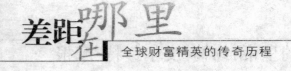
会才有权为美国借钱,而许多国会议员绝对不愿让华尔街上摩根之流的经纪人来控制国家财政。但是,摩根知道政府已经来不及向公众出售债券了。他相信,他的计划是美国的惟一出路。

摩根不达目的是绝不会罢休的,他迅速赶往华盛顿。当有人告诉他总统不会见他时,摩根的回答简短而又生硬:"我来华盛顿见总统,我将呆在这儿,直到见到他为止。"他似乎认为自己和美国总统是平起平坐的。第二天,从白宫传出话来,总统要接见他。就在摩根和总统以及其他内阁成员会谈时,美国财政部长接到了一个紧急消息,他当时就在会上宣读了,"美国只剩下900万美元的黄金储备了"。于是,摩根趁机告诉大家,据他所知,美国财政部马上会收到一张1000万美元的汇票。摩根宣称:"如果那张1000万美元的汇票到了,而你们不能兑换,那么一到3点钟一切都完了。"克里夫兰考虑了一会儿,问道:"摩根先生,你有什么建议?"摩根说,他发现一条内战时遗留下来的老法律允许财政部购买黄金。虽然这条法律已经不再使用,但它仍然有效,可以帮助财政部绕过国会实施摩根计划。克里夫兰最后同意了。

几天之内,黄金开始回流到财政部,财政危机被完全抑制住了。许多人称赞摩根是个英雄,表扬他既无私又爱国。但是,更多人指责他操纵政府,为己牟利。

尽管摩根的生活不时受到社会批评的困扰,但他仍然有一个稳定的泉源——圣乔治教堂。摩根也经常到欧洲旅行,贪婪地收集珍奇的书籍和艺术品。很快,他成为最大的现代收藏家。摩根只有一条不变的原则,他想要,他就去买。他热切地想拥有世界上最伟大的艺术品。他的做法令人联想到拿破仑,终于能和童年时的偶像并驾齐驱了。有一次,他写信给姐姐,"我收集完了希腊古董,我正在对付埃及古董。"他就像一列货车,从艺术史的一个时代奔驰到另一个时代。

摩根的个性充满激情,这在工作中也表露无疑。1901年,他进行了现代史上最大的一宗交易——收购卡耐基钢铁公司。卡耐基钢铁公司将成为摩根帝国皇冠上的明珠。南北战争结束后,美国的钢铁工业发展迅速,市场前景巨大。深谋远虑的摩根早在1892年就将目光投向了钢铁业,随后他展开了一系列的兼并活动。但摩根要想真正控制美国的钢铁工业,就不得不与当时在钢铁工业中占主导地位的安德鲁·卡耐基打交道。1901年,卡耐基因为接连遭受丧失亲人的打击,心灰意懒,有意要将他麾下的钢铁公司转让。摩根要卡耐基出个价,卡耐基在信封的背面潦草地写下一个数字,摩根看了一眼价钱——49300万美元,他立即说"成交"。收购了卡耐基钢铁公司之后,摩根成立了美国钢铁集团,它的股票价值为14亿美元。摩根创造了世界上第一家超过10亿美元的集团,他控制了大约60%到70%的美国钢铁工业。当时,铁路股票占纽约证券交易所所有股票的60%,而他却控制了1/3的美国铁路。如果美国公众认为摩根拥有整个美国,那么他们的想法并非全无道理。刚刚建立了美国钢铁集团后不久,摩根又把美国两个最大的铁路公司合并了,新公司名为"北方信托"。摩根到达了权力的巅峰,似乎没有什么能够阻挡他了。

摩根在经济上的控制权,很容易就可以延伸到华盛顿的政治圈中。他动用自己的影响力帮助威廉姆·麦金利——一个大型企业的朋友入主白宫,成为美国第25任总统。不幸的是,1901年9月麦金利因遭到刺客枪击而身亡。麦金利永远地离开了白宫,公众舆论又开始对大企业不利。摩根很快就遇到了一个与他同样强劲有力的人。

他买下了整个美国经济

1901年的纽约到处是权势和金钱,处在这一切中心的正是美国最有权力的人——约翰·皮尔彭特·摩根。他看上去就很有力量。有人描述说,当他在华尔街上走来走去时,他会把挡路的人推到一边。而实际上,他根本没必要把人推开。人们一看到他走来,早就忙不迭地让出一条路来了。然而,他一生中最艰苦的时候到了。麦金利总统遇刺后,西奥多·罗斯福出任总统,因其是第32任总统富兰克林·罗斯福的远房堂叔,又是富兰克林·罗斯福夫人的伯父,所以也经常被后人称为"老罗斯福总统"。人们对新总统所知不多,但是从纽约人对他有限的了解中,人们意识到他有点像门不受控制的大炮,因为他曾公开批评过商人。

这时,摩根不得不开始重新考虑,政府是否会支持大型企业。罗斯福入主白宫后4个月,摩根就发现了这门大炮到底冲着谁。他的司法部长菲兰德·诺克斯准备起诉摩根的北方信托,因为它违反了1890年的《谢尔曼反托拉斯法》。罗斯福决心打破托拉斯,把权力还给小商人,他要拿摩根开刀。形势所迫,摩根不得不动用自己全部的权力和影响力,他第二次赶去华盛顿见总统。在白宫举行的会议上,摩根向罗斯福抗议,应该给他一个机会来重组北方信托。总统回答说:"那正是我们不愿做的。"摩根说:"如果我们做错了什么,派你的人来,让他和我的人一起解决问题。"罗斯福答道:"那办不到。"司法部长补充说:"我们不想解决问题,我们想终止问题。"

摩根很愤怒,没有政客敢对他做生意的方式指手画脚。他走上法庭,要为保住他的公司而斗争。但是,最高法院支持原判,他们要解散摩根公司。在法院的命令下,北方信托正式解体了。摩根知道这一次他失败了,他也因此十分痛恨罗斯福。有一次,当他听说罗斯福去非

摩根修建的私人图书馆

洲狩猎时,他说:"很好,我希望他碰到的第一只狮子就把他吃了。"但是,摩根依然很有权力,像以前那样控制并影响着时事。

摩根因为沉浸于事业,经常不在家,但他对孩子们的影响依然很大。摩根经常以写信的方式,谆谆教导自己惟一的儿子杰克,很明显他将成为他的继承人。孩子们都走向成功,摩根有更多的时间用来旅行和从事收集。但是,他的家很快就装不下他的藏品了。摩根决定修建一个图书馆来盛放他的财富,他说到做到。摩根也捐了很多钱,除了捐助各种慈善机构外,他还花了将近200万在哈佛大学修建了父亲纪念堂。而且,在家乡哈特福得镇他还修建了华兹沃斯·安瑟纽姆博物馆。摩根正是在他的新图书馆里,取得了最后一次、也是最辉煌的一次胜利。

1907年秋,另一场恐慌席卷了华尔街,美国最大的托拉斯公司之一倒闭了,这引起了经济动荡。罗斯福总统看到一场灾难正在逼近,白宫必须立刻采取行动。罗斯福的智囊团知道,只有一个人能力挽狂澜,那就是摩根。但总统曾经起诉过他,因为他拥有太多的权力;然而,也是这个总统现在却要把控制权归还给摩根。摩根不顾年迈,又一次接受挑战。在那一段时间里,他买下了整个美国经济。

由于摩根的介入,拯救行动开始紧张有序地进行起来。但是,有太多

的工作要做了。当时的公众已经陷入一种恐慌状态,人们纷纷抢着提取存款,托拉斯开始一家家倒闭,局势好像没救了。摩根认为,只要挽救了这些托拉斯,就有可能挽回整个经济局势,重塑公众的信心。他的计划就是让大一点的托拉斯投资挽救较弱的竞争者,可这并不容易。

摩根再次施展了他那无人能及的说服力,他把这些托拉斯的董事长们召集到他图书馆的书房中。在那些圣徒和女神塑像的凝视下,他意味深长地看了每个人一眼,然后开始请求他们合作,虽然他的请求有时听起来更像是命令。随后,他让这些老板们讨论"摩根计划"的优缺点,而自己却从图书馆的前门走了出去,锁上大门,并拿走了钥匙。摩根去了另一间房间,边玩单人纸牌边等答案。几个小时过去了,他们仍然没有同意摩根的计划。但是,最终他们会同意的,因为摩根已把他们锁了起来,无论要花多少时间,这些银行家们都会同意摩根的计划的。否则,他们将会永远呆在摩根的图书馆里。整个国家的经济处于崩溃的边缘,而全国最有影响力的几个人却都被锁在了图书馆里。整个晚上,他们徒劳地寻找解决这次财政危机的方法,不时地向摩根提出各种妥协和建议。摩根合伙人的孙子小亨利·戴威森描述当时的情景说:"摩根坐在书桌前,他在洗牌,而他的手下时不时走进来汇报,'摩根先生,银行董事长们提议,贷款1000万美元'。而正在洗牌的摩根抬起头说:'那还不够。'然后,继续洗牌。"

凌晨的时候,摩根走进书房,这些人仍未达成协议。但是,摩根已有了解决办法。他把伙伴起草的合同和一支钢笔,推到这些人的头儿面前,然后指着合同说:"在这儿,这是笔。"筋疲力尽的银行总裁不得不签了这个协议,于是别人也跟着签了。这些托拉斯老板们同意,建立一个2500万美元的资金库。几天后,经济恢复了。摩根以他本人的坚定意志稳定了正在丧失的华尔街的意志。

1907年,摩根因为经济危机而重出江湖,但这却是美国史上最后一次允许一个银行家像摩根那样操纵国家资源了。摩根不会想到,他的最后辉煌竟宣告了银行家个体左右美国经济权力的结束。很快,联邦政府创建了一个正式的机构,来处理原来由摩根一个人完成的事。

经济危机过后,摩根进入了半退休状态。他累了,都70多岁了。他开始将自己的大部分时间都用来旅行和收集艺术品。在美国,人们仍在争论摩根是否应该拥有那么大的影响力,公众舆论开始坚决反对大型企业。1912年,政府设立了一个参议院委员会,来调查华尔街上的"金融托

拉斯"。委员会命令摩根12月份到华盛顿接受质询,一个有钱的律师塞缪尔·恩特梅尔代替委员会询问。摩根被质询长达几小时,但纵使公众的眼睛有多么警惕,在一个问题的对答上摩根挽回了他的形象。恩特梅尔问道:"商业信用是不是主要建立在金钱和财产上?"摩根答道:"不,先生,占第一位的是人的品格。""甚至在金钱和财产之前?"恩特梅尔反问道。摩根回答:"是,在金钱和任何东西之前。金钱买不来品格,对于一个没有品格的人,他就是有天下所有的股票,也无法从我这里借到一分钱。"旁观者鼓起掌来,摩根说出了他得以创建一个金融帝国的哲学——品格为信用之基。但是,作为金融帝王,他的统治时代结束了。

听证会结束后,摩根继续旅游,但他的时间所剩不多了。1913年3月31日,在罗马的一家旅馆里,他于睡梦中去世,享年75岁。成千上万的人涌到圣乔治教堂,参加摩根的葬礼。他的遗体被送到哈特福得镇,葬入家族墓地。作为对他最后的敬礼,纽约证券交易所停业一个上午,在整个历史上,这种情形不过发生可数的几次。

据估计,摩根去世时的个人资产超过6800万美元,而仅是他的艺术收藏品就值6000万美元。这是摩根最大的财富,他把它们留给了美国人民,其中许多收藏品都捐献给了美国纽约大都会艺术博物馆和华兹沃斯·安瑟纽姆博物馆。1924年,摩根图书馆正式向公众开放。这是一个美丽的纪念碑,它纪念着一种伟大的力量——一个人的一生竟然可以积聚如此多的财富。

摩根的儿子杰克接管了摩根财团,财团控制着大批银行和其他金融机构。总资产超过20亿。这个公司今天依然存在。

"在某种意义上,摩根是我们的拿破仑。我们为他着迷,我们觉得,他对环境的控制力太不可思议。我们为他的成功着迷,我们甚至为他的失败和逃避而着迷。"身为作家和历史学家约翰·罗斯曼尼埃如是说。在摩根去世后,他曾经的对手罗斯福是这样总结他的一生的,"在政治上,摩根先生是我的反对者;但是,每次我和他打交道,我不但感受到了他那伟大的能力,而且深切地感受到了他的真挚和真诚。"

约翰·皮尔彭特·摩根用他的正直和影响力,改变了世纪之交的华尔街。与此同时,他也永远地改变了美国。

我要为父亲说两句,他早就应该拿这个金像奖,而不是终身成就奖。

——迈克尔·道格拉斯

渴望生活:柯克·道格拉斯

提起美国影星柯克·道格拉斯,人们总是赞不绝口:"柯克很有爆发力,不会循规蹈矩","他具有反抗精神,藐视正统教条","柯克非常有胆识,只要他认为是对的,他就会去做,不怕犯众怒。我非常喜欢他,他是那么迷人"。"你会一直认为,他就是一个'V'字,象征胜利"。"柯克·道格拉斯深受女性喜爱,能让女士们笑逐颜开"……

这个下巴上有一个标志性小窝的人,不但塑造了一个个硬汉反叛的形象,还拍摄了《斯巴达克斯》这样的电影。他三次与奥斯卡金像奖失之交臂,但接受奥斯卡终身成就奖时的致辞却感人至深。

缺少父爱的犹太人

　　柯克·道格拉斯的生活要从 19、20 世纪之交的俄国乌克兰说起。当时,政治迫害与经济困境打击着这一家人。柯克·道格拉斯的父母是犹太农民,生活在种族杀戮的恐惧中,柯克的舅舅就是在种族杀戮中丧命的,于是他的妈妈做梦都想让一家人到美国去。经过几年的积蓄和努力,布赖纳和赫谢尔·达比洛维奇终于到了纽约州的阿姆斯特丹,那是奥尔巴附近的一个新兴工业城,一家人在此地安了家。

高中的柯克·道格拉斯(第二排左二)

　　柯克·道格拉斯出生于 1916 年 12 月 9 日,本名伊索尔·达尼耶洛维奇。阿姆斯特丹充满机会,但赫谢尔既没文化,又无一技之长,当地人又都不愿雇佣犹太人,他便成了卖旧衣服的小贩。这是社会最底层的职业。因此,他很难喂饱家中的 6 个女儿和 1 个儿子。柯克的母亲是一个标准的家庭主妇,每周五晚守安息日。柯克的父亲情绪变化无常,常常在酒吧里买醉。柯克和姐妹们对父亲无可奈何。

　　这个小贩的独生子长大后,缺少父亲的关爱和认可,一直是他挥之不去的噩梦。柯克是家里的"小爸爸",推着小车去卖苏打水和糖果,以贴补家用。他对待工作与玩耍同样认真。

　　柯克想当演员。还在学校时,他就出演每一台戏。舞台能给予他父亲所不能给的热切关注。

　　柯克十几岁时,父母最终离婚,孩子们都跟了母亲。家庭以外,柯克爱交际,他希望成为"最受欢迎的男生",他也的确顶着很多荣誉从高中毕业了。跟父亲一样,作为犹太人,柯克很难找到工作。

　　1935年,柯克决定去大学学"演戏"。他和一个朋友搭车到了纽约州的托尼圣劳伦斯私立大学。最后一程路,他们坐的是运送肥料的卡车。柯克把自己介绍给学监后才有机会洗个澡。他承认只有163美元支付学费,但学监欣赏他的决心,并为他争取到了学生贷款。同学们也很佩服柯克。同学多琳·洛德说:"柯克很出色,很英俊,他会交叉着双臂看着你的眼睛,仔细听你的讲话,你会感到他听到你的心声。我不知道这是表演,还是他真实的想法。但重要的是,别人觉得他很真诚。"

　　在圣劳伦斯,柯克是个摔跤明星,有拿奥运会冠军的潜力,但他的社交活动并非一帆风顺。当一个社团的成员知道他是犹太人后,都反对他加入。不过,这阻挡不了他实现自己的校园理想,柯克投身各种活动,特别是戏剧。他还成为第一个非社团成员的班长。同学多琳·洛德说:"我记得他当选班长那天,他在教堂里,就站在前面。阳光照射进来,金色的光芒撒在他的头发上,他看上去就像一个神。"

　　事实上,柯克讨厌班长工作,但这个异乡人却由此充分证明了自己的能力。柯克带着许多荣誉,毫无遗憾地从圣劳伦斯毕业了。柯克参加夏季固定剧团的演出,同事卡尔·梅登帮他取了一个今后会吸引全美国瞩目的艺名,伊齐·戴姆斯基成了柯克·道格拉斯。不久,他决心让百老汇知道这个名字。

一炮走红的电影明星

　　1939年寒冷的秋天,身无分文的柯克来到曼哈顿。不出几个月,柯克就获得了著名的美国戏剧艺术学院的奖学金。在那儿,他遇到一个16岁的漂亮而热心的女演员:劳伦·巴考尔。劳伦·巴考尔说:"我觉得他非常帅气,他真的很帅。他在斯克拉夫兹饭店做服务生,我和妈妈常去那儿点冰淇淋苏打吃,柯克会给我们送来。"她打算像朋友一样送件礼物。她说:"他惟一的一件外套居然是雨衣,他身无分文。我叔叔有一件多余的大衣,我准备讨来送给柯克。最后我拿到了大衣。柯克住在一栋3层楼的公寓里,我把大衣带给他。从那天起,他就暖和了。"

柯克谋求用恋情来回报巴考尔的惠赠,但他抱憾自己没有成功。柯克开始与另一位出身豪门的女演员戴安娜·迪尔约会。但到了1943年,二战进入攻坚阶段,柯克希望为国效力,就加入了海军。当他还在受训时,看到一本《生活》杂志,发现封面模特就是他在戏剧班的女友戴安娜·迪尔。他向那些不相信的朋友起誓,他会和这个女孩结婚。几个月的仓促示爱后,他成功了。因为在操练时意外受伤,柯克从未参与战事。他体面地获准退伍,匆匆赶回戴安娜身边,准备迎接他们的第一个孩子:迈克尔·道格拉斯。

迈克尔出生后,柯克意识到在百老汇演小角色无法维持生活,他也不想靠妻子生活。当时,柯克的老朋友劳伦·巴考尔已经在好莱坞崭露头角,她在柯克不知情的情况下帮助了他。劳伦在一次火车旅途中偶遇了大牌制片人哈尔·沃利斯。她说"我们坐在舒适的火车车厢里喝酒。我对哈尔说,有一个很好的年轻演员在纽约演舞台剧,你一定要去看一看。他真的去看了。他带柯克去加利福尼亚试镜,并给了柯克一个角色。"

这个角色是在《马莎·艾弗斯的奇特爱情》中与主演过《双重保险》的芭芭拉·斯坦威克搭档。对一个无名小卒来说,能与斯坦威克一起演戏,是个难得的机会,加之报酬丰厚,柯克接受了这份工作。这个年轻演员以为这次好莱坞历险顶多也就是几年,不料,他很快成了美国最受欢迎的男主角。

柯克·道格拉斯获得了如潮好评和一个个片约。下巴下标志性的小窝是任何整形医生都想不出来的。柯克冒火的眼眸和未经雕饰的魅力占据着银幕,这部电影很快引起了好莱坞的关注。朋友杰克·瓦伦蒂说:"就像耶稣突然显灵,制片人和影评人看到他演的片子后说,'这小伙子是谁?'之后,他们就紧紧抓住他,力捧他为明星。"

虽然柯克需要钱,但他固执而独立。让朋友们惊讶的是,他不仅拒绝片约,还对能带来5万美元片酬收入的大片嗤之以鼻。他接了一部低预算影片:《夺得锦标归》。

1949年的《夺得锦标归》是柯克事业中的一次重要冒险。影片反映了职业拳击运动中灵魂堕落的黑幕。影评人理查德·西凯尔说:"道格拉斯渐入佳境,他很棒。他这时去演讨人厌的角色,是需要勇气的。"朋友杰克·瓦伦蒂说:"这是一个反派角色,但如果你对这个被彻底击败但仍屹立不倒的人物没有注入情感、没有某种情感纽带的话,你是不会看到'冠军'的。"

这次固执的选择让他一炮走红,柯克·道格拉斯首次获得奥斯卡金像奖的提名。迈克尔·道格拉斯说:"当他凭《夺得锦标归》获得提名回到阿姆斯特丹看望他父亲时,他父亲只用单音节词来回答。我父亲问'你看过这部影片了吗?'他说'是的','你有什么看法?''很好'。我认为缺少父亲的认可,促使他渴望成功,用表演证明自己的实力。我想,他在很多表演中流露的愤怒,一部分也出自这个原因。"

那年,柯克没有获得奥斯卡奖,这是他事业中第一次与胜利失之交臂。但他引起了大众的关注,道格拉斯的硬汉形象,同时吸引了男性及女性影迷。演员劳伦·巴考尔说:"他非常有男子气概,非常迷人,能对女人明白地表达好感,于是女人们做出回应,就像她们应该如此。"

"顺其自然"的"大众情人"

有时候,这些女人知道不应该这么做,因为柯克是个已婚男人。但与他合作的女演员们经常发现柯克魅力难挡。柯克本人也承认,他顺其自然,大量的婚外情在片场泛滥,但他的妻子戴安娜不打算忍气吞声。当时,他们有两个儿子:迈克尔和乔尔。《夺得锦标归》拍摄时,两人就开始分居,当时柯克的情人是片中搭档玛丽琳·马克斯韦尔。

柯克声名鹊起,并成为整个好莱坞的"大众情人"。他的绯闻不断,帕特里夏·尼尔、丽塔·海华丝、吉恩·蒂尔尼都曾榜上有名。柯克甚至与玛琳·黛德丽有染。1949年年末,柯克与戴安娜正式离婚,两人和平分手,因为他们明白战火中的结合太仓促了,当时双方都太年轻。孩子们从此将在两地来回奔波。迈克尔·道格拉斯说:"他许诺我们,不会像他父亲那样抛弃家庭。他渴望做一个好父亲,陪我们大概3天或3个星期,教导我们,辅导功课。他想尽办法抽出时间。"

道格拉斯没有羁绊,随心所欲地扮演那些孤独怪癖的角色,让好莱坞目瞪口呆。1952年,他让好莱坞大跌眼镜:在《玉女奇遇》一片中饰演残忍的电影公司大亨,柯克充分展现了饰演反派角色的才能,把恶毒表演到极致。

柯克·道格拉斯第二次获得奥斯卡提名,但他再次失利。1953年,他平步青云,似乎金钱和美女都时刻紧跟着他。干练可爱的比利时姑娘安妮·伯邓斯吸引了他的目光——她受雇为柯克处理公关事务。安妮·伯邓斯刚来不久,柯克就对她大献殷勤。令他惊讶的是,安妮竟一口回绝了。

《斯巴达克斯》剧照

柯克的儿子彼得·道格拉斯说:"作为美国当红明星,他以为自己能够得到任何他想要的,而大多数的时候的确如此,直到这个女人让他碰了钉子。结果他费了很多工夫才把她追到手。"

实际上,柯克并不是一个人生活。这段时间,他正与意大利女星皮耶·安杰利交往。安妮·伯邓斯不是普通的漂亮女人,她15岁时逃离纳粹德国,在电影制作圈里成功地打造了自己的事业,她保护自己不受伤害。安妮说:"我对自己说这可不行。就因为我特立独行,事情真的就发生了。"柯克终止了其他恋情,开始专心和安妮约会,但安妮不愿陷得太深,因为她觉得柯克惟一认真对待的就是他对儿子的承诺。但在1954年,当柯克获悉父亲去世的消息时,他似乎幡然醒悟,邀请安妮到家中住了几个月。在这之前,安妮一直在等这个电话,渴望在柯克的孩子回来度假前和他聚一聚。安妮说:"一天他到我身边说,'我必须跟你谈一谈,孩子们要来了'。我的心一沉。他接着说,'我想如果结婚对你我也许会更好。'我几乎晕过去。"柯克意识到,安妮将是他的终身伴侣。

柯克最终安定下来,但这并不意味着他会停止冒险,他希望更多地掌控自己的电影,并有更多的收入。这个有主见的演员决定做制片人,当红演员道格拉斯大胆组建了自己的制片公司,并以母亲的名字"布赖纳"来命名。朋友杰克·瓦伦蒂说:"他希望能主导影片的拍摄,但在身处电影公司控制一切的年代,他想摆脱电影公司的束缚时,便被人们认为是荒唐的行为。他是第一个这么做的人,后来其他一些电影巨星便纷纷效仿。"

担任了制片的演员柯克·道格拉斯找到了他的新角色。《生活的欲望》描写了文森特·梵·高痛苦的一生。表演高更的演员安东尼·奎恩说:"他看上去就像梵·高。我当时想,这部戏我会失败的,因为没有人能与他的表演抗衡。我常花几个小时走过那儿所有的山坡,想找到柯克演梵·高那样的感觉来演高更。"

迈克尔·道格拉斯说:"我看着这个疯子。当他对着镜子切下自己的耳朵时,我的弟弟跑出电影院歇斯底里地尖叫。我跟在他后面,我们都不知所措。"

柯克·道格拉斯再一次获奥斯卡奖提名。他说:"我只是获了好几次提名,但没有一次获得。我早就准备了一篇很棒的获奖致辞,但从没有机会说。"

安东尼·奎恩说:"他没有得奖让我很遗憾,我认为柯克能以这个角色获奖会是件很棒的事,因为他在这个角色里倾注了全部心血和灵魂。"

此后的 5 年里,他将得而复失另一笔财富。但是好莱坞会知道,就算有规矩,柯克·道格拉斯也会横冲直撞。

《斯巴达克斯》的胜利

1955 年,柯克·道格拉斯和安妮的第一个儿子彼得出生了。柯克的家庭生活多姿多彩,但他仍是一个工作狂。安妮说:"他的动力在于他担心如果不工作赚钱,就会再次陷入贫困。这种恐惧感促使他像超人一样,有时每年接拍 3 部甚至 3 部半电影。"但柯克自得其乐。1957 年,他在经典西部片《OK 镇大决斗》中扮演霍利迪医生,与伯特·兰开斯特演对手戏。这部电影使好莱坞从此出现了无数的"哥儿们"电影,也使柯克与伯特建立了牢固的友谊。

朋友杰克·瓦伦蒂说:"柯克不喜欢应酬,除了家人,只有少数几个至交。柯克不会张开双臂欢迎人,不轻易接纳别人,也许早期的他就是用这个来自我保护,免受谎言和绝望心情的伤害的。"

伯特·兰开斯特是个性格坚强的年轻人,柯克觉得与他志趣相投。1957年,道格拉斯以伯乐般的敏锐直觉地证明自己是一个出色的制片人。不知名的青年导演斯坦利·库布里克给了他一本引发争议的剧本《光荣之路》,讲述的是法国部队在第一次世界大战中所做的无谓的牺牲。道格拉斯制作了一部反战电影,受到法国军方抗议。直到20世纪70年代才得以在法国上映。

20世纪50年代,是柯克生涯中的重要时期,他成了好莱坞的票房明星之一。因此,他以为自己成了百万富翁。柯克完全信任他的经纪人。安妮这样描述这个经纪人:"他和他的妻子是我丈夫最亲密的朋友。他是我丈夫的经纪人、律师、父亲和倾诉对象。他可以充当任何角色。"安妮向丈夫抱怨说,他的经纪人没有递交完整的账目清单。但柯克在需要时总是可以轻易拿到现金,因此对安妮的猜疑大发雷霆。但安妮是为了保护柯克,她没有轻易放弃,并安排了一次独立审计,结果令人震惊。柯克债台高筑,他的公司欠了美国国家税务局数十万美元。

安妮说:"这很糟,他觉得会陷入自己一直担心的局面,会再次穷困潦倒,财务困境会毁了他的事业。"柯克和安妮要求这位朋友兼经纪人作出赔偿,但只收回了一小部分钱。朋友杰克·瓦伦蒂说:"这件事对他打击很大,不仅是钱财上的重大损失,更重要的是,给他的内心蒙上了一层阴影。"

糟糕的局面只能让他变得更加坚强,柯克逐渐走出了财务困境。影片《海盗》是一部大制作的西部片,艺术性不强,但幸运的是,这部影片受到大众喜爱,票房极好,柯克得以偿还税务欠款,并重新开始有积蓄。

1958年,柯克和安妮有了第二个儿子,这个金发小男孩有个好听的北欧海盗的名子——埃里克。《海盗》的成功,也确立了布赖纳公司的地位,使柯克能够自由拍摄他觉得有价值的电影。他说:"制作电影不能轻率。如果你碰巧能拍一部对人产生巨大影响的影片,甚至影片只是把观众从现实中解脱出来2个小时,让他们忘记自身的烦恼,这种治疗的价值也是巨大的。"

柯克开始准备其电影生涯中最重要的一部电影:《斯巴达克斯》。影片讲述了一场壮烈的反抗罗马帝国的奴隶起义。柯克同情故事中为了理想而献身的受压迫者。作为制片人,柯克招揽了当时最红的明星劳伦斯·奥利弗、托尼·柯蒂斯、查尔斯·劳顿、彼得·乌斯蒂诺夫,以及扮演他情人的琼·西蒙斯。柯克再次聘请了才30岁的斯坦利·库布里克当导演。为了拍摄一次战斗场面,他借用了整整一支西班牙陆军部队。他还聘请著名作家多尔顿·特朗博担任编剧,从而改写了好莱坞的历史。

《马莎·艾弗斯的奇特爱情》剧照

麦卡锡主义笼罩着20世纪50年代的好莱坞,多尔顿·特朗博和其他所谓的共产主义作家一样,被列入了黑名单。电影公司不好公开聘用这些人,他们只能用化名秘密工作。演员劳伦·巴考尔说:"当时人人自危,电影公司的老板们也害怕,很多人失了业,生活从此被毁,时局相当糟糕。"

电影拍摄完毕,道格拉斯和库布里克争论,该给多尔顿·特朗博起个什么化名。库布里克说不如就用他自己的名字。道格拉斯大为恼火。他们随意想了几个名字,最后柯克抬起头说:"等一下,我们就用多尔顿·特朗博自己的名字。他们能把我怎么样?用枪杀了我?处死我?应该告诉观众,多尔顿·特朗博的真名。"他就这么做了。影评人理查德·西凯尔说:"这对打破好莱坞黑名单是非常重要的一步。道格拉斯眼光敏锐,他判断出政治风向正在改变,因此敢于这么做,但这的确要冒风险。"

《斯巴达克斯》可能受到抵制,他本人可能被好莱坞孤立。演员劳伦·巴考尔说:"柯克非常有胆识,只要他认为是对的,他就会去做,不怕犯众怒。"柯克赌了一把,他成功了。《斯巴达克斯》非但没有遭到抵制,还引得其他制片人纷纷效仿。朋友杰克·瓦伦蒂说:"他挥剑斩断了死结,黑名单就此结束。"

这个事件反映了柯克·道格拉斯的处世态度,他就是让好莱坞跟着他走的一个了不起的外来者。但在此后的10年里,柯克将明白,不可能事事顺心。

终身遗憾:《飞越疯人院》

40岁时,柯克·道格拉斯声名显赫,既是一位优秀演员,又是一个苛刻、挑剔,精益求精的大牌制片人。他回到家里,也颐指气使,喜怒无常。

安妮说:"一旦家里有什么东西没有放对地方,或我还陪孩子们做功课,不在他身边,或马丁尼酒准备得不是时候,他就大发雷霆。如果有人给我打电话,他就站在我面前,做一个挂掉电话的动作。"

柯克可能很难伺候,但他用热情来弥补。他对电影的热情,带来了一次又一次的成功。他指导片中的每一个镜头,例如《自古英雄多寂寞》和《五月中的七天》。但成功意味着长时间外出拍摄,这不可避免地会妨碍他做个好爸爸。必要时,柯克会把大儿子带去片场。

迈克尔·道格拉斯说:"我觉得这有点像马戏团的生活,你只能在外景地和电影上看到自己的父亲。我还是个孩子的时候就跟着父亲。他们在大厅里剪辑《精神病患者》的那个夏天我在环球电影打工,经常在午饭时溜去看被剪掉的恐怖镜头。"

然而柯克仍对百老汇的舞台念念不忘。当读了肯·凯西关于精神病院暴动的小说《飞越疯人院》后,柯克觉得其中的反抗领袖兰德尔·麦克默菲是为他而写的。麦克默菲喜欢冷嘲热讽,情绪急躁,像个定时炸弹。这一人物,与柯克自身的喜怒无常不谋而合。柯克希望把它自导自演成舞台剧,然后拍成电影。但评论家们不觉得疯子开的玩笑有什么意思。由于遭到恶评,该剧几个月后就停演了。柯克只有罢手,转而开始面对另外的挑战。由于指挥导演而备受批评的柯克决心自己执导。《捣蛋鬼》一片讲的是个场面热闹的海盗故事,剧本几易其稿。相当折腾人。年轻的丹尼·迪维图被选中出演一个小角色。他回忆说:"这是个奇怪的组合,我们有马、海盗船、鹦鹉、女孩和一帮男子,一大堆演员。"电影的人物很杂,而道格拉斯的角色也很杂。让大家松了一口气的是,柯克很快就放弃了导演一职。

把《飞越疯人院》拍成电影是柯克的夙愿。但是,每次不是遇到法律问题,就是遇到财务困难。柯克对此耿耿于怀。演员丹尼·迪维图说:"记得我在20世纪60年代末到这里的时候,柯克给我们看了一幅他画的画,画中有三个人,其中一个就是麦克默菲。"

当时,柯克·道格拉斯的儿子迈克尔·道格拉斯凭借《旧金山的街道》成了电视明星。当他希望子承父业当制片人时,也对《飞越疯人院》发生了兴趣。他回忆自己对父亲提到此书时说,"我说,我喜欢这本书,为什么不拍成电影?我会尽力的,我会让您出演这个角色。然后他说,好极了。"

柯克对迈克尔的努力,特别是成功解决经费问题非常满意。出演兰德尔·麦克默菲的梦想就要实现了。但是1975年,柯克·道格拉斯59岁了,这个年龄,不再适合扮演爱捣蛋的麦克默菲。制片人迈克尔·道格拉斯赞成起用年轻一些的杰克·尼克尔森扮演这个他父亲已经等待了 10 多年的角色。迈克尔说:"对于我和我父亲,这都是个难以抉择的时刻。我想他能理解,但在情感上很难接受。"

柯克放弃了这个角色,也就失去了梦寐以求的奥斯卡奖。凭借这个柯克钟爱的角色,杰克·尼克尔森问鼎影帝。1975 年,迈克尔·道格拉斯制片的《飞越疯人院》夺得 5 项奥斯卡大奖。

朋友杰克·瓦伦蒂说:"柯克会很自豪的,因为他几乎能做到任何事。但我相信他内心深处会认为'这个角色是我的,这个角色本来是属于我的'。"柯克投资了这部电影,收益相当可观。但柯克还是说,情愿不要一分钱,也想演麦克默菲。

奥斯卡终身成就奖

随着他的年岁增长,有趣的角色越来越少。1986 年,柯克对能主演《再上梁山》感到激动。这是为他和老友伯特·兰开斯特度身编写的"哥儿们"电影。当时的柯克已年过古稀,但他并不服老。他精力旺盛,当缺少好剧本时,他找到了另一个宣泄情感的方法——72 岁的他成了一名作家,出版了一本畅销自传《小贩之子》。

《夺得锦标归》剧照

在书中,柯克终于坦白了他和父亲的感情,但读者更关心的是他与女人的关系。柯克将婚前及两次婚姻之间的情感生活和盘托出,同时又表示了对安妮的忠心。但他还是写道:"男人不是一夫一妻制的动物。"

安妮说:"他给我看文稿,说'如果里面有什么东西你觉得不妥,我会把它删掉的'。我想了想说,'不,你什么都不能删,这是你的真实生活。'我并不吃惊,因为我早就知道这些事。我觉得他应该写下来,我理解。我对他说,'还好你只写了这一本书'。"

道格拉斯度过了 30 年美满的婚姻生活，但未来的 10 年，他会更需要相濡以沫的夫妻之情。

75 岁的他正享受着写作这份新工作带给他的乐趣。1991 年，在去拜访编辑的途中，灾难发生了。柯克乘坐的直升机刚起飞，就与一架轻型飞机在空中相撞，直升机即刻坠地。安妮和儿子彼得赶去事故现场，彼得说："当时我们到了现场，我第一次感觉他可能会死，因为跑道上撒满了直升机的碎片。那架轻型飞机已经在空中爆炸了。"两个比他年轻的人死了，他受了撞击和挫伤，却幸免于难。

事故对他的心灵震撼很大。康复后，他开始为自己寻找精神寄托，好让自己落叶归根。桀骜不驯的他欣然接受犹太文化，并学习犹太教律。他还要经受儿子带来的疾风骤雨。埃里克因吸毒被捕。迈克尔反反复复的婚变和酗酒问题也常出现在小报上。他从未放下父亲的担子。

1996 年，柯克的身体遭受了更严重的打击，中风使他丧失了说话能力。精神上，他和以往一样敏锐，但他必须再学习说话。

就在中风前不久，柯克·道格拉斯，这位 3 次被奥斯卡拒之门外的演员获悉，他将被同行们授予最高荣誉：1996 年奥斯卡终身成就奖。

他当晚的出现本身就是个重大成就。迈克尔说："我为他而流泪，周围的人起立为他鼓掌。我觉得这个奖让他等得太久。我要为父亲说两句，他早就应该拿这个金像奖，而不是终身成就奖。"

之前，柯克努力准备他的领奖词，家人们担心他说话不清，让他只说"谢谢"就得体地下台，但道格拉斯不准备轻易放弃。他竟然说了一大段："谢谢，我看到了我的 4 个儿子，他们为这个老人感到骄傲。我也非常自豪，为 50 年来有幸作为好莱坞的一分子而骄傲。但这个奖是我妻子安妮的。我爱你！我感谢所有的人。为这了不起的 50 年。谢谢，谢谢。"

安妮说："他偷偷排练了这些话。他说得非常棒，这真是不可思议。"

柯克·道格拉斯从一无所有起步，却始终相信只要凭借个人的坚强意志，什么事都办得到。那一晚，所有看到他的人都相信这句话。

我很喜欢我的工作,我像疯子一样地工作。

——芭芭拉·沃特斯

美国电视新闻第一夫人: 芭芭拉·沃特斯

芭芭拉·沃特斯的童年与众不同,在贫穷与富贵间转换,在明星与智障者中周旋。她是个女人,却勇敢地闯入了男人的领地,成为第一个在男人的领地获得成功的女人。她聪明漂亮,但那都不是她获得成功的关键,她能有今天的成就是因为她总是充满竞争力。与她交谈,很多人竟能说出原来不想说的话。人们把自己的一切都告诉她,希望通过她将自己的故事传遍美国。从尼克松到克林顿,从卡斯特罗到卡扎菲,从凯瑟琳·赫本到迈克尔·杰克逊,她采访过的名人甚至可以串连成一部世界现代史。假如诺贝尔奖设电视奖的话,那就非她莫属。

寻找自己的方向

幼年的芭芭拉

1931 年的 9 月 25 日,芭芭拉·沃特斯出生在波士顿郊外的布鲁克林。她的母亲蒂娜·塞莱斯基在波士顿一个俄罗斯犹太移民的家中长大。而她的父亲卢·沃特斯则是一个英国人,15 岁就来到了美国,专门承包歌舞杂耍表演,但个性当中却没有演艺界里浮夸的通病。他总是不停地看书,像个收藏图书的人。他很有趣,也很会写东西,芭芭拉的写作才能也许就是受他的遗传。年幼的芭芭拉对父亲的了解很少,因为他大部分时间都不在家。一方面是职业的原因,另一方面还因为他是一个狂热的赌徒。他花钱的习惯使他和妻子的关系十分紧张。妻子蒂娜是个文雅内向的女子,喜怒很少形之于色。蒂娜对演艺界没有好感,她很保守、腼腆。卢的生活潇洒、奔放、明亮、意趣盎然,她却很难从中分享到快乐。生活对蒂娜很残酷,她的第一个孩子是男孩,两岁时就死了;她的大女儿杰奎琳智力有一些障碍,说话也有些困难;芭芭拉是她的第三个孩子。

芭芭拉幼年时家里经济拮据,但这种情况并未维持很久。1937 年,随着父亲卢经营的改善,家里慢慢又富裕起来。这也让幼时的芭芭拉很早就体会到了人生的起伏。到了 1940 年,卢的"拉丁角"夜总会成为所有夜总会中规模最大、名望最高的一个,很多名人慕名而来。芭芭拉家的"拉丁角"一时成了当时的"名人堂"。9 岁时,芭芭拉家搬迁到迈阿密,两年之后他们又搬到了曼哈顿。年幼的芭芭拉过着舒适的生活,身边充斥着金钱和名人。对于大多数的孩子来说,电影明星仅仅是银幕上的人物,而芭芭拉却常常在饭桌上见到他们。作为一个小女孩,她不会对那些明星们构成威胁,所以她很小就把那些大名星当做普通人看待。从表面上看,芭芭拉的生活是令人羡慕的,但事实上芭芭拉的童年很孤独,因为他们经常搬家,很多时候,她都是坐在佛罗里达的照明设备棚里看各种表演。

芭芭拉的痛苦有一部分来自她对姐姐的矛盾心理。小时候芭芭拉以为,每个家庭里都会有一个像姐姐这样的人,但她用了很长时间才弄明白,世界上其实有很多家庭比他们家幸福。芭芭拉总有强烈的负罪感。她曾说:"当我采访别人时,有很多人说我的提问可以让他们落泪,而谈论我的姐姐是惟一能让我落泪的事。也许正是这些让我产生了同情,让我明白并非所有的事情都是黑白分明的,因为我体验过,或者正在体验。对我姐姐的矛盾复杂的情感,只有近几年来,也就是在我姐姐去世之后,我才开始谈论它,因为我不想让别人知道,我们都不想让别人知道。"家庭之外的生活对芭芭拉来说也并不如意,她缺少安全感,总是沉默寡言,在邻里和学校里几乎都没有朋友。芭芭拉和她的母亲关系很密切,但是蒂娜却把更多的时间用来照顾芭芭拉的姐姐杰姬。

芭芭拉十几岁的时候,全家人常在迈阿密和纽约之间来回穿梭。15 岁时,她进了曼哈顿一所名叫布奇沃森的私立高中。这是她在 4 年时间里换的第三所学校,正是在这所学校里,芭芭拉开始用功起来。她的表现一直很好,虽然对班级工作的贡献并不多,但她的成绩一向很突出。有时为了消遣,芭芭拉也和她的同学一起去她父亲的"拉丁角"夜总会。这里不光有合唱团的漂亮姑娘,还有许多演艺界的名人,而现在的芭芭拉不仅结交名人,而且还常常同许多国家的领导人打交道。对芭芭拉的朋友们来说,去"拉丁角"是一件很让他们兴奋的事,但芭芭拉却对这个夜总会没有什么兴趣。她的生日是在"拉丁角"过的,感恩节是在"拉丁角"过的,圣诞夜也是在"拉丁角"过的。事实上,她更想在家里度过这些节日。然而,比较起把同学们带回家去见姐姐杰姬,芭芭拉还是宁愿带他们去"拉丁角"。

尽管芭芭拉对杰姬的感情十分矛盾,但真正有事的时候她总是先考虑杰姬。杰姬十分敏感,很容易失望。她有时候想说些什么但就是说不出来,这时候她就会生气恼火。每当这时,芭芭拉就要去安抚她,她总是把自己放在第二位。当家里有一个重病人时,孩子们总是成长得快些。从很早开始,芭芭拉就认为将来一定是由她独自来照顾姐姐杰姬。她十分重视这份责任,她知道有一个人将来需要她照顾,因此她一定要在事业上获得成功。很快,芭芭拉以第一名的成绩从她所在的高中毕业了。

在纽约、迈阿密和波士顿之间来回穿梭了几年之后,沃特斯一家终于在纽约定居下来。1947 年秋天,芭芭拉被招入莎拉·劳伦斯学院,这是纽约郊外一所先进的女子学院。当时芭芭拉并不知道自己想做什么,但她很喜

Barbara Walters of "Ask the Camera" Is at 22 Responds an important Local Program

芭芭拉为 WNBC 电视台策划的一档节目的宣传品

欢演戏,所以选择了戏剧专业。凭借父亲的关系,芭芭拉能频频去片场试镜。那时她还是一个低年级的学生,有很多人帮她,但她自己并不很努力。芭芭拉在莎拉·劳伦斯学院念书期间,在几出戏剧当中扮演过角色,但一直没有得到好的评价,最终她还是放弃了演艺职业。放弃本身并不说明她脆弱,而是因为芭芭拉不仅想成为好的,而且要成为最好的,但现实对于一个立志想成为演员的人来说真是太难了。芭芭拉决定改学文学,她为校刊写稿,并在学生理事会中任职。尽管如此,她仍然能够抽出时间来出入一些社交场合,朋友们已经在年轻的芭芭拉身上看出了她前途无量。芭芭拉的老友莫顿回忆说:"还是个小女孩的时候,芭芭拉就有非凡的魅力。假如你在一次晚宴时坐在她的身边,半个小时之后,你会发现你已经将生活中的一些重大秘密告诉了这个陌生人。因为她很善于提问,而且能让你觉得她对你很关心。她生性外向,这使她慢慢拥有了卓越的社交技巧,现在她正在她的职业生涯中完美地使用着这些技巧。"在那些日子里,芭芭拉和很多人建立起了足以维持一生的友谊。她很珍惜友谊。尽管她的事业一步步走向顶峰,但她从不会抛下过去的友谊。

1951 年,芭芭拉从莎拉·劳伦斯学院毕业了。许多同学都急着嫁人,但芭芭拉却专注于她的事业。她仍未找到自己的方向。开始时,芭芭拉想去教书,后来,她在 WNBC 电视台的宣传部找到了一份工作。芭芭拉很快就为电视台策划了一档每天播出的节目,但这档节目后来被取消了。

步入正轨

1955 年 2 月,芭芭拉邂逅了鲍伯·卡茨,一位有钱的生意人。在 4 个月的恋爱之后,他们在广场酒店里举行了婚礼。婚后不久,芭芭拉受雇于哥伦比亚广播公司,与迪克·范戴克一起负责早间节目的撰稿。一天早上,一名时装模特没有来上班,节目编导就把目光转向了芭芭拉,她年轻靓丽,形象动人。芭芭拉第一次在电视上露面,这也成了她的主持人生涯的起点。

芭芭拉此后又在荧屏上露过几次面,但她很少得到鼓励。随后不久,芭芭拉的生活发生了急剧的变化。1957 年,哥伦比亚广播公司取消了早间节目,芭芭拉被辞退了。同时,芭芭拉和鲍勃·卡茨的婚姻也莫名其妙地结束了,就像它开始那样突然。同年,卢出售了他在迈阿密和纽约的"拉丁角"夜总会当中的最后一部分股权,用这些钱又开了两家夜总会。结果是灾难性的,夜总会倒闭了,卢破产了。芭芭拉一直担心的事情不幸成了事实,她的父亲终于将最后一点本钱也输得精光。现在,她要挣钱养活自己,还要照顾全家。她需要一份工作。从某种意义上来说,也正是这一刻决定了她的一生。对经济拮据的恐惧,促使她在事业上开始拼争。

1958 年,纽约著名的泰克斯·迈克拉里公关公司雇用了芭芭拉。该公司总裁依然记得芭芭拉眼中那种执著。他说:"她的眼睛里有一种特别的东西,她的事业正在上升,那种特殊的东西最后变成了她事业的动力,那时她的事业还只是刚刚起步。"但芭芭拉讨厌在公关公司里做事,她不会放弃任何向电视行业进军的机会。

1961 年春天,芭芭拉接下了全国广播公司早新闻自由撰稿人的工作,为《今日》栏目写稿,这是芭芭拉走向事业顶峰的第一级台阶。当时她只能写一些妇女题材和时装表演,真正的突破是开始写有关男人的题材,然后她就什么都能写了。

1961 年夏天,芭芭拉的制片人派她去巴黎报道为期三周的时装展示会。这是她第一次在《今日》栏目中亮相。芭芭拉每天去看时装表演,然后在豪华的饭店里用餐,她感受到工作带给她的快乐。芭芭拉的老板对她在巴黎的报道工作十分满意,但并没有打算让她做专业的主持人。当时已经有了一些女主持人,那就是"今日女孩"。按当时的说法,"今日女孩"是一群"递茶者",她们的存在是为节目增添一点吸引力,与观众们闲聊几句并对着观众咯咯地笑。

1962 年,芭芭拉被派去报道第一夫人杰奎琳·肯尼迪的印度之行。她从来没有报道过这样重要的事件,所以有点紧张。有很多人都抱怨印度之行的艰苦,而她从来不抱怨,并出色地完成了报道任务。全国广播公司开始重用她,给了她更多的外出报道的机会,但不管怎样努力她还是没有成为一线人物。肯尼迪总统遇刺事件终于让她开始受人关注。芭芭拉是

《今日》栏目派去报道这一事件的主要人员,她在达拉斯的表现大获好评,她的事业由此步入正轨。当她出现在荧屏上时,她成了《今日》的明星。这也许就是芭芭拉一生的转折点。同时,还成了她感情生活的转折点。

从1961年开始,她与戏剧制片人李·古博约会。李在很多方面都很像芭芭拉的父亲,肯尼迪总统遇刺之后那个周末,芭芭拉去华盛顿制作《今日》栏目。那天晚些时候她坐飞机回来,下飞机时发现李·古博正手捧鲜花等在那里。肯尼迪总统遇刺后的第十天,芭芭拉和李结婚了。也许他并不像芭芭拉那样聪明,但他的确在他们的婚姻里注入了许多友情和宽容的成分。

■在电视新闻业中第一个确立自己地位的女人

芭芭拉婚后不久,全国广播公司解雇了当时的"今日女孩"。但老板担心芭芭拉有些发音不很准确,她的波士顿口音很容易让观众误认为她来自布鲁克林,于是公司决定送她去口语学校纠正发音。公司最终决定雇佣老资格的演员莫琳·奥沙利文。而奥沙利文却无法同休·唐斯合作。奥沙利文最后被解雇了。这样一来,芭芭拉再次被列为候选人,这次休·唐斯站到了芭芭拉这一边。他向制片人大力举荐芭芭拉,认为美丽聪明的芭芭拉一定会成为一名优秀的主持人。《今日》的制片人摩根勉强同意让芭芭拉试播13个星期,先是每周做两天,随后每周做三天。一天早上,摩根醒来时看到了芭芭拉主持的节目,此后她就再也没有离开过。

到了1964年秋天,芭芭拉已经完全证明了自己的能力,她巩固了自己主播的位置。当时的芭芭拉可谓春风得意。那时她30刚出头,在《今日》栏目主播的位置上获得了成功。但是,这并不意味着她就能获得一些有分量的采访任务。芭芭拉大多数时候都是做一些妇女题材的节目。在60年代,女性是不能独当一面的,重要的事都是由男人来做。在这个意义上,芭芭拉已经做了她所能做的一切。她采访过格蕾丝皇后、杜鲁门·卡波特和梅·艾森豪威尔,同时她独特的采访风格也逐渐形成了。她在那段时间做的采访都很特别,没有人能像她那样接触那么多的要人,并且把他们的故事以一种优雅的方式告诉公众。她对自己的要求很高,对别人的要求也很高,她讨厌那些不能正确对待工作的人。在制作节目时,她的严厉是出了名的。但并不是所有的人都认为她做得很好,一些评论家认为她无论是室内的访谈还是外出采访,都充满了敌意,使人恼火。有人说她在采访中咄咄逼人。但假如一名男记者在采访中咄咄逼人,人们不会感到奇怪;如果是一个女人,人们就会认为她是爱出风头。

芭芭拉做主播后仅仅一年,她自己也成了一个新闻人物。她的事业蒸蒸日上,而她在个人生活当中却遇到了更多的问题。自从父亲在50年代末遭遇经营失败之后,芭芭拉就开始帮助维持全家的生计。卢曾经试图策划戏剧表演,但在1966年,他遭到了第三次也是最后一次沉重的打击,这位曾经显赫一时的人物彻底倒下了。现在,照顾父母和姐姐的重担完全落到芭芭拉的肩上。除了经济上的负担之外,早新闻节目对她的特殊要求也给她的婚姻增添了一份压力。芭芭拉为《今日》栏目工作,而李在演艺界做事;芭芭拉是白天工作,而李是晚上工作。

1968年他们领养了一个女孩,给她取名为杰奎琳·蒂娜,这反映了芭芭拉对她姐姐既有爱又有负罪感的复杂感情。芭芭拉希望家庭和事业都能获得成功,她不会让孩子来干扰她的事业,她有时需要出差离开家很长一段时间。芭芭拉已经厌倦了报道那些软新闻,她开始向硬新闻的领域进军,她很善于自己去挖新闻。

1969年,越南战争正在进行当中,当时的国务卿迪恩·腊斯克突然辞职,所有的主流媒体都想采访腊斯克,他都婉言谢绝了。但是他却接受了芭芭拉的采访。事后有人问腊斯克为什么会接受芭芭拉的采访,他说:"我不知道,她有着奇特的魅力。"也许他说得对,但不管怎样,芭芭拉完成了这次采访。她的专访连续5天在《今日》栏目当中播出。芭芭拉已经不再是个"今日女孩"了,她是在电视新闻业中第一个确立自己地位的女人。

到了60年代末,芭芭拉扮演着多重角色。她既是一个妻子,又是一个母亲,还是一位出名的新闻女主持,她的事业已经有了长足的进步。

到70年代,芭芭拉在《今日》栏目当中获得了极大的成功,成为电视业当中最具影响力的女性。尽管如此,并不是所有人都喜欢她。从一开始,人们就对她褒贬不一,芭芭拉却成功地利用了这一切。不管人们喜欢不喜欢她,有人看节目就行。她开始采访各国的首脑人物,包括哥尔达·梅厄、林登·约翰逊和安瓦尔·萨达特等等。与此同时,她的知名度也与日俱增。基辛格这样评价她:"芭芭拉不仅十分聪明,而且很有人情味。许多采访结束后被采访者总会有这样一种感觉,那就是记者让你说了你不愿意说的话,那些记者的本意也许并非如此,但结果却是这样。但芭芭拉不会留给人这种感觉。"甚至连面对新闻界很羞怯的尼克松总统,也同意

在哥伦比亚广播公司客串时装模特(左二)

接受芭芭拉的专访。这是芭芭拉职业生涯当中光彩的一页。尼克松很少崇拜来自电视业中的什么人,但他却给予了芭芭拉足够的尊敬。就算芭芭拉不是电视界当中最受人尊敬的人,她也是电视界中最不知疲倦的人。

1970年,她写了一本关于如何与人谈话沟通的书。1971年她又开始主持一个面向妇女,集闲话与新闻于一体的每日谈话节目。电视界对这种新的节目形式趋之若鹜,这个节目为女性创造了新的空间。因为那时妇女还是没有属于她们自己的谈话节目。芭芭拉取得的成功,并没有影响她与《今日》栏目主持人休·唐斯之间的关系,唐斯在1971年离开了《今日》栏目,也结束了这个栏目最辉煌的一个时代。

唐斯希望芭芭拉来替代他的位置,但公司却派了记者弗兰克·迈克吉来作芭芭拉的搭档。弗兰克并不喜欢有个女性主持人和自己一起主播,他们的合作愈发困难。当芭芭拉意识到自己在演播室里不能在时政题材的采访中获得与弗兰克同样多的提问时间时,她开始在演播室外寻找采访机会。芭芭拉的事业没有因为弗兰克的不合作而就此停步。1972年,她被选中随同尼克松总统一起访问中国,进行相关报道。芭芭拉的中国之行获得了巨大的成功,但她的成功是有代价的。《今日》栏目繁重的采访任务使她多数时间出差在外,她陪女儿的时间越来越少,和丈夫之间的关系也开始摇摆不定起来。随着芭芭拉的知名度越来越高,她的婚姻开始变得越来越不稳定。1972年夏天,芭芭拉和李·古博在过了9年的婚姻生活之后终于分开了。4年后,他们正式离婚。但他们仍然是好朋友,并且共同抚养他们的女儿。芭芭拉成了一个单身母亲,依然在男人的阴影下工作着。

但在1974年4月,她的处境一夜之间发生了变化。弗兰克这位昔日的"对手"因病去世了。芭芭拉的机会再度降临。很快,她实现了愿望,正式成为《今日》栏目的联合主持人。现在她有权选择合作伙伴,她选了杰姆·哈兹。她的事业又重新起步了。在随后的2年中,芭芭拉的知名度越来越高,《今日》栏目的氛围也越来越宽松。

男人圈

1976年,排名全美第三的美国广播公司以100万的年薪邀请芭芭拉联合主持该公司的晚新闻节目。芭芭拉陷入了矛盾和烦恼之中。但她无法抵御美国广播公司的高薪诱惑,同时,尚在年幼的孩子也是一个原因。她知道,她可以有更多的时候和孩子在一起了。但她不知道的是,她将迎来一生中最艰难的一个低潮期。

1976年夏天,芭芭拉接受了美国广播公司的邀请,成为了该公司晚新闻节目的联合主持人。她的搭档是原哥伦比亚广播公司的资深记者哈里·雷森纳。美国广播公司为她开出了100万美元的年薪,而当时最著名的新闻节目主持人沃尔特·克朗凯特每年只赚40万美元。娱乐节目部门支付芭芭拉一半的工资,而她要主持4档1小时的特别节目。美国广播公司把邀请芭芭拉看作是一次投资,公司前任总裁隆尼·阿莱吉说:"邀请芭芭拉加盟有两大好处,首先我们拥有了一个明星主持,我们要告诉我们的下属电视台和每个人,我们重视新闻节目;另外此举沉重打击了《今日》栏目。"人人都在讨论芭芭拉与哈里的联手。美国广播公司宣布这项决定后,公司内部竟然引发了轩然大波,不满之声四起。因为那些从事了多年新闻工作的人都看不起《今日》那种栏目的成员,他们认为芭芭拉除了一张漂亮脸蛋之外一无是处。

芭芭拉100万美元的年薪激怒了许多新闻媒体,他们丝毫不掩饰自己的情绪。芭芭拉,这位世界上收入最高的新闻从业者顿时成了各大媒体口诛笔伐的对象。芭芭拉和她的薪水,简直就成了电视业发展史上的一份备忘录。这一切都是在芭芭拉开始工作之前发生的,当她开始工作的时候,事态更为糟糕。哈里感到受了愚弄,不仅因为他的年薪只有芭芭

拉的一半，更重要的是他事先根本不知道他还有一位搭档。他原以为自己将单独主持晚新闻节目，他不想有什么搭档，更何况是个女人。哈里毫不掩饰自己的不满，他在同芭芭拉首次合作的节目中调侃芭芭拉的德州口音。无论在镜头前还是在平时的工作当中，雷森纳都对芭芭拉充满了敌意。而芭芭拉的处境就好比进入了一间夫妻刚吵过架的房间，就连四周的墙壁都回荡着喊叫声。这一切可不是公司决策者希望看到的，他们想看到一对黄金搭档风靡美国，但事实是，在演播室里一位男主播老是用蔑视的眼光看着他的女搭档。

在电视广播这个白人男子一统天下的行当，少数几个挤进来的女性都在忍受着"折磨"，而芭芭拉则首当其冲。那时，每当芭芭拉来到演播室，没有人和她说话，哈里从不理她，演播室里的工作人员也都是如此。不用说，观众对这对不幸的搭档也不会有什么好的反应，好奇心只持续了一个星期，收视率就直线下降。晚新闻节目成了一场灾难，所有报纸都公开地羞辱这位拿着100万年薪的女主持人。1976年12月，她的第一次特别节目播出了。她采访了芭芭拉·史翠珊和美国当选总统杰米·卡特。她又饱受非议，一些同事认为芭芭拉在采访中所说的一些话是既虚伪又不合时宜的。打击还远远不止这些，当芭芭拉在美国广播公司处于低谷时，吉尔达·莱德纳推出了一档晚间直播节目，竟塑造了一个叫"芭芭·娃娃"的滑稽人物，他扮成芭芭拉的样子主持节目。面对这一切，芭芭拉一直显得很勇敢，但最终她还是承认这些嘲笑对她伤害很大。芭芭拉是个敏感的人，尤其在当时，她脆弱的神经受到了伤害。

所有这些嘲笑使芭芭拉更加坚强，她想让人们把她当成一个真正的新闻人，因此她的工作更加出色，同时，那些批评和嘲笑使芭芭拉的知名度更高了。尽管那一年芭芭拉遭遇了许多挫折，她还是坚强地挺了过来。她当时有一个孩子，没有丈夫，还要照顾父母和姐姐，她别无选择。在艰难的处境下，她的朋友们给了她不小的帮助，她们经常聚集在她的身边，给她更多鼓励。

1977年夏天，芭芭拉的父亲在迈阿密去世了。卢去世前对自己的女儿芭芭拉非常满意，他说自己一生中从没有像现在这样快乐。卢的葬礼也终结了芭芭拉一年的厄运，她的事业又开始向上发展了。

20世纪70年代后期，芭芭拉在美国广播公司的新闻节目中一直保持着低调。她坚持不懈地主持着一档每况愈下的新闻节目，忍受着来自各方的嘲讽,而她和哈里之间的关系没有丝毫的改善。新任总裁隆尼·阿莱吉上任之后,开始清理这个烂摊子,他任命了一名新的制片人。这位制片人说:"我奉命将他们两人拆开。我的做法很简单,再也看不到两人同时出现,我先拍摄芭芭拉的那部分节目,再拍摄哈里的那部分节目,这样两人就不会在镜头前相互攻击,闲话也就没了。"但是新的办法没有成功,芭芭拉和哈里被分开之后,节目的收视率并没有提高。

芭芭拉(左)与观众在一起

芭芭拉认为必须多进行采访,重新建立自己的风格。正是在那时,芭芭拉完成了职业生涯中最出色的一次工作,那就是对古巴领导人卡斯特罗的采访。1977 年春天,芭芭拉同摄制组一起去了古巴,在那里他们同卡斯特罗一起呆了 10 天。她随着那些游击队员参观了他们藏身的地方。那是一次很不寻常的经历,卡斯特罗接受了他有史以来

最长的一次采访,采访结束时已经是凌晨 1 点 27 分了。卡斯特罗还给芭芭拉她们做了奶酪三明治。广播公司播出了长达 1 小时的特别节目。尽管收视率并不很高,但评论家的反应非常积极。那一年晚些时候,芭芭拉又被派往中东。这具有历史意义,芭芭拉说服了萨达特和以色列总理贝京坐到了一起,这可是头一回。依靠细心的准备工作,芭芭拉的出色的采访再一次证明了自己的能力。

向顶峰攀登

1977 年 12 月,芭芭拉再度受邀随同杰米·卡特出访。同事们开始认识到芭芭拉的工作能力、她的努力和刻苦。1978 年,在芭芭拉和哈里合作18 个月之后,节目进行了改版。哈里返回了哥伦比亚广播公司,芭芭拉则重拾旧业,成为晚间世界报道和新节目《20/20》的一名普通记者。她对此没有任何异议,她只是继续工作。在这段时间内,她所做的最精彩和最勇敢的一次采访是在伊朗王宫里直面伊朗国王,采访的主题是妇女权利。

她向伊朗国王发起一轮又一轮直接的提问,使那位大男子主义国王不得不有些尴尬地做出解释。而在水门事件之后,芭芭拉是第一个采访了尼克松的记者。她问了尼克松一个人人都想知道答案的问题,一时间成为新闻。芭芭拉问:"你是否后悔没有把磁带烧掉?"尼克松回答:"是的,我后悔。因为这是一次私人谈话,结果导致了误会。"在晚间新闻节目遭受挫折和失败之后,芭芭拉终于开始为自己和美国广播公司挽回形象。

现在就连她的同事也意识到,这个不同寻常的女人正在把美国广播公司的新闻节目引向一个新的层次。通过她做的那些采访以及她做采访的方式,美国广播公司的新闻节目名声鹊起,人们认为美国广播公司的新闻更加正规。芭芭拉正在向顶峰攀登。

在 20 世纪 80 年代,芭芭拉终于成为了世界上最杰出的新闻记者之一。在那些年中,她采访了各种人,比如约翰·韦恩、里根、卡扎菲等。芭芭拉的特别采访节目现在每年播 4 次,已经是美国电视屏幕上的名牌节目。这档节目为美国广播公司赚了很多钱,她创造的效益在美国广播公司里无人能比,而美国广播公司在芭芭拉身上的赌博性投资终于也获得了回报。

事实上,《20/20》节目收视率的提高是和芭芭拉细致的准备工作分不开的。她凡事力图完善,准备工作做得异常充分。她的这种工作作风有时简直要让周围的人发疯,总是没完没了的开会,该提哪些问题,该怎么安排,掌握的事实是否准确等等,然后她再仔细地分析。当所有人都认为没有什么问题时,她突然又会提议再开 3 小时的会。

芭芭拉还是个很优秀的制片人,她能高效地教人编辑图像,也能飞快地撰写文字稿件。芭芭拉在成功的同时也付出了代价,随着她越来越多地采访电影明星,人们对她的批评又开始多起来。芭芭拉没有理会这些。她说,"我很喜欢我的工作,我像疯子一样地工作。"她就这样一边追求辉煌的事业,一边抚育着十多岁的女儿,母女俩共同经历了这些艰难的岁月。

芭芭拉一直生活在孤独之中。80 年代中期,芭芭拉经常在她的公园街公寓里办聚会,身边总有一些声名显赫的男人。在一次聚会上,芭芭拉结识了来自好莱坞的电视制片人莫夫·艾戴尔森。艾戴尔森猛追芭芭拉。1986 年,两个人在洛杉矶结婚。艾戴尔森想让她做一个加利福尼亚的家庭主妇,芭芭拉为此付出了巨大的努力,但是这行不通。4 年以后,芭芭拉和艾戴尔森分手了,1 年后他们正式离婚。

到了 20 世纪 80 年代后期,芭芭拉已经快 60 岁了。她获得了一个女人所能获得的所有成就。现在也许该慢慢淡出了吧,但是,更多的精彩还在后面。

20世纪90年代,芭芭拉的体态依然很好,尽管已经60多岁了,她仍在主持《20/20》栏目和收视率极高的芭芭拉·沃特斯特别节目。她每年的收入高达1000万美元。同时她仍然采访着一个又一个名人,包括叶利钦、撒切尔夫人等等。鲍威尔退休之后有意竞选总统,芭芭拉第一个采访了他。芭芭拉的采访并非都很正统,她在节目里和黛米·摩尔一起跳辣身舞。她还采访忍者神龟。有人开始质疑芭芭拉的品位和她作为一名记者的尊严。不管评论家怎么想,观众们喜欢这些节目,芭芭拉的老板也认为这恰恰证明了她多才多艺。

在那些年里,芭芭拉事业上的动力还有一部分来自她与另一位明星主持人戴安娜·索娅之间激烈的内部竞争。戴安娜和芭芭拉一直是对手。这是一种健康的竞争,她们都很出色。激烈的竞争从来就没有压垮芭芭拉,她一直保持着向上的势头。1997年,66岁的芭芭拉又大赌了一把。她推出一档针对女性的每日谈话节目:《观点》。从某种角度而言,这是她以前曾经办过的谈话节目《并不只是为了女人》的延续。很多人持反对意见,但芭芭拉力排众议,还是努力把节目做出来。结果不管是对美国广播公司还是对芭芭拉来说,《观点》都获得了巨大的成功。因为芭芭拉既是联合制片人,也是投资老板之一,现在,她已经是一个真正的实业家了。

芭芭拉的女儿与芭芭拉(右)在一起

　　观众们在《观点》栏目当中看到了芭芭拉的另一面。她有机会轻松地表达自己。这是她有趣的一面，她很有幽默感。芭芭拉有那么多的节目，看上去不会有时间做别的事，但是芭芭拉并没有停止交男朋友。在过去10年当中，弗吉尼亚的参议员约翰·华纳常常陪伴在她身边。

　　20世纪90年代后期，芭芭拉已经处于事业的巅峰，她的知名度实在太高了，以至于许多采访对象都自己找上门来。20世纪还没有结束，芭芭拉又完成了一次重量级的专访。她采访了焦点人物莫妮卡·莱温斯基。莫妮卡拒绝了许多人的采访要求，为的就是让芭芭拉来采访。莫妮卡声称："当所有的美国人第一次见到我时，我希望他们见到我和芭芭拉坐在一起，因为我觉得她在新闻界中最有声望、最受尊敬。我希望采访我的人能让我自由地表达自己。"这次专访的收视率再创新高。

　　新千年到来，总有传言说芭芭拉要慢慢淡出，但直到现在，她依然活力十足地主持着自己的节目。假如芭芭拉就此退休或者慢慢淡出，她完全有理由这么做，因为她在电视业中的地位已经不可动摇。人们会记住她，她开了女性主持电视节目的先河；她将成为所有后来者的指路明灯；她打破了所有的障碍，为女性开辟了一个新的天地。到了今天，没有人会说芭芭拉没有尽到责任，没有为采访做充分准备，没有能完成精彩的采访。她做到了所有这一切。芭芭拉是以她的聪明才智，以她的人格和优雅的风度完成了所有这一切。她无疑是电视业中的巨人。

尾声

　　2003年，在美国《人物》杂志评选出的"100位最伟大的美国电视明星"中，芭芭拉·沃特斯位列第8。1990年，作为"享誉世界的最值得尊敬的电视记者"之一，芭芭拉在美国国家电视艺术与科学学会名人堂中，也获得了一席之地。2004年初，芭芭拉退出了自己苦心经营多年的《20/20》，并宣布要减少在其他节目中的出镜率，她终于要逐步淡出电视界了。美国一家书商为她开出了600万美元的约稿天价，请她撰写回忆录。

你年纪越大，就越要加快脚步，因为时间快用完了。

——马尔科姆·福布斯

对世界财富了如指掌的人：马尔科姆·福布斯

你想知道地球上哪些人最富有吗？你对谁是首富好奇吗？你如果有兴趣，就去看看美国的权威财经杂志《福布斯》吧。它关心的是巨额财富，顶尖公司。它努力宣传资本主义，虽然它那个富翁排行榜有点讨厌，但是许多人还是梦想有朝一日榜上有名。

使这本杂志出名的是马尔科姆·福布斯，戴着一副眼镜，喜欢摩托车和热气球冒险。他是资本家的缩影。他的杂志内容满是资本主义，他的生活方式也是按照那种标准来过的。事实上，他有一种八面玲珑的性格，这种性格跟他的杂志风格、杂志的腔调以及所强调的特色非常吻合。马尔科姆的形象使《福布斯》杂志更加突出，而杂志本身也加强了他的形象。

从小就想出人头地

马尔科姆在新泽西州恩格伍的一个中产社区长大。他 1919 年 8 月 19 日出生，是柏帝查尔斯·福布斯跟他的妻子亚黛拉·史蒂文生的第三个孩子。马尔科姆的儿子史蒂夫·福布斯说："我想我的父亲确实拥有祖父跟祖母美妙的性格。祖父非常努力工作，而他也成功了。他非常守纪律。我的祖母却相反，非常外向、活泼，她喜欢和人们在一起，她的生活总是像在举行宴会一样。"

柏帝跟亚黛拉虽然有不同的宗教信仰，但还是结婚了。亚黛拉是一个虔诚的天主教徒，柏帝却是一个长老教会信徒。因为两个人都不愿意作出妥协，所以他们发展出一种特别的方式，就是让每个孩子都有不同的宗教信仰。第一个孩子布鲁斯是天主教徒，第二个是长老教会徒，第三个也是天主教徒，第四个是长老教会信徒，第五个是天主教徒。马尔科姆受的是天主教洗礼。

传记作者克里斯多夫威那斯说："后来一个孩子告诉我，他秘密地被母亲说服了。为了安全，她把他们全部带去受天主教的洗礼。她想如果不这样，他们最后都会下地狱。"

马尔科姆的父亲柏帝出生在苏格兰，为了追寻他那商业记者的生涯到了纽约。在跟亚黛拉结婚的时候，他已经是一个很有名的商业专栏作家，因他对商业方面的渊博知识而闻名。前福布斯主管詹姆士佛烈尼根说："在那个时候，生意人穿着正式的服装到办公室。他们聚集在华尔街瓦道夫旅馆的瓦道夫酒吧。他们的报道不包括人物采访。除了他们自己外，也不会跟其他人合作筹募资金。而柏帝在瓦道夫那里租了一些柜子，这样他就可以到酒吧里跟那些生意人在一起。他拿到一些有关股市的资料，然后把它放到他的专柜里面。柏帝是那种不会浪费时间和消息的人。当他了解自己有足够的能力，开始他的出版事业的时候，他的第一本杂志——《福布斯》杂志正式在 1917 年 9 月 15 日出版。这是美国第一本商业杂志，马上就大获成功。永不疲倦的柏帝同时继续兼任记者并继续他的写作。持续这个工作令他们全家可以在经济大萧条期间生存下来。"

当马尔科姆还是小男孩的时候，他并没有意识到要加入家庭的生意。他的志向更为远大，他想当美国总统。这个决定是因为马尔科姆的同班同学对政治很感兴趣，而他就把这个同学视为在五角大楼中潜在的竞争对手,用政治方式来对抗他。马尔科姆似乎很喜欢这样的童年岁月。

他对历史有浓厚的兴趣,他有一个士兵收藏品,他不喜欢做像那些清理房间、在花园里整理杂草的事情。即使在很小的时候,他已经有自信去发挥自己的天赋。虽然他是一个好学生,但是这种独立的性格也引起不少的麻烦。马尔科姆的童年朋友奥斯汀佛克说:"在有些比较特别的下午时分,他总要想做比规定更多的家庭作业,可能的话,会超前一点。通常老师会说,嗯,我告诉你不是这样,但他就是这样做了。"在学校,马尔科姆有时候也会玩一些好玩的事,令他在班上变得有名。有一次。他跟同学示范玩水枪,结果几乎变成水灾。

12岁的时候,马尔科姆那安稳的世界突然被痛苦地撕开了。他的哥哥当肯只有15岁,却因为一场车祸而去世了。马尔科姆的儿子史帝夫·福布斯说:"这给我父亲的家庭蒙上了一层阴影。我听说祖母一直不能从丧子的悲痛中恢复过来。对每一个人来说,失去孩子都是最可怕的事。而这件事对我父亲跟他的父母都有很大的影响。"

当肯是马尔科姆最亲密的兄弟,也是一同冒险的伙伴。他的死也深深地影响了马尔科姆。后来,为了纪念他的兄弟,他办了一份以他的名字命名的报纸,称为《城市当肯周报》。这份报纸描述马尔科姆曾经在家的地下室建立了一些想象中的城镇中的一些活动。马尔科姆的父亲并没有用足够的时间去为当肯的死亡哀痛。柏帝是典型的维多利亚人,痛恨所有的情绪化。所以他在儿子死后的当天,就把他埋了,然后带着家人,到苏格兰参加一年一度的家族野餐。亚黛拉对柏帝的行为非常心寒,他好像毫无感情,加上他们不同的宗教信仰,最后终于令她离开了丈夫。但是,她的天主教信仰,却让她避免正式离婚。

在当肯死后不久,马尔科姆被送到纽约的哈克学校。那个时候,马尔科姆最大的哥哥布鲁斯在哈克利学校,已经是一个很受欢迎的学生。马尔科姆却不像布鲁斯那么外向,有运动天分。在这个学校需要用自己的方式来被肯定。他决定要从办报纸开始。这种活动能令他觉得有信心。可是当14岁的马尔科姆天真地登出一个黄色笑话之后,校方马上决定,他的报纸需要被监管。马尔科姆拒绝自己的刊物因为任何的干预而被扭曲。由于他父亲的全力支持,他写了一个告别的宣告书,说明为自由的议论而离开,之后,他转学到新泽西的劳伦斯威尔学校。他在哈克利引起的麻烦,并没有阻碍他在新学校再办一份报纸的决心。他称它为"肯尼迪鹰报"。马尔科姆这份报纸所引起的惟一麻烦,是他总是不停地打字令室友在晚上睡不好觉。后来他被要求用一种没有声音的打字机在房间工作。1937 年,马尔科姆以荣誉生的身份在劳伦斯威尔学校毕业。

毕业之后,马尔科姆还是希望朝政治方向发展。他在普林顿大学主修政治学,当他申请加入学校的报纸失败之后,他开始办自己的刊物——《拿骚自主报》。马尔科姆对自己杂志的推销,从来不遗余力,即使在一个宴会中,买一杯啤酒,也会推销自主报。1941 年,马尔科姆在普林斯顿大学毕业的时候,《拿骚自主报》非常成功。他还拿了一个对班上最有贡献的奖项。

他现在决定成立一个报纸王国,因为那将有助于他经济上的稳定,这样,才可能追求他的政治事业。第一步,他在俄亥俄州卖下两份报纸——《公正广场时报》和《海伦卡斯论坛报》。马尔科姆并不是随便地挑这个地方,那是因为除了弗吉尼亚州,俄亥俄州是产生总统最多的一个州。虽然他有野心和决心,但他发现在大战时期的短缺状况中,要维持一个非必需品的生意几乎是不可能的。不到一年时候,他用了一个体面的方法结束他失败的生意,他参加了军队。因为隐形眼镜的发明,他通过了军队身体检查,被编派到机关枪组。马尔科姆关闭了两家报纸,他的父亲帮他还了所有债务。

1941 年马尔科姆在
俄亥俄州买下的《公正广场时报》

1944 年,马尔科姆跟着部队到德国去。25 岁的他被派到一个后来失去联络的部队。他被发现的时候,腿脚已经受了伤,幸好他活下来了。医生不能确定他的伤势严不严重,他被人用担架送回美国。马尔科姆在军方医院休养了将近一年,戴着荣誉退伍,他的腿伤完全复原,同时还得到了青铜奖章和紫心奖章。马尔科姆 26 岁时,回到新泽西的家。

还是梦想做总统

26 岁的马尔科姆仍然梦想成为五角大楼的知名人物,但是,即使是一个未来的总统,也需要赚一些钱。所以当他的父亲给他一个职位,他接受了。他为《福布斯》杂志写一个专栏。有一天晚上，马尔科姆参加在恩格伍的一个庆祝大战结束的鸡尾酒会上，遇见了他未来的妻子——罗勃塔·雷森雷得罗。这对情人在一年后结婚。当时马尔科姆27岁，罗勃塔20岁。1947年7月，马尔科姆跟罗勃塔生下第一个孩子，在接下来的十年，他们又生了三个儿子，以及1个女儿。而马尔科姆，老板的儿子，在福布斯集团扶摇直上，27岁已经是副总裁，为他们的公司计划新的赚钱方法。

马尔科姆想要有些新的产品，令现金可以进来，让利润可以增长，所以他想到一个方法，那就是投资杂志。每个星期出版，介绍特别的股票、会升的股票，做股票评论。它成功了。它帮助这个公司，使其具有财力资源，可以往前发展。

3年之后，马尔科姆的父亲宣布这本商业杂志名字叫"投资顾问协会"，它是第一号赚钱机器。

但是，并不是马尔科姆的每一个想法都有效，他办了一本另类杂志，叫"国家遗产"。这一精装的半月刊，用图片报道美国的历史。这本杂志不接受任何广告，只靠一年昂贵的150美元的订阅费来维持。只有6个月，他就准备要停办这份杂志。

柏帝同样帮他还清了债务。马尔科姆的儿子史帝夫·福布斯说："当时《国家遗产》杂志不成功，我的父亲发现那是因为他放太多心力在产品上面，而没有好好宣传。他决心不再犯这个错误。在六个月之后他就想要停刊。我祖父说，那些订阅的人已经付了一年的费用，即使它会让我们损失金钱，我们都要完成合约。我们要给足他们一年的期刊，保持你的信用。"

马尔科姆的父亲对于儿子花太多时间专注于政治非常失望。1951年，为了铺好政治之路，马尔科姆参加了新泽西州的议员选举。马尔科姆的儿子，史帝夫·福布斯说："当我在成长期间，他曾经带着我跟我的哥哥，坐在他常常用来巡回许多城镇的牛奶车，跑遍许多州。他的身边总有一些宣传小册子。我会坐在另一边，接着我们按人家的门铃。假如有人在家，他就会发这些册子，说一些话。但假如没有人在，他会写一张便条，留下册子，然后我们再到另一家去。"

马尔科姆喜欢经营自己的政治，所以他从来没有跟在新泽西州的共和党团体结盟。马尔科姆以独立候选人的身份竞选，但是失败了。

当选举结束后，马尔科姆有更多的时间投入杂志了。他的父亲柏帝当时已经 70 岁，正一步一步把公司的经营权交给他的长子布鲁斯。虽然马尔科姆在编辑的能力上比他的哥哥好，但柏帝认为布鲁斯将会是杂志比较稳定的领导人。1954 年，工作狂柏帝死在办公桌旁，距离他 74 岁的生日还有 9 天。柏帝把公司的控制权交给布鲁斯，而马尔科姆坐第二把交椅，这是马尔科姆痛恨的角色。

传记作者克里斯多夫·威那斯说："马尔科姆天生是一个企业家，而一个天生的企业家就不喜欢向任何人报告。他们不喜欢任何人告诉他们能做什么或不能做什么。"

当布鲁斯掌握公司的时候，马尔科姆觉得很无趣，1956 年他通知哥哥，他将再竞选新泽西州的议员。布鲁斯警告他如果竞选失败，不要再想回来掌管公司。这一次，马尔科姆被接受为共和党的一员。他们提供了一个共和党的席位给他，总统艾森豪威尔和副总统尼克松跟他一起参加竞选。这次竞选，马尔科姆的对手是受欢迎的民主党国会议员罗伯特米亚勒。在几次辩论之后，投票结果出来了，马尔科姆又输了。

竞选总统的这条路，比马尔科姆当初预期的更加长远和困难。这次竞选失利后几个月，他宣布放弃政治。在宣布之后，1957 年，《福布斯》杂志为了庆祝出刊 40 周年而举办了一个酒会，几百个生意人参加。当轮到马尔科姆走上讲台致词的时候，他高度赞扬他的哥哥布鲁斯，并送了一个金表给他。然后马尔科姆祝愿他哥哥退休生涯愉快。可惜布鲁斯没有笑。马尔科姆虽然尝试幽默，很明显，他没有成功。38 岁的他，是一个前任的报纸编辑，前任的杂志发行人，失败两次的国会候选人。他没有地方可以容身。他回到《福布斯》试着为自己再创造一个未来。

《福布斯》编辑詹斯米歇尔说："他曾经对自己的政治生涯期望很高。我想他经历了一个痛苦期后，已了解原来政治不适合他。但是我认为自从他放弃了自学生时期就有的梦想以后，他的确有一段很沮丧和困难时期。"

布鲁斯跟马尔科姆建立了一种冷淡的工作关系。两个人各自发展自己的所长。布鲁斯注意力在广告和生意方面，而马尔科姆着重在编务上。这对兄弟都同意，要令这份杂志更有竞争力。虽然《福布斯》杂志是全国第一本商业杂志，但在销售量、广告和声誉上都没有增长。所以马尔科姆计划充实杂志编辑方面的力量。

马尔科姆再一次体会到失去家庭成员的意外痛苦。他的哥哥布鲁斯在 48 岁的时候，被诊断出患晚期膀胱癌。7 个星期后就去世了。马尔科姆那年 45 岁,正式接管《福布斯》杂志。

从 25 岁到 45 岁,马尔科姆整整等了 20 年,现在已经没有人拦在他的前头了。当然,也没有人再替他偿还欠款,一切要靠自己了。幸好他有 20 年的学习和准备,才可能当好这个家。

坐上了《福布斯》的第一把交椅

马尔科姆订购了一艘游艇,用了 100 万美元去整修他的公司,继续革新杂志的编辑方向。传记作者克里斯多夫·威那斯说:"一旦逃脱了父亲和他哥哥布鲁斯的阴影之后,他马上感到生命获得自由,而且可以做任何想做的事。"

现在马尔科姆·福布斯是公司的国王,但是作为杂志的掌权人,读者的多少并不能引起他的兴趣。他现在致力于让《福布斯》杂志更有名气,让每一个人都知道。前福布斯总监当贾森说:"我想当他决定要成长的时候,他已经意识到他要得到全国的注意。"

马尔科姆以一种咄咄逼人不跟潮流的广告来做宣传。他不仅吸引了公众的注意力,也建立了多年之后《福布斯》的标语:资本家的工具。马尔科姆的编辑方向虽然变得大胆,不过杂志广告仍然是具有商业特性。现在每个故事都有一个强烈的观点,而《福布斯》杂志里不是独家报道,他们就不采用。

前福布斯主管佛兰克拉利说:"现在《福布斯》杂志的最主要故事,都是一些公司的报道,而事实上,这就像一个戏剧性的报道,一部剧本的批评。这种类似的路线主导了整个企业文化,而重点在于行政总裁的性格。他不是一个坏蛋,就是一个英雄。"

渐渐地马尔科姆自大的一面开始显现出来了。他总是跟着直觉走,现在再也没有人敢提出反对意见。他接替了布鲁斯的角色去接见客户,虽然他可能没有哥哥那种天生的亲和力,或是擅于打高尔夫球,但他却有一种个人的风格和个人的天性令那些广告商印象深刻。有可能成为他顾客的人,可以在"福布斯大楼"里享受他精心烹制的午餐,加上在公司游艇上的款待。这种游艇上的款待是一种家庭的聚会,由福布斯做主人,而他的儿子们演奏风笛。马尔科姆的儿子史帝夫·福布斯说:"我们常常觉得很惊讶,为什么当我们演奏完毕时,那些客人那么用力地大声鼓掌。后来我们明白,因为这个表演终于结束了,大家终于松了一口气,他们耳边的折磨终于结束了。"

对马尔科姆的客人来说，没有白吃的午餐，也没有白坐的游艇，所以当一天结束的时候，他总会得到一些杂志的广告赞助。前《福布斯》主管詹姆士·佛烈尼根说："他有一定的声望，他从来不会忘记要求广告赞助。这不是什么教养问题，也不是老式的赚钱方式。马尔科姆·福布斯不是老式的商人。虽然他父亲在某种程度上有遗产给他，但并不是留一大笔生意给他。他还是需要努力工作才行。"

马尔科姆决定要让孩子们明白生意成功的现实。马尔科姆的儿子，史帝夫·福布斯说："他一直苦口婆心地告诉我们，那些大公司是怎么由盛到衰的。因为他们没有努力向上，导致公司倒闭。你必须要好好工作。所以每次当我们参加一个活动的时候，我们要知道有什么人参加，我们被要求扮演自己的角色，不是只是到此一游。我们要一起为家族事业而努力。"

冒险：摩托车和热气球

马尔科姆继承了一本没有负债的杂志，但不是一大笔钱，当他改变编辑方针的时候，是由他来做决定。而现实的广告收益也开始有回报，马尔科姆可以轻松一下了，包括他对摩托车的热爱。他骑各种摩托车，他把他的摩托车俱乐部叫做"资本家的工具"。

《摩托车世界》的作者尼克伊那特说："他最喜欢在星期天邀请一大堆朋

幼年时期全家福

友,叫每个人骑上他的摩托车,然后让每个人穿上红色的背心骑车兜风。他最爱这样。"很快,媒体争相报道这个骑摩托车的百万富翁。

1970 年,马尔科姆·福布斯建立了一个打破传统、骑着摩托车的有钱人的形象。虽然他现在已经步入了老年,但他还没有想要慢下来。在他70 岁出头的某天清晨,他要他的司机绕道到一个地方,那是热气球地区,而他正准备来一次热气球之旅。

从他第一次热气球飞行一年之后,他在世界各地参加热气球的探险。1973 年 4 月,他从奥瑞岗起飞。就像任何一回的冒险,这一回也是生意跟兴趣并重。他让他的公关人员在这一段长途飞行期间尽可能发布新闻给媒体。21 天后,马尔科姆在切沙毕克湾上面准备结束这次飞行。但是,有一个问题发生了,哪里是着陆的地方? 惟一的方法就是快速地降落。先着陆到水面上,再从气球里跳出来,尽快离开距离陆地有 30 里的海面。1973 年 11 月 6 日,当马尔科姆跟热气球都掉进水里的时候,他成为第一个跨越全美国的热气球飞行者。

在完成这次壮举不到一年,马尔科姆又计划一个更多而且更危险的挑战,就是用热气球横渡大西洋。这个壮举不但没有人完成,有一个热气球飞行者还曾经因此而死亡。但马尔科姆并不退缩。

马尔科姆信心十足,但在升空那一天,却发生了一场灾难。由氢气充成的气球本来应该带着马尔科姆拉高帐篷,再离开地面,但它却被拖住不动,而易然的毒气箱随时可能燃烧起来。幸好有一个成员在爆炸之前,及时把马尔科姆从帐篷上放下来。虽然气球没有升空,马尔科姆还是完成了他其中一个目标,就是把"福布斯"放在公众的脑中。

"事实上他是一个非常强的公众人物",福布斯编辑詹斯米歇尔说,"而这种性格又跟这本杂志的风格非常吻合,就像他们强调的一样,马尔科姆的形象增强了《福布斯》杂志。同样的,《福布斯》也令马尔科姆形象更鲜明。"

马尔科姆最后那一次的失败,并没有打击他对热气球的兴趣。事实上,他花了几千块钱做了一堆幻想式的美妙气球,而他也快乐地介绍给朋友们他在运动方面的想法。他的朋友法兰李伯威兹说:"马尔科姆是一个狂热的热气球爱好者,但直到我上到他的气球后,我才知道他不是很熟悉怎么样让热气球着陆。因为每一次跟他一起着陆都很危险。这令我想起他喜欢这是一类冒险,他喜欢这类活动。"

马尔科姆对那些不愿意分享他对生活热情的人没有什么耐性。如果你为他打工,他会要求你全力地支持,不管你是否同意他。

逃脱死亡后的灵感:"福布斯排行榜"

1979 年,马尔科姆被诊断患了一种罕见的会致命的膀胱癌。虽然生病让他慢了下来,但并没有令他停下来。只要有可能,他仍然继续工作与旅行。马尔科姆决不是那种需要同情或是发牢骚的人。他经历了两年痛苦的治疗,终于战胜病魔。一旦马尔科姆远离癌症,他马上变得坚强。1981 年 6 月,他有了对《福布斯》杂志最有贡献的想法:富人排行榜。

马尔科姆的编辑人员一开始就反对这个想法,觉得不可能收集到有信用的名单。前《福布斯》总监当贾森说:"很多的人会觉得被冒犯了。如果有人登出他们的财富,或是他们有多少钱。但我可以说,在几年之间,如果《福布斯》没有联络他们,找出他们到底有多少钱,他们会非常沮丧,他们不想失去这种出名的机会。"

马尔科姆收藏的复活蛋

马尔科姆自己也必须面临把自己的名字列入排行榜上的难题。他不想他的财务状况被公开。最后他答应把自己放在名单的最底层,写着没有现金价值的富翁。因为马尔科姆从来就不是一个拿薪水的行政总裁,他没有什么敌人。他的愿望是创造一个既可能玩乐,又可以赚钱的世界。

在这同时,谣言开始流传,说马尔科姆其实有秘密的同性恋生活。但不管因为他的权力,或是他深受媒体喜爱,没有人报道这件事。传记作者,克里斯多夫·威那斯说:"事实上,马尔科姆的同性恋倾向早就是公开的秘密。但我不觉得这会令人们认为很重要而必须报道。我想从这个观点来看,是很有趣味的。他是那种挑战媒体知道某一件事但又不会报道它的个案。"

马尔科姆并没有停止在公关方面的冒险，1982 年，他开始了自己认为的外交之旅，也就是友谊旅行。他召集一群人一起骑摩托，以及在外国乘热气球旅行。这样的情况维持了几年。他的气球曾经降落在土耳其、埃及、日本、西班牙跟泰国等城镇。他说："每个人会说那个疯狂的美国人，但是，我来到这里，希望不只是做一个疯狂的美国人，我想带来的是友谊。"

《福布斯》杂志

马尔科姆似乎继续生活在闪光灯下，但是有一个人却没有在闪光灯下分享他的爱，那就是他的妻子罗勃塔。近 40 年的婚姻生涯，这对夫妻渐渐分开了。最后，在 1985 年，这对夫妻离婚了。

结束这段婚姻对马尔科姆饱受打击。他的朋友琼瑞弗斯说："我跟马尔科姆见面，他说，他跟妻子不在一起了。他的眼睛充满泪光。那时马尔科姆·福布斯是如此地开放但脆弱，而且为这段不成功的婚姻沮丧。"

最后的"广告"

在他离婚后没多久，马尔科姆遇到另一个女人，她的出现令他的公共形象比以前更进一步。

1987 年，伊丽莎白·泰勒正在找一个有名的有钱人，帮她新出的香水出赞助。自然的，她选择了马尔科姆·福布斯，这也令他变得更有媒体魅力。前《福布斯》总监当贾森说："当伊丽莎白·泰勒进入这幅图画的时候，每一件事都不在图画之内。我的意思是马尔科姆是新闻，但伊丽莎白·泰勒却是不平凡的新闻。"

马尔科姆第一次因为他的爱情生活而见报。不可避免，这段高调的恋情，再次掀起他过去那段同性恋生活的传闻。

马尔科姆继续向前走，继续与伊丽莎白·泰勒的恋情。事实上，在最后一次马尔科姆最精致和最受争议的宴会照片中，伊丽莎白·泰勒已经表现得像

个女主人。1989 年，马尔科姆庆祝他的 70 岁生日，有 800 位最亲近的朋友跟一些新闻界人士参加了他在摩纳哥豪宅举行的派对。他说："当然，如果我有 800 位亲近的朋友，他们都是朋友，有一些人是有权势的生意人，他们都在《福布斯》杂志出现。"那一次的宴会，最后有人推测大约花了约 200 万美元。这个数目引起了公众的争论和关于这样奢侈的花费的批评。

摩纳哥的宴会是马尔科姆最后一次公开露面。他过了 70 岁的生日，马尔科姆经历了政治上的痛击，家庭的悲剧跟摩托车、热气球的意外，然后到了 1990 年 2 月 24 日，爱冒险的马尔科姆·福布斯在他新泽西州的家里，在睡眠之中死于心脏衰竭。

父亲柏帝与儿子布鲁斯和马尔科姆(右)

一个公开的纪念哀悼会在曼哈顿举行，有 1400 人参加。这就像以前典型的福布斯家庭的宴会，有摩托车与风笛在一边助兴。那些平常的人，与有刺青及摩托车的人都出现了，也有苏格兰人带着风笛加入。马尔科姆的遗嘱说，所有的福布斯员工放假一星期，而所有欠公司少于一万元的债务都可以抵消。

马尔科姆去世之后，《一星期》杂志掀起了一阵骚动，成为第一个报道这位同性恋者故事的媒体。虽然反对的声浪随之而来，但是，现在马尔科姆将会以他秘密的同性恋倾向和他的摩托车以及热气球被人们记住。他把他的杂志办成一本美国最成功的商业刊物。在这个过程当中，他也令自己变成一个比真实生活更伟大和对生活永远不知足的富人形象。

在去世之前，马尔科姆写下他的墓志铭，一个对他生命简洁而完美的结语：马尔科姆·福布斯，当他活着，他热爱生活。

在他的一生中，他总是在做一件事，就是每年都创造出新的东西、新的赛车和新的挑战。

——皮耶罗·法拉利

赛车之父：恩佐·法拉利

从古老的罗马城到世界上最危险的赛车跑道，恩佐·法拉利令他的名字成为世界上速度最快的赛车的同义词。他制造出的一款款赛车，不管从声音、外形还是颜色，都体现了法拉利的风格。出人意料的是，时尚法拉利赛车对他来说，并没有什么特别的意义，它们只是资助他从事自己钟爱的赛车运动的一种方式。他几乎赢得了所有的比赛，他的名字在全世界都广为人知。与此同时，在他的私生活中也有戏剧般的故事：一个病入膏肓的儿子、和情妇长期的秘密生活、传奇故事般的杀人指控。他惟一的野心就是赢得胜利，那是他的第一目标。他决不会让任何东西阻碍他的前进道路。

观看一次汽车赛就"定"了终身

19、20世纪之交,在美国和欧洲掀起了人们对赛车的狂热。赛车在145英里长的泥土和沙砾的道路上颠簸前进,有时速度可达每小时50英里。

1989年2月18日,恩佐·法拉利就出生一个这样的世界里。他的家在意大利北部的波河流域,这里有耕种了一百多年的农田,还有美丽的葡萄园。直到现在,这里依然以兰姆布鲁斯科葡萄酒和葡萄红醋而闻名。恩佐的父亲阿尔弗雷多·法拉利是一个独立经营的结构金属承包商,他的母亲阿德吉西娅是一个典型的意大利主妇。她非常溺爱恩佐和比他大两岁的哥哥迪诺。

恩佐一家住在一栋小公寓的楼上,恩佐父亲的工厂就在楼下。他父亲打算让儿子们将来继续他的事业。不过,年轻的恩佐并不愿意。他异想天开地想成为一个记者或者一个歌剧演员。1908年,当恩佐10岁时,他的父亲带着儿子们去看赛车比赛,恩佐发现了速度的世界。他看到了菲亚特车队的伟大车手菲利西尼·沙罗,他是1907年国际汽车大奖赛的冠军;他还看到维恩塞佐·朗奇亚驾驶着菲亚特赛车飞驰。他非常兴奋,那对他来说,就是勇敢的集中体现。那才是一个英雄人物的生活。

阿尔弗雷多送他的儿子们去一所技术工程贸易学校念书,为将来子承父业做好准备。恩佐的哥哥接受了这个安排。不过,恩佐对学校里的任何东西都不感兴趣。他因为成绩差而退学了。

1914年夏天,恩佐16岁,意大利很快卷入了第一次世界大战。第二年,他的哥哥迪诺应征入伍,被送到前线当一名救护车司机。1916年,恩佐的父亲得了肺炎突然去世,原来生意兴隆的公司立即破产了。同时,恩佐的哥哥由于感染伤寒病死了。在几个月内,恩佐原本平静的生活一下子被打乱了。在一年多的时间里,他不停地更换着下等的活计。1917年,恩佐也应征入伍了。最初进入军队时,他告诉长官,他擅长汽车技术,但不为所动的军官却安排他去为骡子钉铁掌。因为他是从一个普通家庭来的,所以在军队里没有得到重视。

恩佐很快感染上胸膜炎,在那时,这是一种致命的疾病。他最后被送到博洛尼亚的一座破旧的收容院里,和其他奄奄一息的病人一起等死。

但是，凭着惊人的勇气和运气，他活了下来。

1918年，20岁的恩佐从军队复员，成了一个落魄的年轻人。第二年，战争结束了，但是意大利却陷入了经济衰退。在随后到来的混乱和幻想破灭的年代里，墨索里尼和他的法西斯黑衫党夺取了政权。恩佐对意大利的政治不感兴趣。他惟一关心的是重新获得他生病时失去的力量，然后找到谋生之道。很快，他设法搞到一张由他的部队长官写的推荐信。拿着这个，他前往意大利的汽车工业中心都灵。

幼年法拉利

恩佐一到都灵，就去当地著名的菲亚特汽车公司寻找工作。这个汽车制造业巨人的拥有者是富有的阿涅利家族。法拉利很自豪地交上了这封信，但是对于和他谈话的菲亚特工程师来说，这封信一文不值。法拉利被告知这个城市到处都是失业的退伍军人，没有工作给他干。恩佐失业了，他没有了方向。他的家庭完了，父亲死了，哥哥也死了。

恩佐并不是一个轻易就接受命运的人。菲亚特拒绝了他。他的悲伤和耻辱逐渐转变成了愤怒。这看上去有点牵强，但恩佐发誓要与菲亚特和阿涅利家族势不两立。他要找到报仇的方法。

赛车事业的开始

恩佐选择的战场是汇聚了全世界最快的赛车。直到那时，比赛用车还只是在客用车上做一些简单的修改。人们还在特别设计的赛车上试验战争中用来给飞机、坦克和卡车提供动力的新技术。在都灵的市中心有一家很有名的饭店，汽车厂的人经常光顾饭店。法拉利在那儿认识了越来越多的人，他和一个年龄稍长的汽车测试员，一个名叫乌尔戈·赛瓦奇的人成了好朋友。赛瓦奇帮助恩佐在一家小型意大利汽车工厂 CMN 里找到了一份工作。这个工厂在米兰，离都灵100多英里。在这里，法拉利买了他的第一辆汽车，一辆可以用来比赛的阿尔法·罗米欧二手车。

在那个时候，这是一个很难的决定，不过他太爱赛车了。所以他做出了这个决定，这也许是他一生的决定，成为他职业生涯的起点。

阿尔法车队的经理看了赛瓦奇和恩佐在几场当地赛车中的表现，给了他们一次为阿尔法·罗米欧车队比赛的机会。从 1920 年到 1924 年,恩佐非常积极地参加比赛,虽然都是些意大利的小型比赛。

恩佐需要找到其他方法来提高他的收入和名声。他说服阿尔法·罗米欧车队让他成为销售代理,把他们的汽车销售给私人用户,并亲自送货上门。就在这时,他遇到了劳拉·德玛妮卡·格瑞拉,一个 21 岁的神秘女子。在遇到恩佐以前,劳拉的生活是一个谜。1923 年,他们举行了一个小型的天主教结婚典礼。

恩佐和他的妻子劳拉从一开始就吵个不停,当恩佐的母亲阿德吉西娅前来和他们同住后,他们的生活就更复杂了。婆媳之间互相看不起对方,两个女人经常公开发生冲突,而恩佐就在中间充当调解人。

恩佐全心全意地投入工作,以逃避家庭生活的烦恼。阿尔法车队计划在蒙扎举行的国际汽车大奖赛欧洲站比赛中,推出一款新赛车 P1。恩佐设法说服赛车界最出色的发动机技师之一鲁伊格·巴奇离开菲亚特车队,和他一起工作。恩佐、赛瓦奇、巴奇和阿尔法车队,在国际汽车大奖赛欧洲站比赛开始的前一天到达蒙

阿尔法·罗米欧 P2 赛车

扎。这是一场高速的竞赛,赛瓦奇担任驾驶员。他驾驶着 P1 驶过一个急转弯时,赛车突然失去控制,赛瓦奇死了。

恩佐对他朋友的死感到非常震惊,是赛瓦奇帮助他进入了赛车运动的世界,而且他知道 P1 失败了,必须对它进行重新设计。

在巴奇的建议下,法拉利又重新招募一位菲亚特的工作人员加入阿尔法·罗米欧车队。那个人就是维多利亚·亚诺,一位人称"机械天才"的工程师。亚诺、巴奇和恩佐一起,重新对 P1 进行了设计。

在几个月内,在恩佐的督促下,亚诺和巴奇重新设计了阿尔法·罗米欧的 P1。他们把它叫做 P2。

在克里莫纳的比赛上,明星车手安东尼奥·阿斯加蒂驾驶着 P2 赛车达到了 121 英里的时速。P2 创造了单圈的最快速度,并赢得了比赛。

这次胜利是恩佐一连串胜利的起点,他把菲亚特和阿涅利家族永远地挤

出了赛车界。恩佐·法拉利,一个从波河流域来的乡下男孩,在和一个意大利最大的汽车公司的竞争中获得了胜利。不过,胜利只是第一步,现在恩佐找到了获得资金的办法,在一些富有的投资者的帮助下,他要求和阿尔法·罗米欧车队订协议,接管他们的赛车生意。

"法拉利"公司

1929年12月1日,恩佐的公司"斯古特里亚·法拉利"成立了。公司名字在英语中,就是"法拉利车队"的意思。一群最优秀的赛车手驾驶一批阿尔法·罗米欧赛车。车子将按照恩佐的技术规范进行重新设计。

然而,恩佐的家庭生活却在继续恶化。1932年,结婚后第10年,劳拉生下了一个男孩,他们叫他迪诺。迪诺被诊断出患有肌肉萎缩症,这种疾病会逐渐破坏他的中枢神经系统。

1939年,欧洲爆发了第二次世界大战。一位新上任的阿尔法·罗米欧公司经理中断了和法拉利车队的协议。为了生存下来,恩佐只能和意大利法西斯政党合作。1940年,第二次世界大战在整个欧洲造成了巨大的破坏,意大利的经济举步维艰,汽车比赛当然是停止了。法拉利公司无事可做。为了能在经济上生存下去,法拉利工厂改造成意大利法西斯政府生产战争装备的工厂。

为了使工厂免于被盟军轰炸,恩佐把工厂从摩德纳搬到了马里内罗,一个离摩德纳10英里远的小镇。有一次,当他回到摩德纳时,他遇上了莉娜·拉尼,并很快爱上了她。

这场感情对恩佐的一生有着很大的影响。大家公认莉娜是一个非常文静的可爱女子。她给恩佐的生活带来了很多清静,使他从自己充满争吵的家庭中解脱出来。

46岁的恩佐和莉娜坠入了爱河。第二年,恩佐得知莉娜怀孕了。9个月之后,她生了下一个健康的男孩,取名皮耶罗。

法拉利传统和法拉利帝国的诞生

战争结束后,马歇尔计划把几百万美元注入艰难的意大利经济中。

疲惫的意大利公众又重新关注赛车了。恩佐·法拉利也是如此。他着手开发新型赛车。1947年,恩佐生产出V1赛车,一款1.5升的赛车。它被称为Tipo125。

从意大利人的标准看来,它的引擎非常巨大。恩佐喜欢汽车引擎,他关心的只是引擎,这是赛车和公路汽车的一切。底盘只是一个托架,用来固定住4个轮胎。中间有个窟窿,车手就坐在里边。

1947年5月11日,Tipo125——第一辆冠以"法拉利"名字的赛车出现在皮亚琴察一个不重要的小型车赛上。

恩佐选择了这个比赛,他想看看这款赛车的性能。观众们站在街道两边,要一睹法拉利新赛车的风采。意大利的体育媒介都在场,甚至还有一些好奇的阿尔法·罗米欧车队的设计师们。难以置信的是,恩佐本人没有露面。事实上,就从那一天起,他就没有参加过任何一次法拉利车队进行的比赛。

在皮亚琴察的第一次比赛中,Tipo125处于领先地位。在最后三圈时,它的油泵破裂了。它滑行到离终点不远的地方停了下来。恩佐虽然输掉了比赛,但他把这个称作是"有希望的失败"。尽管他在那个时候还不知道,正是Tipo125标志着神话般的法拉利传统和法拉利帝国的诞生。

恩佐开始把全欧洲最有才华的技术师和最有名的车手聚集在一起。他将会制造出人们从未见过的世界上最快的赛车。法拉利车队的车手们,将驾驶着这些赛车进行一场又一场的比赛,并不断地获得胜利。

前赛车选手、汽车制造商卡罗尔·谢尔比说:"他赢得了所有比赛。法拉利除了没有在50年代的拉马尔比赛中获得胜利外,其他比赛的冠军都是法拉利、法拉利、法拉利。"

双重生活暴露了

在赛车世界之外,恩佐要维护相距20英里的两个家庭。有一些晚上,他和劳拉、迪诺在摩德纳的家里共进晚餐;而另一些晚上,他则和莉娜、皮耶罗一起度过。恩佐过着这种双重生活已经10年了。1956年6月,24岁的迪诺在摩德纳的家中死去。恩佐难以控制他的悲伤之情。在以后的日子里,他每天在工作之前都要去迪诺的墓前。为了纪念儿子,他把迪诺参与设计的赛车命名为"迪诺·法拉利赛车"。从那时起,所有的V6赛车和一些8缸的法拉利赛车都有了一个名字：迪诺。

据称，正是这个时候，当恩佐的发妻劳拉失去她惟一的儿子的时候，她发现了恩佐和他的情妇，还有他们 11 岁大儿子的秘密生活。"速度世界"广播网的历史学家杜·奈说："这肯定是这位老人最困难的时期。而且对劳拉来说，这是非常可怕的。她失去了控制，她本来就是一个凶悍的女人。两人争吵越来越利害，矛盾越来越大。"

劳拉的发现对恩佐有什么影响，没有人知道。恩佐的举止从来不会暴露他的真实情感。恩佐的助手布伦达·韦尔诺说："你不可能弄清楚，他是悲伤还是高兴，或者是不是非常痛苦。因为他也从来不说。"

被指控过失杀人

1957 年，米勒·米利亚汽车比赛开始了。那是一场很受欢迎但极其危险的 1000 英里公路汽车比赛。239 辆参赛车辆中有 5 辆法拉利赛车。恩佐集合了一支超级明星队伍，包括在最后时刻替换上的冯·波特哥。波特哥是一位充满热情的西班牙人。一位贵族，一位第一流的法拉利赛车手。他参加比赛纯粹是对该项运动的热爱。

1000 万观众在赛道的两旁观看。这里有急转弯，还有狭窄的乡间小路。几千名警察和武装士兵却无法让观众们远离危险的赛道。人们对这场比赛的热情变得非常疯狂，意大利人喜欢这样。波特哥驾驶的是法拉利车队最强劲的一部赛车。4.1 升的 Tipo335。据目击者称，波特哥驾驶着赛车全速飞驰，突然间，赛车失去了控制，先是翻到了沟里，然后冲向第一排观众，最后撞到电线杆上。

撞击产生的金属碎片向人群飞来，5 个儿童、波特哥和他的领行员，以及另外 10 名观众死亡，数十人受伤。意大利报纸的头版头条向公众呼吁，要求取消米勒·米利亚的比赛。

法拉利被指控过失杀人。他们说他使用的轮胎不能承受那种速度。然而这是一派胡言，因为另外 4 辆法拉利赛车在比赛中获得了胜利。获得冠军的皮耶罗·特罗菲使用的是相同的轮胎。过失杀人的官司持续了好几年。这影响到了法拉利的经济收入，并败坏了他的名声。

经过 4 年的法庭审判，这项过失杀人的指控总算取消了。接着，在 1961 年意大利国际汽车大赛的跑道上，又一场灾难发生了。

法拉利(中)与儿子迪诺(右)在一起

在蒙扎举行的意大利国际汽车大奖赛上,有菲尔·希尔和塔蒂本·特里普斯两位顶级车手争夺世界冠军。在第二圈结束时,塔蒂本,一个很受欢迎、很可爱的德国赛手和另一辆车相撞,他的车飞向了人群,造成了14人死亡。然后车又弹回到赛道上,塔蒂本被抛出车外,颈部骨折,也死了。

一位车手和14位观众死了。媒体很快就说悲剧又发生了,恩佐·法拉利又杀人了。

恩佐已经63岁了,他要和越来越多的媒体辩论,要支付又一个马拉松官司的辩护费用,而且开发赛车的成本也在急剧上升。即使这样,法拉利车队还是不断地在比赛中获胜。

有条件地卖掉公司

福特汽车公司在一次慷慨收购法拉利公司的计划遭到拒绝后,决定在赛场上击败恩佐。到1964年,在蒙扎举行的欧洲国际汽车大奖赛上,福特车队开始逼近。

恩佐开始输掉比赛,而且每年在赛车事业上,他就要花费超过100万美元。到了1967年,法拉利公司摇摇晃晃地走到了破产的边缘。他不得不减少比赛计划,这可是他真正为之疯狂的东西。

在没有其他可支配资金的情况下,法拉利只有一个选择,接近他以前

63 岁的法拉利和媒体进行辩论

的敌人阿涅利家族,向他们求援。据报道,阿涅利家族支付了 1100 万美元给法拉利公司。他们允许恩佐继续掌管公司的赛车部门,而菲亚特公司则接管公路汽车的生产。它们将在生产线上被制造出来,这标志着法拉利人工制造汽车的终结。他们曾经为世界的高速公路增光添彩。

这份协议于 1969 年 6 月 21 日向意大利公众宣布。这标志着恩佐·法拉利时代的结束,但至少他还能把注意力集中到汽车比赛上去。不过,恩佐还有未能结束的事情,那就是他的情妇和她人口渐长的家庭。

享受正常家庭生活

1969 年,恩佐·法拉利 71 岁高龄,但依然积极管理着法拉利公司的赛车计划。他的母亲阿德吉西娅去世了。他惟一的儿子皮耶罗已经 25 岁,并结了婚。他来到法拉利车队工作,学习父亲的事业。恩佐年老的妻子再也不能忍受了。她经常会闯进公司大吵大闹。这时皮耶罗必须躲起来,或者急匆匆地逃跑。而恩佐却开始享受新家庭的天伦之乐。皮耶罗和他妻子弗罗里亚娜有了一个女孩——安东内拉,她是法拉利惟一的孙女,法拉利非常溺爱他的小孙女。

1978 年,恩佐 80 岁的时候,和他分享了 55 年纷扰婚姻生活的妻子劳拉去世了。恩佐很快就把心爱的女人接到摩德纳家中和他一起生活。皮耶罗和他的家庭也来了。在恩佐最后的日子里,他开始享受正常家庭生活的乐趣。

20 世纪 80 年代中期,他的儿子皮耶罗成为了法拉利车队的总经理。在几场连败之后,两人经常对设计上的策略发生争执。

皮耶罗说:"我不同意父亲选择的一些设计师和工程师。不过,百分之九十九是他赢了。我是一个喜欢商量而不喜欢争论的人。所以,我和我父亲很不一样。我父亲是那种要么是黑、要么是白，要么是对、要么是错的人。"

恩佐经常向他的老亲信讲述他以前赛车时的辉煌日子。星期六和他们一起共进午餐成了80岁高龄的恩佐的仪式，尤其是和塞尔焦·斯卡利亚蒂在一起。这位摩德纳的法拉利轿车制造商说："除了工作以外，我们几乎什么都谈。我们说笑话，讨论谁干了些什么，谁说了些什么。"

在恩佐生命中的最后一年里，他遭受了肾病的折磨。罗马教皇来到马里内罗拜访他，这可是一件重大的事情。但是，恩佐病得已经无法亲自见教皇了。到了1988年6月，恩佐退出了公司业务，他在摩德纳的家中卧床不起，由皮耶罗和弗罗里亚娜照顾。1988年8月14日，恩佐在床上安详地去世了，终年90岁。他的家人都在身边。

恩佐的一生就是赛车的一生。至少在20世纪是这样，从他在波河流域的卑微出身，到他的雄冠一世的赛车帝国，恩佐·法拉利被认为是他本身参与创造的汽车工业中的最后一位巨人。从1947年到1988年，在他40年的领导下，法拉利车队赢得了全世界5000场比赛的胜利。在他死后的第12年，法拉利车队的迈克尔·舒尔赫夺得了第4项世界冠军。

他的儿子皮耶罗说："也许我们怀念父亲的原因是因为他在赛车世界里非常有名。在他的一生中，他总是在做一件事，就是每年都创造出新的东西、新的赛车和新的挑战。"

恩佐·法拉利已经被载入赛车史册。他对整个赛车界的影响，比任何人都要大。他留给后人的是那不朽的事业和艺术品一般的法拉利车。

　　我祖父最喜欢研究别人认为困难的或者说无法解决的问题。他喜欢向别人证明那些问题可以解决。他是一个天才的工程师。

——费迪南德.A.波尔舍

波尔舍:驶向完美

　　你喜欢汽车吗？你知道世界上有哪些名牌汽车吗？《卓越》杂志编辑彼得·施图特说："现在，就连8岁的孩子都知道波尔舍比其他的汽车出色。"

　　波尔舍始终是一款智能汽车，一款特点鲜明的汽车，从内到外都显得与众不同。波尔舍汽车充满了卓越的理念，从许多方面反映了我们在生活中的愿望，代表着一种精力、抱负以及人类对卓越的追求。费迪南德·波尔舍、费里·波尔舍，这对父与子，这两个性格迥异的人，为此耗尽了生命。

但是，波尔舍的梦想是靠一次同独裁者不光彩的合作才实现的。希特勒觉得波尔舍什么都能做到。这种合作关系让波尔舍付出了沉重代价，然而，费里·波尔舍却在一片废墟中设计出了一种全新的汽车。

天才设计师

1875 年 9 月 3 日，费迪南德·波尔舍出生在奥地利一个叫马费尔斯多夫的小村庄。他的父母是 30 岁的奥托·波尔舍和 25 岁的安娜·波尔舍。这个坐落在群山中的小村庄，居民大多是织布工、木匠、农民和锡匠，他们通过为当地的贵族服务来谋生。童年时的费迪南德对其他孩子以及他们的游戏都不感兴趣，更喜欢在作坊里做锡器，弄清楚其中的原理。正是这样的兴趣，决定了他今后的生活方向，同时也让他与父亲发生了冲突。奥托要求年轻的费迪南德跟他学习家传的制锡手艺，但费迪南德却有其他的想法。

马费尔斯多夫距离维也纳和布拉格都不远，这让他有机会接触到一种让人激动的新技术——电。单纯执著的费迪南德完全不顾父亲的反对，开始在家庭作坊里试验电池。他父亲非常生气，费迪南德就把那些东西搬到阁楼上。他父亲又发现了，他竟跑到阁楼上，把那些东西踩得粉碎。

但是费迪南德并没有因此而放弃。波尔舍的孙子费迪南德 .A. 波尔舍说："他意志坚定，一旦下定决心，他就对自己说，无论如何一定要坚持下去。"15 岁的费迪南德终于在与父亲的意志较量中获胜。父亲同意他晚上到附近的一所技术学校学习。沉醉在电力课程中的费迪南德为父母准备了一份意想不到的礼物，费迪南德给家里接上了电。这在当时算是一种新发明。后来邻居们也来叫他为他们接上电。这时他父亲开始转到儿子一边，认为他这个儿子可能真的是个天才的工程师。

18 岁时费迪南德来到维也纳，进入一所技术大学学习，同时为一家叫做贝拉·埃格的电气公司工作。不久，好动的费迪南德爱上了汽车技术。在 19 世纪末 20 世纪初，汽车技术才刚刚萌芽。维也纳一位著名的客车制造商雅各布·洛纳决定聘用这位天才少年做设计师，以解决电动客车动力不足的问题。费迪南德设计了新的洛纳·波尔舍客车。他的设

1903 年 10 月 17 日波尔舍与阿洛伊西亚结婚

计打破传统，摒弃了笨重的中置引擎，用加在前轮的两个小型电动发动机直接提供动力，从而解决了动力传送效率低的问题。

1900 年，这辆车与他和洛纳一起开发的洛纳·波尔舍汽车在巴黎展出。因此，25 岁时，年轻的费迪南德·波尔舍就已经登上了世界舞台。

费迪南德新的一个令人注目的发明是一种汽油和电力汽车。这种小型客车是第一辆混合动力汽车，它采用一个小型汽油发动机提供的电力作动力。当费迪南德驾车以当时罕见的 9 英里时速来到凡尔赛时，他的技术已经超越了他所处的时代。费迪南德 .A. 波尔舍说："我祖父最喜欢研究别人认为困难的或者说无法解决的问题，他喜欢向别人证明那些问题可以解决。他是一个天才的工程师。他始终给人这样的感觉，无论他看什么东西，他并不关心那东西是怎么工作的，而是关心如何让它换一种方式工作，怎么改善它的性能。"

费迪南德在维也纳认识了阿洛伊西亚·约翰娜·凯斯。她是记账员，一位独立性很强的姑娘。费迪南德对汽车的热爱深深吸引了她，她和费迪南德一起驾车来到马费尔斯多夫和他的父母见面。费迪南德的父亲抱怨阿洛伊西亚太瘦弱。不过这一次费迪南德又赢了。1903 年 10 月 17 日，这对年轻人结婚了。婚礼当天，工作狂费迪南德因为参加一个工作会议，差点耽误了自己的婚礼。

婚后费迪南德将面临他事业上的第一次坎坷。《波尔舍期待卓越》

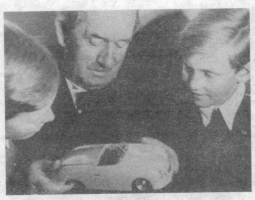

费迪南德与孙子在一起

的作者卡尔·路德维希森说："雅各布·洛纳开始对他这位花钱大手大脚的工程师表示不满。洛纳这时候发现在波尔舍的所有设计中，绝大部分的车子都卖不出去。1905年，由于波尔舍花掉的钱比他赚进来的多，洛纳决定与年轻的工程师分道扬镳。而这次事件，我们必须承认，它成为波尔舍开创自己事业的主要原因。"

　　为了照顾新婚的妻子和1904年出生的女儿路易丝，31岁的费迪南德不可能让自己长期赋闲在家。1906年他找到了一份比较理想的工作，成为奥地利的重要汽车制造商奥斯特罗·戴姆勒公司的技术主管。

　　对波尔舍而言，赛车是公司生存的命脉，开发出能在赛道上超越极限的赛车，将保证波尔舍汽车在城市马路和乡间公路上的领先地位。早在费迪南德·波尔舍创业之初，他就拥有这种通过赛车提高车辆性能的理念。这种理念也充分满足了他对冒险的爱好。《波尔舍911》作者帕特里克.C.帕特尼说："波尔舍博士喜欢赛车。他相信在现实世界中这些汽车承受的压力，将远远超过它们在设计阶段、在实验室里所受的挑战。"

　　1908年，33岁的波尔舍为他的新雇主奥斯特罗·戴姆勒设计出了一款新的时速达到75英里的赛车。事业有成的波尔舍，同时也拥有幸福的家庭生活，1909年阿洛伊西亚生下了他们的第二个孩子费迪南德，昵称费里。遗憾的是小费里出生时他父亲并不在场，因为当天他参加了一场赛车比赛，并凭借他设计的一辆汽油电动车，获得了胜利。

　　费里·波尔舍是汽车时代的孩子。事实上他自己也曾说过，他是跟着汽车一同来到这个世界上的。作为一名汽车工程师的儿子，他也很快迷上了汽车的世界。如果费里要寻找灵感，只要看看他的工作狂父亲就行了。波尔舍博物馆主任克劳斯·比朔夫说："他总是在一间关着门的屋子里工作，把所有的东西都画到纸上，他只生活在那个世界里。"

总是不愉快的合作

费迪南德为他的汽车而忙碌着，但是他也清楚当时的局势正把欧洲推向一场世界大战。于是除了汽车外，他也开始设计其他东西。他预感到战争即将爆发，他希望公司能够作好准备，所以虽然当时奥地利还没有飞机，他还是设计了几种飞机引擎。

1914年弗兰茨·约瑟夫被刺事件把奥地利和全世界拖入了一场战争。战争期间波尔舍最有创意的设计是一列火车。这种被称为"海洋火车"的交通工具是由1台牵引车和6台拖车组成的，它既能运送士兵，也能运送重达26吨的斯科塔大炮在平原或铁轨上行驶。这个庞然大物让奥地利军队在交通不便的平原地带获得了无人企及的机动能力。

由于他对战争的贡献，波尔舍受到军方嘉奖并成为荣誉博士。被任命为奥斯特罗·戴姆勒公司主席的费迪南德，已经被人们尊称为波尔舍教授、博士先生了。虽然战争给这位43岁的设计师带来了荣耀，但却让他的两个祖国——奥地利和德国，遭受重创。当1918年战争结束时，这两个国家都已经满目疮痍。

正是在如此脆弱的经济环境中，费迪南德想出了一个将主导他一生的新创意——设计一款更小巧、更经济的汽车。但他的老板却对此不以为然。费迪南德只能先设计一款小型跑车。经费由他赛车时的朋友、电影制片人萨沙·科罗拉特伯爵提供。费迪南德把这款车命名为"萨沙"。

他的新理念：就是要远离那些庞大笨重的汽车。新车有4个气缸，但却有8个火花塞。新增加的火花塞，为汽车提供了更高的效率和稳定性。1922年，3辆"萨沙"出发，前去参加塔加弗罗里亚车赛。坑坑洼洼起伏不平的赛道全长268英里，在小型车组的比赛中，表现不俗的"萨沙"击败了来自法国和意大利的对手夺冠。《波尔舍 期待卓越》的作者卡尔·路德维希森说："'萨沙'车是最初的迹象，它反映了波尔舍的真正兴趣所在，那就是经济型的小型轿车。但是小型轿车的问题是车子越小，它的售价也就越低，除非你能大规模地生产，否则你肯定会亏本。"

这时公司的董事们正在寻找借口关闭无法赢利的赛车部门。1922年秋天，他们终于如愿以偿。在当年最后一次比赛中，车手费里茨·库纳因为赛车翻车死亡。《波尔舍911》的作者帕特里克. C. 帕特尼说：

105

"他们把这次事故看成是关闭赛车部门的最好理由。这个决定令费迪南德很沮丧，因为他始终认为通过赛车可以不断改进汽车的性能。"

波尔舍愤而辞职，然后接受了德国戴姆勒公司的邀请，来到斯图加特。这家公司在战争结束后深陷危机，希望波尔舍的赛车能让公司重振旗鼓。但是费迪南德直率的工作作风与公司呆板的氛围格格不入，双方追求的风格也时有冲突。不过波尔舍还是研发了几款6缸汽车。梅塞迪斯S、SS、SSK和SSKL型。1924年，他对梅塞迪斯车型的改进让戴姆勒·奔驰汽车在西西里举行的塔加弗罗里亚的比赛中赢得了胜利。

这时费迪南德的思绪再次回到了他念念不忘的小型经济车上。《波尔舍　期待卓越》的作者卡尔·路德维希森说："我认为，当时戴姆勒·奔驰的决定是对的。他们说'等一等，这不是我们的领域，这对我们来说毫无意义，我们不能往那个方向发展'。"

1928年，波尔舍与戴姆勒公司的合同到期，公司没有与他续约。费迪南德鲁莽的工作作风令他的老板头痛至极，他们甚至威胁公司员工和他们的家属，只要与费迪南德交往就会被公司开除。波尔舍博物馆主任克劳斯·比朔夫说："费迪南德·波尔舍是个天才，而这也可能正是问题所在。他一直想着要往前走，每天他都要求他的合作伙伴能一起完成某件事情，但是要完成那些设计是需要代价的。"

创办自己的企业

费迪南德设计速度很快，因此他的抽屉里塞满了设计稿，成为永远不会实现的梦想。1931年56岁的老波尔舍已经为欧洲众多知名的汽车公司服务了近30年，他对老板的不满情绪也日益增加。现在，他该创办自己的公司了。

波尔舍博物馆主任克劳斯·比朔夫说："天才与他周围的人，与他的老板之间总会出现问题。这就是1931年，他在斯图加特开办自己的公司的原因。"

费迪南德·波尔舍的发动机和汽车制造设计中心设在德国的斯图加特。新公司的核心成员是9名奥地利设计师，其中包括他的儿子费里。费里从小看着父亲如何设计汽车长大的。父亲有了自己的公司，而行事低调、一本正经的22岁工程师费里也很快将成为公司的财富。

波尔舍的孙子费迪南德 .A. 波尔舍说："我父亲是凭借着他的敏锐感觉和理解力达到他的目标的，而我的祖父则是性情急躁的人。有一次他还把自己的帽子扔在地上，愤怒地在帽子上踩脚。"

创业之初，费迪南德的狂热就让他自己的事业充满了斗争。《波尔舍911》的作者帕特里克 .C. 帕特尼说："我觉得费迪南德·波尔舍是那种完全沉浸在自己想法中的人，他的脑子里想的都是他的试验，他的工程计划，他的设计工作。他是靠这些东西度过一生的。"

公司开业的时候，德国的经济形势并不乐观。虽然时局艰难，波尔舍对工作要求也很苛刻，但他的公司里仍然弥漫着一种家庭式的氛围。费迪南德喜欢雇员们到他家里作客。他与员工的关系令人瞩目。他的那些工程师、技术工人就这么躺在地板上放松地交谈。对他来说，他生活的这个空间既是私人的，又是公司的，那是个两者合一的世界。父子两人常常把公司的事情带回到晚餐桌上。费迪南德 .A. 波尔舍说："他们不会谈论别的话题。我祖母也常说，'你们能不能停一下，我们先吃饭吧，吃完饭你们再讨论'。他们谈论的永远是同一个话题。"

波尔舍设计公司接到的第一份订单是为沃德勒公司设计一款中型车。精明的波尔舍把这款车命名为 7 型而不是 1 型。《波尔舍911》的作者帕特里克 .C. 帕特尼说："其实根本没有 1 型至 6 型，但是他觉得如果我们要走向市场，要寻找新的商机，如果这只是我们设计的第 1 款汽车，人们会认为我们是新手，没有经验。"

波尔舍很快又获得了新的订单。珍达摩托车公司委托他设计一款小型车。这正是波尔舍一直在等待的机会，那就是为普通德国人制造汽车。但是在"大众"汽车诞生前，这些汽车的造价都非常高，因此没有一款车能跨越原型车阶段。费迪南德 .A. 波尔舍说："他说没有什么事是不可能的。但是这样一来对客户来说就很担心，因为他们不知道那要花多少钱。"

费迪南德·波尔舍的公司很快找到了一位财大气粗的客户，这位客户愿意不惜一切财力开发大众汽车，他就是阿道夫·希特勒。

1933 年 9 月，波尔舍被召到柏林的一家酒店里与希特勒见面。希特勒向波尔舍提出了为德国普通民众设计一款汽车的想法。《波尔舍911》的作者帕特里克 .C. 帕特尼说："希特勒本人也是汽车的爱好者。他也知道制造汽车的技术原理，所以我肯定，在费迪南德·波尔舍的脑子里，他把这个人看成是他的同盟者。"

但当希特勒提出汽车的售价为 900 马克，相当于 360 美元的低价时，费迪南德知道自己遇到了挑战。费迪南德清楚这个价格很难实现，但他还是愿意同一个利用暴力和民众的仇恨心理攫取最高权力的人合作。

与希特勒合作，"甲壳虫"诞生

只要一提到波尔舍，人们就会想到时髦的跑车，但波尔舍家族设计的最成功的车型，其实是一款绰号为"甲壳虫"的大众汽车。

20 世纪 30 年代初，希特勒向德国的汽车制造商施加压力，要求他们制造普通大众能够承受的汽车，也就是大众汽车，但制造商们对这个看似无利可图的计划毫无兴趣。对费迪南德·波尔舍来说，这正是实现自己毕生梦想的机会。《卓越》杂志编辑彼得·施图特说："其他汽车制造商都避开了，他们不想染指低价车的设计，而费迪南德却把它视为一种挑战。"

波尔舍的设计公司没有生产车间，因此大众车的原型车是在斯图加特波尔舍家的车库里组装的。这一工作由费迪南德的儿子费里负责，父子俩紧密合作。波尔舍博物馆主任克劳斯·比朔夫说："费里负责试车工作，他亲自驾驶并组织了穿越森林的测试和长距离试车。费迪南德则一直跟在后面检查测试结果。"

费迪南德意识到大众车要实现希特勒要求的售价，必须大规模生产。1937 年，他和费里来到底特律参观亨利·福特的汽车厂。福特是希特勒的崇拜者，也是纳粹同情者。他向波尔舍父子敞开工厂的大门，对他们的问题有问必答。《波尔舍 期待卓越》的作者卡尔·路德维希森说："他们从福特那里带回来几名曾在美国汽车业工作过的美籍德国人，同时也从那里带回了大规模生产的技术，将它应用于最初的大众车生产。"

受到美国之行的启发和鼓励，波尔舍在地处德国腹地的沃尔夫斯堡建造了一座大众车制造厂，并且成功地生产了几百辆"甲壳虫"车。

1939 年战争又一次爆发，波尔舍的工厂马上转向武器生产。费迪南德并不一定清楚希特勒的计划，但他积极利用与这位独裁者的关系，接下了利润丰厚的武器订单。《波尔舍 期待卓越》的作者卡尔·路德维希森说："对20世纪30年代的纳粹统治者来说，费迪南德是一个老人了。费里曾经回忆说，'我父亲与希特勒的关系，有点像他是希特勒的父亲那样。当时在第三帝国，大概只有少数几个人敢对希特勒讲出他们真实的想法。我父亲就是其中之一。'"

波尔舍的孙子费迪南德 .A. 波尔舍说："他从来不说'万岁希特勒'，他只说'你好，希特勒先生'。他觉得他根本不用在意那些东西。我想他大概也不关心这种事情，但是我想其他人都不敢这样做。"

在费迪南德和费里的领导下，沃尔夫斯堡工厂生产了一系列军事装备。在费里的主持下，他们把大众车改装成一种叫做"搜索车"的德国吉普车，并且还生产了一种水陆两用的"搜索车"。《波尔舍 期待卓越》的作者卡尔·路德维希森说："隆美尔将军曾经亲自对波尔舍表示感谢。他认为'搜索车'的性能非常好，可以随意在北非的沙漠中行驶。对军队来说这是一种可以信赖的交通工具。"

波尔舍汽车博物馆馆长赫尔穆特·普法伊霍夫说："当时他们设计了'搜索车'以及水陆两用'搜索车'，还有几种坦克。盟军也知道这些计划，所以他们继续留在斯图加特就太危险了。"

1944年，盟军已经掌握了波尔舍生产武器装备的秘密，开始定期对他的工厂进行空袭，但即使空袭，也能激发波尔舍天性中工程师的灵感。费迪南德 .A. 波尔舍说："空袭一来，他就在晚上带着望远镜跑到花园里观察那些飞机，他也想坐上飞机，成为其中的一分子。"

为了躲避轰炸，波尔舍的设计公司迁到奥地利阿尔卑斯山区格蒙德镇的一个锯木厂里。德国战败后，波尔舍公司马上掉头与盟国占领军合作，修复那些搜索车和水陆两用车。在一个已经无法养活自己的国家里，大众车的命运似乎走到了尽头。

就在情况糟糕透顶的时候，费迪南德也因为战争期间协助纳粹而被法国政府逮捕。大众车最早诞生于波尔舍的工厂，但法国人并不介意，希望费迪南德也帮他们设计一款"大众车"。费迪南德已经70高龄，他在第戎一间简陋的地牢里被关押了20个月，健康状况急剧恶化。具有讽刺意味的是，当费迪南德还关在监狱里时，在英国占领军的监督下，沃尔夫斯堡的汽车制造厂重新开始生产大众轿车。盟国意识到，他们必须提供工作机会，而当时的德国并没有足够的农业就业机会提供给所有的人。

向法国政府支付了 100 万法郎之后，费里和姐姐路易丝让父亲离开了监狱。1947 年 8 月 1 日，72 岁身体状况糟糕的费迪南德重新恢复自由。

当波尔舍从法国的监狱回来后，他吃惊地发现德国的马路上都是大众车。当时，他真的很高兴，这对他来说是个惊喜。等待他的还有一个更大的惊喜，费里在父亲被关押期间，设计了一款新的跑车。波尔舍汽车博物馆馆长赫尔穆特·普法伊霍夫说："费里·波尔舍是个很有创意的人，但如果他那个个性很强的父亲在身边的话，由于他父亲在家庭和公司里都是绝对的权威，因此费里就不可能成功。"

费里终于摆脱了父亲的影子。他的波尔舍 356 型车采用大众车的实用结构和改进的引擎，但更具跑车风范的流线型车身，充分展示了费里理想中的汽车形态。费迪南德对儿子的成就非常骄傲。

费迪南德利用他的影响力扶持费里的新汽车制造公司，但是长期的牢狱生活严重损害了他的健康。1950 年 11 月他突发中风，1951 年 1 月 31 日离开人世。他被安葬在奥地利泽拉米兹他的宅邸的一座小教堂里。

《波尔舍 911》的作者帕特里克.C.帕特尼说："虽然到最后因为被关押了很久，他的身体状况和精神状况都很差，但我想他去世时很开心，因为他看到他儿子已经帮他实现了一辈子的梦想。"

费里的时代：波尔舍 911

费迪南德·波尔舍是工程师中的工程师，他的理念通过他那些优雅而实用的设计流传下来。现在，他的儿子费里也将奠定自己的历史地位，他缔造的公司将让"波尔舍"家族的名字世界闻名。

波尔舍这个名字现在已经成为性能、速度与格调的同义词，但是第一辆波尔舍车的核心架构以及大部分部件都来自大众车。费里·波尔舍在他父亲设计的"甲壳虫"车的基础上，制造了第一辆独立使用"波尔舍"品牌的汽车。

第二次世界大战后期，费里曾经完成过几款波尔舍原型车，但当时根本无法将跑车介绍给公众。1945 年的局势比 1918 年更加糟糕，因为德国遭到了轰炸，战火蔓延到了德国境内。费里是个精明的商人。他从销量很好的甲壳虫车上为父亲的设计争取到专利使用费，以此为基础，他创立了新的跑车制造公司，开始生产波尔舍 356 型车。费里通过大众车的销售网络销售他的新车。由于对新车的吸引力没有把握，1950 年他只生产了 400 辆波尔舍跑车。但是波尔舍车从一开始，就出现了供不应求的现象。对于这样一款结合了实用性与速度的新车，人们表现出了极大的兴趣。《波尔舍 911》的作者帕特里克 .C. 帕特尼说："任何一个曾经驾驶汽车在崎岖的路上抛锚的人，任何一个喜欢更强劲动力，喜欢更昂贵汽车的人，都是会喜欢波尔舍 356 跑车的。"

为了满足市场的需求，工厂扩大了生产量，到 1962 年，公司已经售出 5 万辆波尔舍车。费里与他的父亲一样，通过赛车比赛测试他的新车，并大张旗鼓地宣传他的公司。当费里在奥地利组装他的第一辆车时，在组装完成的那个周末，他们就去参加赛车比赛了。

费迪南德 1951 年去世后，费里就成为整个家族以及公司的首领。《卓越》杂志编辑彼得·施图特说："费里总在赛车场上，手里拿着一块秒表，还带着他的儿子们。"费里有 4 个儿子，长子费迪南德·亚历山大，昵称布基，将在公司中扮演最重要的角色。20 世纪 60 年代起，他开始参与波尔舍的外形设计工作。1963 年，28 岁的布基成为新成立的外形设计部的负责人。

这时波尔舍公司的发展进入关键时期，费里意识到 356 型车的基本设计理念都源于 20 世纪 30 年代的大众车，如果继续依赖它，公司的成长将走到尽头。《波尔舍 911》的作者帕特里克 .C. 帕特尼说："他们推出的第一款车型就引起了轰动，接下来他们该怎么做呢，他们必须设计出一款新车，让世人一看就知道那是波尔舍，同时又能在设计和工程方面继续领先。"

设计波尔舍 356 后继车型的重任落到了费里的长子的肩上。布基计划设计一款融传统与现代风格于一体的新车。帕特里克 .C. 帕特尼说："在设计波尔舍 911 时，布基要它让人一眼就认出这是一辆波尔舍。他说从正面看车的外形必须是波尔舍式的，也就是说接近于 356 型的风格，所以他的波尔舍 911，就是在这个基础上设计的更豪华车型。"波尔舍汽车赛车车手、布鲁莫汽车公司执行副总裁赫利·海伍德说："设计非常经典，他们的工作完成得很好。他们设计的车子从外观上看很漂亮，同时效率又很高。"

在 1963 年的法兰克福汽车展上，波尔舍推出了马力强劲、外形迷人的 911 跑车。911 新增的两个气缸增加了 35 马力的动力，巡航时 130 英里的时速，可以轻松超越 356 型车。波尔舍 911 的诞生，为跑车提供了一种全新的设计标准。911 让公众重新开始关注波尔舍车。

到 1966 年，波尔舍车的销量已经达到 10 万辆。正在寻找接班人的费里觉得 911 跑车的成功，使布基可以成为公司理想的接班人。但是布基有一个强劲的竞争者，就是他的表兄费迪南德·皮埃尔。皮埃尔是波尔舍公司工程部的关键人物。这样，问题就出来了。一个是家族的两派成员之间出现了严重冲突。二是很难从家族之外引进高级管理人才。"

到 1972 年，最高领导人出面干预了。费里说："好吧，如果你们谁也不能经营好公司，那我们就放手交给其他人试试吧。"费里·波尔舍是一个强硬的管理者，他常能决定一些很难抉择的事情。1972 年，费里决定引进一批管理人员，让他们把公司带入 21 世纪。这项策略让员工们可以摆脱家族争端，集中全力提高公司的效率，获得更多的利润。

直到费里生命的最后一刻，他始终都能给公司带来灵感和动力。《波尔舍 期待卓越》的作者卡尔·路德维希森说："波尔舍公司的一位设计人员对我说，每次费里到设计室检查他们的设计方案时，那就是一件大事。'只要与他握一下手，我就能继续努力 6 个月'。"

1998 年费里·波尔舍去世时，一定是个幸福的老人，因为他知道他父亲和他自己创造的传奇终于找到了令人满意的接班人。88 岁的费里·波尔舍在位于泽拉米兹的家中平静地去世。

费迪南德·波尔舍凭借他工程师的天赋建立了波尔舍公司，他的儿子费里则用一辆辆新车让公司世界闻名。父子两人的梦想仍在波尔舍汽车飞转的车轮下继续。

　　我乘坐气球旅行,是因为我心中确信生命只有一次,应该过得充实而有意义。

——理查·布兰森

世界上最趣味盎然的大亨:
理查·布兰森

　　在每个了解理查·布兰森的人看来,有一点是显而易见的,那就是布兰森对自己所做的每一件事都兴致盎然。布兰森是一个无所顾忌的冒险者,早在学生时期,身处英国保守的传统氛围,他就已经充满冒险精神。布兰森天生就是领导,他能领导雇员并能使雇员追随他。高中辍学的他,现在已经跻身于世界巨富的行列。凭着敏锐的直觉和对自我的坚信不疑,这位世界上最趣味盎然的大亨,建立了庞大的帝国。然而,布兰森没有因为成功而飞扬跋扈,他仍旧有几分少年的天性。

从小就有竞争意识

　　1950 年,理查·布兰森出生于伦敦东北约 30 英里的瑟约。他的孩提时代是在谢姆利·格森村度过的。布兰森祖上出了好几位法官,他的父亲则是一位律师。不过,布兰森在规划自己的人生时,倒是从母亲那里受到了不少影响。传记作家米克·布朗说:"布兰森的母亲是一位极富冒险精神的女性,战后不久,她成为商务航班上的第一批女乘务员,在飞越大西洋的商务航线上服务。我猜想,也许布兰森就是从他母亲身上继承了这种冒险精神。"

　　布兰森从小就极难管教,在那帮 3 岁上下的小孩子里,他是个"孩子王",他绝对是一个彻头彻尾的调皮捣蛋鬼。布兰森和尼克·鲍威尔从小就是莫逆之交。鲍威尔说:"布兰森做任何事情都讲求竞争。有一次看完电影后,我们在马路中央做'冒失鬼'游戏,参加者坐在马路的白线上,当汽车飞驰而来的时候,最后一个离开白线的人就算获胜。毫无疑问,最后的赢家是理查。"那一年,布兰森和鲍威尔共同开创了他们的第一项事情,建立了一个种植圣诞树的农场。显然他俩对此一窍不通。尼克·鲍威尔说:"像以往一样。我们并没有好好地去做那件事,我们没有在种圣诞树场地的四周围上铁栅栏,结果等我们再去看时,那些圣诞树早被偷了个精光。"

　　布兰森并没有因为这一次失败而垂头丧气,他展开了另一项冒险行动,他要饲养一种名叫"澳洲情鸟"的长尾小鹦鹉。他发现购买刚出生的澳洲情鸟花费甚少。这种鸟生长快速,长大后就可以卖一个好价钱。但到了最后,布兰森说:"据母亲讲,所有的澳洲情鸟都被老鼠吃了个精光。我猜想,事实上是母亲对喂养这些小鸟感到了厌烦,所以将它们放了。"年轻的布兰森不仅生意上努力打拼,而且还要面对学业上的挑战。传记作家米克·布朗说:"布兰森的阅读能力确实有些问题,也许就是这个原因,他在学业上难以有所作为。即使在最佳状态,他也只能在很短的时间内集中注意力。"布兰森的父亲爱德华·布兰森说:"布兰森比较擅长室外活动,尤其在体育运动上胜人一筹。理查是一个优秀的运动员,是板球队与足球队的队长。但有一次,他摔坏了膝盖,伤势严重,医生诊断是韧带断裂。"所以在十四五岁的时候,就意识到,自己已经无法再踢足球或者打板球了，而自己在学业上的表现也许只能算差强人意。

布兰森压根儿就没有把学业放在心上，加上再也无法从事心爱的体育运动，所以决定退学。理查·布兰森的父亲爱德华·布兰森说："我们与他的校长讨论了退学的事。校长说，'父母们总是一起跑来告诉我他们的孩子要退学，我通常会斩钉截铁地告诉他们，别让孩子退学，要让孩子继续念书，但是对布兰森，我打算破例行事，因为他态度坚决，他要去开创自己的事业。'"

辍学后的赚钱工具：《学生》杂志

布兰森深知自己事业的起点应该是充满生气的伦敦。20世纪60年代末，英国民众对音乐以及青年文化颇为关注，而伦敦正是大英帝国的首都，他打算融入这令人激动的潮流之中。他的筹码是一本名为《学生》的青年杂志。他说："我对当企业家根本没什么兴趣，最让我兴趣十足的是做一个杂志编辑，并用一本好杂志去改变世界。"那年他才16岁，像小鸟一样希望展翅高飞。在某种程度上，那本杂志的运作有点像学生福利社。人人都认为杂志社里凌乱不堪，混乱无序，嬉皮士味十足，人们进进出出，乱哄哄的一团糟。但是，与此同时，正是这种怪诞的气氛，激发出各种思想的潜能。布兰森在管理上显然是大权在握。布兰森是打板球和踢足球的好手，还是各类运动队的队长，也许就是这种永远领先一步的特质，使他能够在短时间内就适应那种无序混乱的福利社氛围。布兰森甚至说服了好朋友尼克·鲍威尔退学与自己一起办杂志。

杂志在收益和编辑方面已经小有成就，但要大展拳脚，还需要一笔贷款。于是，布兰森决定求助于著名的库特斯银行。谈判那一天，尼克西装革履，布兰森却穿了一套破破烂烂的牛仔服。布兰森说："尼克，你要明白，如果我们两个人都西装革履地去银行，银行的人就会知道我们急需资金，就不会给我们贷款。相反，如果我们穿得随便一些，就像我这样，他们就会觉得我们并不缺钱，就会把钱借给我们。"理查·布兰森的母亲艾维特·布兰森说："银行的人的确吃惊不小，但他们批准了布兰森的贷款。"

布兰森把办公室从公寓的地下室搬到了海德公园附近圣约翰教堂的地下室里。尽管如此，他仍然过着放荡不羁的生活。他有许多不固定的女友，在把一个女友的肚子搞大之后，布兰森安排她去堕胎。那次颇为艰

布兰森为"维珍可乐"作宣传

难的经历促使布兰森设立了一个学生咨询中心。该中心好像就是一个庇护所,布兰森和他的员工为伦敦的青年提供建议。当然他们也讨论一些颇有争议性的话题,如堕胎、性病、避孕、同性恋等。他们还派发传单,宣传咨询中心的服务项目。1969 年 12 月,布兰森因违反一项 19 世纪的猥亵广告法而被英国当局逮捕。布兰森为那一场官司斗争到底,最终迫使当局修改了旧法规,并向他赔礼道歉。

随着反战运动的日益高涨,《学生》杂志也在蓬勃发展,成为英国最有影响的青年杂志之一。尼克·鲍威尔说:"《学生》杂志是我们真正意义上的第一笔生意,也是首次盈利的买卖。创刊的头一年,我们就赚了 4000 多英镑。在 60 年代末,这可是个不小的数目,大约相当于今天的两万美元。"

20 岁时,布兰森面临其职业生涯的第一次危机,《学生》杂志的受欢迎程度开始下降,布兰森打算通过一种严肃的态度把事业推动向前。传记作家米克·布朗说:"以前布兰森曾经开玩笑地说,如果有朝一日大权在握,他一定会仁治。我觉得布兰森在《学生》杂志的运作上,正是采取了这种方法。不过在那个乐善好施的福利社里,布兰森绝对是一个当家人。"

尼克·鲍威尔对布兰森独断专行的处事方法抱以怀疑,他说:"当时我满脑子都是 60 年代那种社会所有权、社会平等的思想。我向员工建议,我们应该把这种新思想带入福利社。我竟然认为布兰森会持同样的观点。"布兰森把鲍威尔的建议看作是背叛与不忠,于是解雇了挚友鲍威尔。布兰森正在朝新的方向发展,他在 1971 年停办了《学生》杂志,当然,在停刊之前,布兰森还要凭借这本杂志去开辟另一项更有利可图的事业。

维珍唱片公司

20世纪60年代末，《学生》杂志曾经对伦敦的摇滚乐做过报道，尽管布兰森对音乐一窍不通，但是他认定这个行当充满机遇，于是就迫不及待地涉足了这个领域。

布兰森说："当时很多人喜欢音乐，但唱片的售价很高，没有人廉价销售唱片，所以我们决定成立一家小型的唱片邮寄公司，并取名为'维珍唱片公司'。"

维珍唱片公司大获成功，不久，布兰森从邮购唱片中获得的收益就高于杂志发行的收入。然而，维珍唱片公司好景不长，1971年，英国陷入了一场政治纷乱，一场持续3个星期的英国邮政工人协会大罢工令英国的邮政系统全线瘫痪。布兰森说："如果你办了一个邮购公司，而且又碰巧遇上了两个月的大罢工，那你麻烦就真是不小了。"

因为无法邮递唱片，布兰森不得不另辟蹊径。他招回了老友鲍威尔，以协助自己渡过难关。尼克·鲍威尔说："没有人会自动送钱上门，况且我们还有账单要支付。所以我们开了一家唱片店。"

传记作家米克·布朗说："在那个唱片店里，人们可以花上一整天时间懒洋洋地听音乐，也许还有人躲在角落里，趁人不备时偷偷吸上几口，尽管没有人会承认。"不久，多家维珍唱片店在各地陆续开业，但是布兰森并不满足。70年代初，英国的摇滚步入了黄金时代，布兰森决定不但要销售唱片，而且还要灌录唱片。他万事具备，惟一欠缺的就是录音棚。

1971年，靠着一笔银行贷款以及亲戚们的私人借款，布兰森买下了牛津城外一座有几百年历史的大宅邸，将它改建成录音棚，并取名为"庄园"。音乐家迈克·奥德菲尔德最先在录音棚里灌录了唱片。

迈克的《管钟》是一张长半个小时的演奏专辑，没有唱片公司愿意为他灌录唱片，除了布兰森的维珍唱片公司。《管钟》上市以后，销售喜人，销量突破16000万张。至于布兰森，虽然还不满25岁，已经成为百万富翁。这年，布兰森第一次步入了婚姻的殿堂，新娘名叫克莉斯汀·托马斯，是位魅力十足、聪明过人的美国姑娘。他们的婚姻很开放，婚后第二年即1974年，由于多桩婚外情和内心的嫉妒，布兰森和克莉斯汀协议离婚。

与此同时，布兰森在生意上也遇到一些麻烦。布兰森说："我们很有先见之明，我们用迈克·奥德菲尔德唱片的盈利，与许多当时还默默无闻的乐队签约,比如'走了'乐队和'北方的哈特菲尔德'乐队。要知道,如果不是我们,那些乐队根本不可能名扬天下。"

20世纪70年代中期,在伦敦的俱乐部里诞生了一种新的音乐,它的出现在音乐界掀起一阵风暴,人们称之为"朋克摇滚乐"。骇人听闻的"性手枪"乐队,就是这种音乐的代表。

布兰森的母亲说:"在他与'性手枪'乐队签约后,我对他讲'说实在的,理查,你……'他打断我的话,对我说,'妈妈,商品就是商品'。"

"性手枪"乐队一炮走红,他们的首张专辑《不要介意那玩意》获利近百万。但布兰森的经验告诉他,唱片业的成功转瞬即逝,因此,在没有和搭档鲍威尔商量的情况下,他用唱片上的收益,开了两家夜总会。

两家夜总会生意兴隆,但他做生意的这种天马行空的方式,却让他的搭档鲍威尔难以接受。这位婚礼上的伴郎决定离开维珍公司。

20世纪70年代末,由于乐队成员涉嫌吸毒,"性手枪"乐队每况愈下,布兰森再也没有找到第二棵摇钱树来取代"性手枪"乐队。到了1980年,维珍唱片公司的负债已经高达近百万美元。不过,布兰森的录音棚依然吸引了众多的音乐人士,菲尔·柯林斯就是其中之一。他是"创世纪"摇滚乐队的鼓手。布兰森与菲尔·柯林斯签订了一份独唱合同。签订之后,柯林斯的新专辑销量突破了百万大关。

然而,真正使布兰森大富大贵的却是男扮女装的歌手乔治·欧道德,也就是人们熟悉的"乔治男孩"。靠着"乔治男孩"以及几家夜总会,维珍公司逐渐还清了1980年高达百万美元的欠债。到了1984年,公司的盈利已经超过了1500万美元。

维珍大西洋航空公司

在个人生活方面,理查有了一个固定的女朋友——琼·坦普曼,两个人在加勒比海拥有一个小岛。在生意上,布兰森寻求一些更新、更大胆的尝试,1984年的一个周末,他预订了一张飞往纽约的机票,那次经历使布兰森对未来的冒险事业有了初步的设想。

人民快递是一家提供折扣机票的航空公司,而维珍唱片公司也因其唱片售价低廉而深入人心。凭直觉,布兰森意识到这里面大有文章可做,所以他把握机会,采取行动,打算成立一家承接大西洋沿岸运营的航空公司。但是,这一切,就连他的助手也觉得不切实际。布兰森提议,要与英国航空公司一比高低。英航是航空业的龙头老大,而且非常排斥竞争。

布兰森在航空业没有任何经验,他白手起家,由零开始。他说:"我打电话给波音公司,告诉他们我们要买一架二手的波音747客机。"

飞机到位之后,维珍大西洋航

布兰森(前第一人)的维珍大西洋航空公司成立

空公司也就宣告成立。虽然创业之初,公司的规模很小,但布兰森却雄心勃勃,维珍大西洋将有别于任何一家航空公司,它将为乘客提供一流的服务、免费的香槟,甚至还有按摩。

驾驶摩托艇宣传维珍

到了1984年,34岁的理查·布兰森已经是一个拥有几百万资产的富翁。他有意为航空公司进行广告宣布,但却没有足够的广告预算。

布兰森要设法得到媒体的关注,于是他又突发奇想,他说:"我要去前人没有去过的地方。做前人未做过的事情。让维珍的名字出现在世界各地的地图上。"

尽管布兰森对驾驶摩托艇所知甚少,但他还是决定要打破乘船横渡大西洋的纪录。1984年6月,布兰森一行驾驶着一艘定做的"维珍大西洋挑战者"号摩托艇从纽约出发。然而,摩托艇在距终点60英里的海域沉没了。虽然布兰森险些丧命,维珍品牌却得以大出风头,并且通过这一次冒险,布兰森更进一步地了解了自己。维珍执行总裁劳莉·列雯说:"无论在事业上还是在生活上,布兰森都是一个名副其实的冒险家。他参加冒险是替维珍公司宣传。不过,在我看来,他已经被冒险活动深深地吸引了,因为那才是他真正想干的事情。"

虽然布兰森的第一次挑战未获成功,但他决心再做一次尝试,1986

年,布兰森驾驶"维珍挑战者 2 号"摩托艇成功地横渡了大西洋,用时 80 小时 31 分,比以前的纪录快了两个多小时。布兰森成为媒体的红人。维珍的名字也变得家喻户晓,公共宣传已初见成效。

热气球冒险:飞越大西洋、飞越太平洋

布兰森的英勇行为引起了著名热气球探险家瑞典人佩尔·林德斯坦的注意。1987 年,为了成为坐热气球横渡大西洋的第一人,佩尔·林德斯坦与布兰森接洽,希望布兰森能给予资金赞助,布兰森欣然应允。不过,这一次,布兰森不仅是林德斯坦的赞助者,而且还要同他一起坐热气球,一起飞越大西洋,如果不让他参加,他就不给赞助。1987 年 7 月 2 日清晨 4 点,他们出发了。布兰森这样描述:"航程最初的 2500 英里真是壮丽比无。我们是第一批坐热气球在喷射气流层里飞行的人。航程的最后两小时,可能是一生中最令我惊骇的两小时,我们坠海了。巨大的气球在水面上慢慢地漂浮,水灌了进来,看情形我们有溺水身亡的危险。"

林德斯坦纵身跃入水中,布兰森却仍旧在气球里。突然间,这只破损的气球发出一声巨响,径直向空中快速升了 1.2 万英尺。布兰森从来没有单独驾驶过热气球,所以这一次,他意识到自己与死神近在咫尺了。

幸运的是,在飞行了 20 英里之后,气球开始自行下降。于是,布兰森从 50 多英尺的空中纵身跳下,最后被一架直升机救起。

在完成大西洋之旅的第二年,1988 年,39 岁的理查·布兰森正式迎娶了交往 13 年的琼·坦普曼。传记作家米克·布朗说:"他俩真是绝配。琼与布兰森迥然不同,她从不问生意上的事。在布兰森动荡不安的生活中,琼使他更加确定了前进的方向。"

婚后的布兰森并没有放缓前进的步伐,现在维珍大西洋公司拥有多架飞机,年载客量超过 100 万人次。到公司向亚洲扩展时,需要进行更多广告宣传。

1991 年,布兰森再次与老朋友佩尔·林德斯坦合作,打算坐热气球从日本飞往加利福尼亚。1 月 15 日,布兰森和林德斯坦整装出发,不到半个小时,就飞入了太平洋海域。随后的几个小时里,航程进展顺利,不过,当他们像常规一样卸掉一只空油箱时,意外发生了。三只灌满的油箱一同掉进了太平洋,舱体严重倾斜,气球完全失去了控制。由于无法通过无线

电联络,布兰森和林德斯坦面临着一个生死抉择,究竟是让气球迫降在海面上,还是孤注一掷,指望强大的喷射气流层把他们带往北美。他们决定选择后者。喷射气流层把气球带出了太平洋,在一场凶猛的暴风雪中,气球在加拿大的落基山脉安全着陆,那里距南部的预定降落点洛杉矶约3000英里。布兰森再一次死里逃生。他和林德斯坦如愿以偿,成为世界上最先坐热气球成功飞越太平洋的人。截止1991年,布兰森已经成功地飞越了大西洋和太平洋。

出售维珍唱片公司,打败英国航空公司

在经过长达16年的游说之后,布兰森终于将滚石乐队招至旗下。维珍公司的未来,尤其是航空公司的未来,就如同布兰森那标志性的微笑一样,充满了光明。当初,连最亲密的生意搭档都认为他必败无疑,但现在,布兰森证明他们都错了。尽管维珍大西洋航空公司是在乐趣的原则下创立的,但它很快却以严肃认真的从业态度而声名四起。公司近一半的收入来自商务乘客。公司进而向洛杉矶、波士顿、东京等新市场拓展业务。那些都是英国航空公司的支柱航线,

对于布兰森的崛起,航空业巨子英国航空公司显得有些焦躁不安。在布兰森毫不知情的情况下,英国航空公司向维珍大西洋发动了一场秘密战争。

布兰森说:"英国航空公司决定把维珍大西洋航空公司赶出去。为了达到目的,他们采取了极端的方法,我们称之为'肮脏把戏'。"

英国航空公司捏造关于维珍大西洋的虚假报道,还从维珍的计算机里窃取重要情报。他们的行径还不止于此,布兰森说:"他们派人向维珍乘客的家里打电话,冒充维珍大西洋的工作人员,说维珍大西洋的航班取消或延误了,劝他们改签英国航空公司的机票。"

"肮脏把戏"很快就能将维珍大西洋置于死地。然而英国航空公司低估了布兰森,他绝不会坐以待毙。布兰森开始反击,他以诽谤罪控告英国航空公司。但维珍损失严重已经是不争的事实。劳埃德银行是布兰森最主要的贷款人,可是到了1991年,他们的态度发生了大转变。没有银行的贷款,布兰森无法同时兼顾维珍大西洋与维珍唱片公司的运营。布兰森说:"必须出售维珍旗下的某个公司,以确保整个维珍集团的生存。"

布兰森(中)与同事们

在过去的若干年中,有很多买家愿意收购布兰森旗下最赚钱的实体——维珍唱片公司,这回又来了一个购买者。布兰森说:"百代唱片公司开价10亿美元收购维珍唱片公司。我知道如果有了这10亿,就意味着我们有了财政上的支持。英国航空公司想让维珍大西洋破产的阴谋也就肯定不能得逞。"

布兰森在唱片界打拼了20多年,但他确实急需资金。1992年3月,布兰森回到了在牛津的宅邸。整个周末,他都在湖边散步,考虑下一步该如何行事。布兰森说:"这是个极端难下的决定,不过我最终还是决定卖掉维珍唱片公司。"

出售维珍唱片公司,确保了维珍品牌的生存。1992年12月,英国航空公司终于同意与布兰森庭外和解。作为和解条件一部分,英国航空公司被迫就"肮脏把戏"一事公开向维珍大西洋公司赔礼道歉。理查·布兰森与全球最具规模的航运公司交手过招,结果大获全胜。维珍执行总裁廉·怀霍恩说:"在那件事情中,我发现,越是危急关头,布兰森的意志越是坚定。"

不断制造新闻,打造国际品牌

打赢与英国航空公司的官司意味着维珍大西洋可以继续在航空业占有

一席之地。布兰森重新踌躇满志。他说:"生平第一次,我们有足够的资本可以舒心地靠在椅子上考虑一下如何将维珍发展成国际品牌。"在随后的两年里,布兰森以老板或合伙人的身份成立了50多家公司,其中包括维珍美容商店,维珍广播电台。到了1994年,布兰森旗下的产业帝国年收入达到20亿美元。布兰森成为英国各大媒体争相报道的对象。1994年5月,就连最保守的《经济学家杂志》也开始推测布兰森可能会竞选首相。

布兰森还在美国制造新闻。维珍可乐新上市的时候,他用一种华丽时髦的方式进行宣传,他驾驶着一辆坦克降临纽约的第五大道。尽管维珍可乐最终并没有撼动百事可乐和可口可乐的地位,但这次尝试还是令布兰森颇为满意。

尽管布兰森的行为颇具戏剧色彩,尽管维珍的品牌在日趋成熟,但他们在海外的知名度还是相对较低。不过,布兰森已经在考虑下一次冒险,以赢得全世界的注意。

1997年,46岁的理查·布兰森已经是全球最有名的商人之一。为了提高公司的知名度,为了让他本人和维珍的名字不断地出现在各大媒体,布兰森不断地推出一些轰动性的办法。他的某些噱头,不啻是一场令人难以置信的恶作剧。比如那一次让全英国备感兴趣的假装外星人入侵事件。布兰森和他的一名员工装扮成太空人,乘伪装成太空船的热气球,通过M25大街,造成那里交通堵塞,行人车辆乱成一团,再后来他们降落在一片田地里,被警察团团包围。在弄清事情的真相后,警察全线撤离。

在另一次噱头特技中,布兰森尝试了滑水,布兰森确实有一功。一艘软式小飞艇拖着他滑行。由于这是前无古人的尝试,所以布兰森据理力争,认为自己创造了一项新的世界速度纪录。

布兰森的批评者们认为他行为过度,认为他的维珍帝国建立在过分夸张的基础上。

1995年,布兰森决定率先尝试乘坐热气球环游世界,途中不作任何停歇。这一回,即使是最亲密的朋友也持反对意见。有人认为,布兰森这样鲁莽行事,并不是为了宣传维珍,而是要提高自己的知名度。他说:"我乘坐气球旅行,是因为我心中确信生命只有一次,应该过得充实而有意义。肯定会有人提出异议,认为身为人父还去冒险犯难,多少有些自私。"布兰森的家人和生意上最密切的伙伴都坚决反对这次环球之旅,但他们并不试图去阻止布兰森。

布兰森花了两年的时间筹备这次旅行,包括向60多个国家提出申

请,以获准在该国领空飞
行。这些国家中有些正饱
受战火的煎熬。大约有
100多人参与制造了那个
庞大的气球。

1997年1月,布兰森
和他的老友佩尔·林德斯坦
开始了他们的环球热气球
旅行,行程预计三个星期。
由于燃料系统出现了故障,
气球坠毁在撒哈拉沙漠中

1999年布兰森被英国皇室封为爵士

部的阿尔及尔。令人不可思议的是,布兰森居然毫发无损。他想,自己能
够大难不死,真是幸运无比。他端坐在沙漠中,向自己发誓,今后决不再做
这样的冒险。然而这个誓言只维持了不到两年,1998年,布兰森又乘上了
一个新设计的气球。布兰森从摩洛哥出发,预计在两周后抵达英国,以实
现环游世界的夙愿。环球旅行并不一帆风顺,一个星期之后,由于恶劣的
天气影响,布兰森不得不把气球迫降在夏威夷沿岸。

尽管布兰森的私人冒险以失败告终,但他的公司却在继续蓬勃发展。
这位努力拼搏的生意人,现在已是亿万富翁。他与英国皇室私交甚好,尤
其是同已故的戴安娜王妃,两个人的关系很密切。1999年,布兰森被封为
爵士,由此升格为理查·布兰森爵士。截止2000年,维珍集团下属有200
多家子公司,涉及葡萄酒、模特行业、无线电等众多领域。集团的年收入
突破了50亿美元,雇员超过2.5万人。

2000年底,布兰森开始在国际外交事务中发挥作用,由软式小飞艇拖
行滑水已不再是什么宣传的恶作剧,它催生了"地雷探寻者"行动。这个
国际性项目旨在扫除世界各国的地雷。

维珍公司与联合国合作开发了可以将雷达固定在软式小飞艇上的系
统。2000年11月,这套系统在科索沃接受测试,它以每秒1000平方英尺
的范围检测一片区域,该速度是人工的两千倍。布兰森打算用这一套系
统去扫除遍布地球的6000多万颗地雷。

2000年7月,布兰森迎来了50大寿。布兰森之所以成功,是因为他
敢于冒险,不断地自我推动,更因为他坚信做生意就像生活一样,是一场
冒险之旅。

利用化学,生产更好的产品,创造更美好的生活。

——杜邦

低调的杜邦:美国最富有的家族

杜邦,全世界的知名商标,以制造尼龙、人造丝、颜料、橡胶等而闻名。每个人都听说过这个公司,但是我们对创建这个公司的家族却知之甚少。在数以千计的继承人中,他们比凡德比尔斯、盖蒂斯和洛克菲勒家族都要富有。他们是美国最富有的家族。即使如此,他们表现得非常低调,除了两个人例外,一个竞选总统,另一个成为家族史上第一个行为不轨、制造丑闻的人。

法国移民的美国梦

和许多美国富有家族不同,杜邦不是暴发户。他们的财富经历了几代人的积累。事实上,要追溯这个家族的历史,还得回到 18 世纪的法国。

那是法国大革命时期,国家动荡,愤怒的人在街头怒吼,缉拿贵族,把他们押到人人皆知的"恐怖之区"处以绞刑。在那群逃生的难民中,有一个人名叫皮埃尔·萨缪尔·杜邦·雷莫斯,是一个地位低下的钟表工人的儿子。他以自己天赋的聪明才智,赢得了法国国王经济顾问的高位。皮埃尔的位置,使他有机会接触到像美国外交官托马斯·杰斐逊这类人。

面对断头台的威胁,杜邦非常明智地决定,应该到美国去开辟新的生活。1799 年 10 月 2 日,皮埃尔和他的家人登上了一艘开向新世界的轮船——"美国之鹰"号。人们满怀期望地起航,还不知道他们已经踏上了危险之旅。因为天气恶劣,轮船漏水,船长也迷失了航向,原先只需 7 到 8 周的旅程,竟然走了 13 个星期。到最后食物十分缺乏,杜邦家人甚至要吃煮熟的老鼠求生。1800 年的新年,这艘船终于抵达罗得岛的新港。

尽管去美国的路充满曲折和艰辛,但杜邦对开辟新生活仍然充满渴望。皮埃尔经过几年的奋斗以后,把事业交给他的独生子艾勒尼接替经营。艾勒尼年轻时学习过火药的制造。有文件显示,在一次跟朋友外出打猎时,他想到了一个可以创造数百万财富的好点子。

艾勒尼用从法国投资者那里借来的钱,在特拉华州威明顿郊外的白兰地酒河买了 95 亩的地,建立了他的火药工厂。他结合在法国学到的各种知识,比如不只是建一家大工厂,相反在一大片土地上造了若干个小型火药厂,这样,一旦不幸发生爆炸,他不会看到所有的投资一下子化为灰烬。1804 年春天,杜邦公司正式成立营销部。

第一笔生意就是来自他们家族的老朋友托马斯·杰克逊——美国的在任总统。杰克逊听说艾勒尼开发这一新项目,很高兴,希望美国陆军和海军能够买杜邦的火药。这些合约让暴富的杜邦必须将公司迁址,以便建立一个杜邦和美国政府长期的生意关系。

早年,杜邦家族里的成员都在工厂里工作,他们生活在与世隔绝的地方,堂兄妹通常彼此通婚。从一个方面来说,使这个家族成为一个紧密的团体。前特拉华州长、皮埃尔·杜邦四世说:"你要知道这些人都是法国移民。他们的英语不太纯正,他们从事的是一项危险的事业。制造火药会引起伤亡,一个火花就可能造成可怕的大爆炸,所以他们必须紧密联合在一起。"

杜邦家族有一个值得尊敬的传统,他们与他们的员工共同面对危险,家族成员不但和制作火药的工人在一起工作,还把家就安置在厂区里。家庭成员露易莎·杜姆林说:"我父亲很小的时候就接受训练,如果听到任何爆炸声,他必须站在他门前的出口位置,直到有人来。因为那是整栋屋子最坚固的地方。床也不会放在靠墙的位置,而是放在屋子中间,因为墙上的画可能会砸下来,或者墙会倒下来伤到人。"

虽然有这么多的预防措施,但是开始几年还是有意外发生。其中一次可怕的爆炸在1818年的3月,40个工人当场死亡。地面震感一直传到了宾夕法尼亚州。这些意外令艾勒尼深受打击,但是他从来不曾想过放弃。

传记作家让杰拉尔德·柯尔比说:"这个公司在某个程度上带给家族一个目标。让它成为这个家族财富的代表,它成为他们对这个新国家表现爱国主义的象征。"

从1812年战争开始,每次战争都由杜邦家族向美国政府提供军火,虽然早期的战争提供了一些稳定的利润,但是艾勒尼还是被流动资金缺少困扰。因为赚来的每一分钱,都被用来重建或者扩建工厂。1834年,这个一生勤恳的人因为过度疲劳而告别人世。艾勒尼死于心脏病突发,享年63岁。具有讽刺意味的是,这个价值几百万的公司的缔造者,死时还欠债权人许多钱。

阿尔弗雷德·杜邦是艾勒尼最大的儿子,他接管公司长达13年。他更像一个科学家而不是生意人。阿尔弗雷德的哲学是"使它更好更安全",这是一种比较平实的经营策略。幸运的是,1850年,他的弟弟亨利从西点军校毕业,接手杜邦公司。被大家称做"将军"的亨利有全然不同的看法。他的哲学是,"使它更快速,更便宜"。他看到了这一点,他的工人也是这样做的。在亨利的经营下,公司第一次出现盈利。这要感谢他的经营对手,同样要感谢美国大力推行的开发西部的决定。

传记作家杰拉尔德·柯尔比说:"美国正在逐渐壮大成为一个国家,它向整个大陆延伸。这中间必须要做的事是,建造公路,开挖运河。杜邦的火药在这次扩张中扮演了一个重要角色。"

亨利老了,他的侄子拉莫特·杜邦替代了他。拉莫特成为他那一代人的明星。他拥有一切,身材高大,漂亮,而且是一个天才的化学家。但是

1884 年,雷帕诺工厂的爆炸吞没了他。

拉莫特死的时候只有 55 岁。对杜邦家族来说,这次爆炸真是一次极大的伤害。5 年后,家族里就再没有一个合适的人选去继续家业,经营这个公司的是一些老合作伙伴,他们将公司维持到 1902 年。那一年,他们做了一个不可思议的决定,准备把公司卖给他们最大的竞争对手。经过了 100 年,公司已经到了一个转折点。

美国火药工业的老大

阿尔弗雷德·杜邦是家族公司中的一个年轻的成员,他做了一个大胆的宣布:他来买下公司。但没有人觉得他做得到。拉福林和兰德公司出价 1200 万美元,在火药厂工作的阿尔弗雷德没有那么多的钱。

阿尔弗雷德·杜邦之孙、理查德·丹特说:"他是一个野心勃勃的年轻人,同时是杜邦的创始人。E. I. 杜邦的长房长孙。他觉得这是他与生俱来的权利,他最终会成为这个公司的领袖。"

管理委员会觉得阿尔弗雷德太没有经验,而且经营公司的手法太激进,但是,他们还是给了他一个星期去做一份企划书。这正是阿尔弗雷德想要的时间。他制定了一个计划。他想招募其他年轻的家族成员加入他的计划。他第一个要找的是肯塔基州的成功商人、他的堂兄弟柯尔曼·杜邦。

传记作家杰拉尔德·柯尔比说:"柯尔曼·杜邦是一个受到广泛尊敬的人。他长得很英俊,有一脸黑色的胡子,身材挺拔,你可以想象他走在肯塔基的牧场上的样子。他永远带着微笑,谈笑风生,他天生就是这种人。"

柯尔曼答应帮忙,但是有个条件,让他当公司总裁。阿尔弗雷德在他最难决定的一刻说了五个字:"很好,我答应。"

这两个人也同时决定邀请他们的堂兄弟皮埃尔·杜邦加入这项交易。皮埃尔是一个工作努力有责任感的年轻人,也是死于雷帕诺爆炸案中的拉莫特的大儿子。他在 1884 年成为他 8 个弟弟的代理父亲。那时他只有 14 岁,现在他 32 岁了。当他和他的堂兄弟们加入这次买卖时,他已经被认为是一个财务天才。

这三个人看上去是一个无敌组合。只剩下一个小小的问题,他们并没有足够的钱去买下公司。"不要烦恼",柯尔曼说,"我们的新公司可以给他们分红的方式,来抵偿欠款。"

杰拉尔德·柯尔比说:"这三个人来到年迈的经营者们面前说,'看,我们想把这个企业留在我们的家族里,我们不想失去它,我们已经准备好了,我们是诚心诚意的。只要给我们一点耐心,接受股票而不是现金,为你们下一代保持这个公司的控制权。'"

特拉华前州长皮埃尔·杜邦四世说:"我想当时那些年迈的经营者一定心想,这是一堆什么歪理。但不管怎样,就给这些孩子一次机会吧。这是这些老人做过的最正确的决定。"

这三个堂兄弟,三个E.I.杜邦的孙子,共同完成了这笔世纪交易。他们实际上没有拿出任何现金,却买下了全世界最大的炸药公司。

家族成员爱德蒙·卡彭特说:"皮埃尔是一个财政天才,阿尔弗雷德是一个火药制造专家,柯尔曼则是前台人物。一个有人缘,一个擅长卖东西,另一个则在角落玩扑克牌魔术,取悦每一个人。"

柯尔曼不停地扩张公司。买下杜邦才几个月,他和皮埃尔又计划买下对手拉福林和兰德公司,而且再一次地不花一分钱就做成了交易。就像柯尔曼常说的,"收购公司并没有什么技巧,最重要的是用别人的钱去做这些事"。柯尔曼很轻易地就让拉福林和兰德公司接受用股份换现金的做法。杜邦公司在六个月之前还几乎破产,现在却摇身一变成为美国爆炸和火药工业的龙头老大。

枪击·离婚·家族四分五裂

现在这个特拉华的最著名的家族,开始出售它的重要基地——白兰地酒河火药厂区的一些房子。虽然生意上获得了成功,但是,家族内部却再也不像以前那样亲密。事实上,所有不和睦的家族迟早会分裂,小到堂弟兄之间,大到整个杜邦家族。

问题起于阿尔弗雷德的弟弟莫莱斯·杜邦。他跑到爱尔兰和一个酒吧女招待结婚,这是杜邦家族所有人都不愿看到的。报纸也对此大加渲染。阿尔弗雷德·维克多·杜邦二世的去世,令这个家族再次动荡。最初的报告说,单身而且曾经是肯塔基路易斯菲尔市模范市民的他,在其兄弟的门口倒下。两天之后,辛辛那提的一家报纸道出了真相。他是在路易斯威尔最高级的妓院里被枪杀的。当时有个女孩说她怀孕了,而且说孩子的父亲就是他。他表示怀疑。可以肯定在这一情况下,那女孩打死了他。

但是妓院枪击事件,还比不上阿尔弗雷德·杜邦的离婚引起的家族的不满。早在 1886 年,阿尔弗雷德和他的弟弟路易斯同时爱上了金发碧眼的贝西·加德娜,一个可爱的耶鲁大学教授的女儿。阿尔弗雷德更富攻击性,横刀夺爱。路易斯情场失意,开始酗酒,成为杜邦家族史上第一位花花公子,最后一贫如洗,举枪自杀。有人说这段悲剧令这个婚姻一开始就埋下了阴影。1906 年,阿尔弗雷德和贝西离婚,然后娶了他的年轻美丽的堂妹爱丽西娅·布莱德福特。

这对夫妻在纽约结婚,等他们回到威灵顿时,却受到家族的冷遇。阿尔弗雷德上了车,柯尔曼对他说,"好了,这下你真完了"。从那以后,他被彻底排除在家族之外,不管是在公众场合还是工作上。

阿尔弗雷德一度是杜邦伟大的救世主,现在却成了一个被遗弃的人。他在城外建立了一个新家,一个他和爱丽西娅相互厮守的地方。他把它叫做那莫斯,一幢拥有 77 个房间的别墅。工程快要竣工时,他在房子四周加上一圈几英尺高的围墙,上面插满了碎玻璃。"那堵围墙",阿尔弗雷德宣称,"是为了防止那些入侵者,尤其是杜邦家族的人。"

1915 年的一个星期天。阿尔弗雷德翻开早报发现他的堂兄成为杜邦公司的新总裁。皮埃尔买下了柯尔曼和所有股票。阿尔弗雷德认为这次收购是一次宣战,是对家族的一次侵犯。他决定与皮埃尔对簿公堂。在家族的历史上,从没有出现过像杜邦家族这样四分五裂的情况。堂兄弟之间不说一句话,有时,丈夫甚至不和妻子讲话。这个案件纠缠了好几年,最后在 1919 年上诉到了最高法院。最高法院驳回了阿尔弗雷德的上诉。在那个时候,他已经被杜邦管理委员会除名,而皮埃尔是委员会的头。

扩张,扩张,不停地扩张

腼腆和谦让的皮埃尔有时会被误认为是大学教授,可那是他的外表,其实他是一个非常精明的人。皮埃尔接管公司后,杜邦不停地进行扩张。10 年间,他把一家以特拉华州为基地的火药工厂,发展为全世界最大的化学企业。这个家族从前就很富有,但是皮埃尔却令它富到令人难以相信的地步。

杜邦的迅速膨胀,主要来自它在第一次世界大战中获得的巨额利润。协约国将近 40% 的火药来自杜邦公司。传记作家杰拉尔德·柯尔比说:"杜邦创造的巨额财富,比美国战后的任何家族都要多。大多数人估计大约有 2.5 亿美元。这在当时是一笔非常庞大的数目,折算到今天是几十亿美元。"

皮埃尔用其中的一部分去开发新领域的产品,杜邦很快就推出一些新产品,像快干油漆、人造革、染料、尼龙和玻璃纸等。皮埃尔在战后的最大投资,是把百分之二十三的利润投入到了一家刚起步的公司:通用汽车公司。

通用公司潜力巨大,但是存在着严重的经营不善。1918 年它的管理委员会要求皮埃尔来做他们的主席。皮埃尔·杜邦四世说:"通用公司每况愈下,因为他们只知道造汽车。他们有一大堆的产品分支,雪佛莱、凯迪拉克、别克等,都是车中极品,但是他们却不知道怎样控制流程,不了解市场,不知道怎样把它们变成钱。他们要求皮埃尔加入,是因为他们看到他在杜邦公司的成功。他们说'你或者可以来我们这儿'。"

在短短 4 年间,皮埃尔将通用公司纳入杜邦的体系,使公司脱离了困境。历史学家阿尔弗雷德·钱德勒说:"很难找到一个人能够解救这个公司,但是皮埃尔能够,而且做到了,进行得非常迅速有效。他有威信,有能力,有对管理人才的良好嗅觉,没有一个人可以做得像他那样出色。"

龙伍德花园世外桃源

1920 年,皮埃尔同时掌管着底特律最大的汽车公司,全美国最有势力的炸药公司,但是作为一个商业巨子,他只有很少的时间留给他的私人生活。在他将过 45 岁的时候,几乎所有的人都对这个极为腼腆的男人的婚事不抱希望。惟一引起皮埃尔好感的女人是堂妹爱丽丝·贝林,她也已经 40 出头。所以也很自然,皮埃尔在 1915 年 10 月宣布他和爱丽丝在纽约一次私人聚会上已经结婚。爱丽丝等了 23 年,终于等到了皮埃尔求婚的那一天。

没有人知道为什么皮埃尔等了那么久才结婚。他很内向,除了家人之外,他没有亲密的朋友,仅有的例外是他的司机兼随从李维斯·梅森。他们相处的时间很长,彼此分享音乐和园艺方面的共同爱好。传记作家威廉·卡尔说:"皮埃尔给他许多礼物,除此之外的其他举动都证明,他们不是一般的关系,他们是非常好的朋友,他是皮埃尔一生中最好的朋友,甚至超过了友谊的情分。"当梅森死于流行性感冒后,皮埃尔花了 1 万多美元建了一个医院,以纪念这位年轻的友人。为一个普通人建一个公共医院,令许多人非常惊讶。家族里有人认为皮埃尔是同性恋者。不过有一点是肯定的,没有人能够进入他的隐秘生活,没有人可以跨越他设置的界线。

皮埃尔确实对某些东西表现出狂热，那就是他在宾夕法尼亚州乡村的龙伍德花园。他在1906年买下这个花园，当时它还一片荒芜。他花了48年把它变成一个包括室内和室外花园的美丽园地。皮埃尔一个最大的乐趣，是在龙伍德举行奢华的园林盛宴。它很快就成为威灵顿社交圈的一大盛事。家庭成员爱德蒙·卡彭特说："即使是在寒冷的冬天，你也可以造访龙伍德公园。踏过地上的积雪，走进温暖的有4到5亩大的玻璃温室，看看兰花，欣赏仙人掌，或者走过美丽的绿地，进入梅尔·戴维斯管弦乐团。有一个房间可以享用自助餐和晚餐。这里真是一个世外桃源。"

皮埃尔亲自设计龙伍德花园。1927年，他还加进了许多喷水池。那可不是普通的喷水池，而是有高速喷射机和电动控制的先进喷水池。皮埃尔·杜邦四世说："他发明了一种不但能演奏音乐，还能喷出颜色的乐器。你可以坐下来演奏这种彩色钢琴。按一下键，喷水池的水就是黄色的，然后会变成红色的，再变成绿色的。你可能在今天看到这种特别的乐器表演这样的声光。这真是一件赏心悦目的事。"

1931年，这个喷水池第一次向公众开放。那一年也是皮埃尔最后一次举行花园宴会，因为美国开始进入经济大衰退时期，民众的心态开始转变，他们开始把那些在战争中得利的家庭视为坏人。杜邦被冠以"死亡贸易商"的头衔。

"总统先生，我是你主要的敌人"

1930年，杜邦卷入了一个著名的参议院调查案，成为公众瞩目的焦点。首席调查官是参议员杰拉德·奈伊，称杜邦公司为"死亡贸易商"，指控他们"欺骗美国政府"。他说："他们利用在地狱般的战争中的仇恨、恐惧、猜疑和死亡骗取钱财。"

传记作家杰拉尔德·柯尔比说："在创造利润和战争中获取巨大财富之间，是有区别的，这也是为什么那些指责会针对杜邦家族的原因。他们要价太高，他们生产火药的实际价格比他们给政府的报价要低很多，但他们要求政府给那么多钱。"家族成员小艾勒尼·杜邦说："再也没有比参议员奈伊的指控更荒谬的了，但是他有新闻和媒体跟着他，他也擅长煽风点火，结果酿成全国性的大事。"

这时，皮埃尔已经从杜邦总裁的职位退下来，总裁先后由他的两个弟

三个堂兄弟:阿尔弗雷德·杜邦(左)、柯尔曼·杜邦(中)、皮埃尔·杜邦(右)

弟担任。1919 年,艾勒尼·杜邦接管公司,一直到 1926 年拉基特·杜邦上台为止。参议会的听证会一共有 3 个人出席。艾勒尼的出场,使听证会发生了实质性的逆转。他气定神闲,抽着烟斗,提醒听证会:如果没有杜邦,协约同盟国可能在战争中失败。

经过近两年的调查,调查委员会没有发现任何证据证明杜邦有任何过失,但是给杜邦公司声誉造成的损失,已经无法挽回。杜邦家族向来回避闪光灯的追逐,在奈伊的听证会后,他们变得更加低调。可是,即便杜邦家族再怎么努力保持低调,他们巨大的成就,常常使他们变成批评的主要目标。何况又面临国家经济大衰退的困难时期,连美国总统弗兰克林·罗斯福也不失时机地把杜邦这类富翁家族当做批评的目标,以争取民心。

记者拉伊夫·莫伊德说:"罗斯福把他们称做'特权王子',他显然是受够了那些有钱人从头到尾地反对'新合约'政策。"罗斯福发表讲话:"我不相信应该允许那些有权势的团体制造工业巨炮,他们所获得的利益,相当于全民收入的一半。"

面对这些攻击,许多杜邦人加入了自由联盟———一个极端保守的政治团体,其主要的任务是把罗斯福赶出白宫。空气中弥漫着仇恨的情绪。但 1936 年的一件事让人惊喜,总统先生的独生子宣布将和一个年轻可爱的杜邦继承人订婚,她的名字叫伊蝶尔·杜邦。

杜邦家族和罗斯福家族的联姻,成为这个季节的重大事件。整整一个下午,两边的来宾尽量客气地避免接触,只有新娘和新郎两个人在微笑。家族成员爱德蒙·卡彭特说:"无法回避的是,我的父亲必须要和罗斯福总统握手,而我从没想到父亲会说出那样令我不舒服的话,他说'总统先生,我是你主要的敌人'。他接着说,'你可以看到我没有角,或是尾巴或是四只蹄子,我只是想让你了解,今天我是你的朋友'。总统亲切地笑了。他们又说了些无关紧要的话,就各自走开了。"

这种停战状态,就像他们的婚姻一样维持不了多久。富兰克林和伊蝶儿在 1949 年离婚。但是当国家再次面临战争的时候,罗斯福和杜邦家族会把彼此的恩怨放在一边。1942 年,当希特勒在欧洲的势力越来越强大时,美国政府要求杜邦帮他们建造一颗原子弹。毫无疑问,家族里引起了做还是不做的争论。

传记作家威廉·卡尔说:"他们实在很不情愿参加进去。30 年代的国会听证会,让他们受到深深的刺痛。他们希望离是非越远越好,尤其不愿意成为人们眼中的战争受益者。"最后,杜邦终于在华盛顿的汉福特建造了一个放射性钚元素的工厂。他们拿了 3.3 亿元的资助,最后扣掉费用,只剩下一块钱利润,而且公司还拒绝保留这次计划中产生的所有发明专利。

世界最大的化学公司

事实上,杜邦再也没有兴趣去制造军用品。在 20 世纪 50 年代,三个兄弟已经把杜邦转型为一个庞大而且成功的化学工厂。"利用化学,生产更好的产品,创造更美好的生活"。特别是在拉莫特·杜邦担任总裁期间,这个公司特别强调科学研究。

拉莫特·杜邦是一个性格安静、不慕虚荣的人,因每天骑自行车上班而闻名。拉莫特投入 2700 万去进行一个研究计划,最后终于有了回报。它成为后来杜邦所有发明中最主要的财源,那就是尼龙。

1940 年,第一双尼龙长袜在市场上出现后,立刻在美国的百货商店红火起来。它比丝质长袜更便宜、更耐用。所以,第一天就卖出了 750 万双。这是杜邦推出的规模最大的产品,当然也是取得成功的产品,到现在还是。其他的杜邦发明还包括合成橡胶,这是一种人造橡胶。此外还有压克力合成树脂。

1940 年,杜邦成为美国最大也是全世界最大的化学公司。它庞大的组织令杜邦声名远扬,这是他们一直要尽量避免的事。他们为此也付出了代价。

1949年,美国司法部门把他们告上法院,指控杜邦公司对通用汽车和美国橡胶公司实行控股,侵犯了反垄断法。13年无休止的听证会后,花了上百万的诉讼费,最后,法院判决杜邦退出通用公司所有股份。

1952年,皮埃尔和艾勒尼主持了一个庆祝杜邦公司成立150周年的宴会。630个员工和家族成员聚集在一起野餐。这个家族在经历150年之后,取得骄人的业绩。但这次野餐也标志了杜邦辉煌时期的结束。拉莫德·杜邦因病没有参加这次聚会,他在1952年死于心脏病突发。两年后,皮埃尔也死了,艾勒尼则死于1963年。

这时,公司管理层已经没有一个杜邦家族的人了。家族成员仍旧是主要股东,但是却很少有人愿意全身心地投入到公司的经营中。他们把目光放在更远大的目标之上。特拉华前州长皮埃尔·杜邦四世发表演讲:"今天可以相信,当老皮埃尔在天堂里往下看的时候,一定是带着微笑。他听到那个和他同名的人说,'我是美国总统的候选人'。"

20世纪60年代和70年代,杜邦家族在公司里的角色虽然越来越不重要,但是在特拉华州,他们依然是赫赫有名的家族。记者拉尔夫·莫伊德说:"这是一个很小的州,但是杜邦家族却把它变得非常大,在这里你无需走过两个路口,就可以碰到一个名叫杜邦的人,或是一个团体。"

1971年,拉尔夫·纳德和他的同伴决定用特拉华州作为一个研究个案,探讨为什么一个家族可以完全控制一个州。拉尔夫·纳德说:"当我们写这本书时,杜邦在特拉华州拥有两份主要的报纸,控制了两家主要的银行。他们决定对广大乡村区的不动产征收某种财产税。他们还控制着一大笔慈善基金。如果我们信奉民主和义务,那么这些举动对任何公司、劳工团体或是私人机构而言,都属于过分的举动。"

但令人惊讶的是,住在这地方的民众对杜邦很忠诚。杜邦从来没有招来任何的批评。有一部分人甚至对杜邦怀有感恩的心理。因为杜邦为这个地方做了许多事情,建造了公路和医院,而且许多家族产业现在都成了公共设施,像龙伍德公园、温德瑟博物馆和为儿童看病的内莫斯学院。杜邦有能力慷慨解囊,因为他们是美国最富有的家族。

传记作家杰拉尔德·柯尔比说:"20年前,我们估计他们至少有上百亿的财产,《财富》杂志现在还使用这个数据。在美国没有其他家族可以与他们相比。"

"杀人犯"、"总统"、最长久的家族王朝

为什么我们对他们了解那么少? 那是因为杜邦家族一直不想引起大众的注意力。家族成员拉莫特·杜邦说:"确实如此,整个家族都很腼腆,不是不爱讲话,也不是偏执狂,只是腼腆。它更像是一种自然的本性。"

皮埃尔·杜邦

尽管家族注重保护自己的隐私权,但是约翰·伊陆瑟·杜邦被控涉嫌前奥林匹克摔跤冠军大卫·舒尔茨的谋杀案时,仍然带给家族剧烈的震动。

约翰·杜邦是杜邦创始人的重孙子,一个体育迷。据统计,约翰·杜邦的财产超过 4000 万美元。他花了 600 万美元在宾夕法尼亚成立了一个摔跤训练中心。这个中心吸引了世界级

的摔跤好手。大卫·舒尔茨为了备战 1996 年的奥运会来到这里训练,和他的妻子和两个孩子住在属于杜邦的一栋房子里。谋杀一直是一个谜。1996 年的 1 月 26 日,据目击者报告,杜邦枪杀了舒尔茨。人们都在猜测,他为什么犯下如此可怕的罪行。精神分析报告显示约翰·杜邦的问题很严重,他会看到一些根本不存在的昆虫和其他东西在爬行,幻觉有人要抓他,而像钟这类时间机器,会让他感觉像自行车或运动机器,好像要把他抓回去。摔跤手丹·马友说:"我想我们多数人都忽视了那些奇怪的征兆,因为我们只注意到他为摔跤所做的那些伟大的事情。"

皮埃尔·杜邦四世喜欢人们叫他皮特,在竞选 1988 年总统之前曾经做过两届特拉华州州长,但是他的初选因为票数太少而早早出局。皮特没有实现让杜邦家族进入白宫的愿望。他说:"我愿意再试一次,但那很困难。我需要一个比我所从事的事业更多、更广泛的基础。"

公元 2000 年,杜邦成立 200 周年。200 年,经历 8 代人的努力工作,这个家族从一个小小的火药公司,变成美国最大的工业王国之一。他们的名声保持得比美国任何一个家族王朝都要长久。

回顾是浪费时间,我真正的兴趣是始终朝前看!

——纳尔森·洛克菲勒

狂人:纳尔森·洛克菲勒

他出生在富可敌国的豪门家族。他有严重的阅读障碍和惊人的记忆力。7岁他立志要作美国总统……他外貌英俊魅力十足,在某些方面浪漫得让人难以置信,甚至面对死神依然故我。他几乎超越了世俗名声和家庭财富。他几乎不知道钱为何物,不晓得人们用什么来偿付所需的东西。一旦认定什么是对的,他就会付诸实际并且勇气过人。他活力四射,充沛的精力感染着其他人,而其他人的干劲也仿佛源源不断地流到他身上。在长达36年的政治生涯中,他曾为罗斯福、艾森豪威尔、尼克松等多位总统出谋献策,越战的结束、中美建交的背后都有他的身影。有人说他天生就是领袖。他连任4届纽约州州长,在任长达15年,3次朝总统职位前进,并最终走进了美国权力的中心——白宫,成为这个世界上最强大国

家的第二号人物——副总统。他使家族的触角渗入到美国乃至世界的文化、外交等各个领域。他没有在已经建立好的基础上逐步发展,从一个人的脚印踩进另一个人的脚印,而是凭借其坚韧不拔的决心走出了属于自己的成功之路。他就是纳尔森·奥尔德里奇·洛克菲勒。

有阅读障碍的左撇子

洛克菲勒家族富可敌国,开辟发家之路的是老约翰·洛克菲勒,一个小商贩的儿子。他创建了美孚石油公司,不久就成为有史以来最富有的人之一。到 19 世纪 80 年代,他控制着全球绝大部分的石油。老洛克菲勒的孙子纳尔森·洛克菲勒就是这万贯家财的继承人之一。

1908 年 7 月的一个雨天,纳尔森出生在家族位于缅因州巴尔港的别墅里,他是艾比和小约翰·洛克菲勒的第三个孩子。纳尔森的母亲以孩子外公的名字给孩子命名。老纳尔森·奥尔德里奇来自罗得岛,19 世纪末这位观点极端保守的参议员权倾一时,因为快人快语而大出风头。为了改变吝啬的形象,老洛克菲勒开始向福利机构捐出数以百万计的财富。纳尔森的父亲小约翰继续捐助慈善事业。这些对纳尔森的人生之路产生了极其重要的影响。不过,接受这种灌输的不止纳尔森一个人。纳尔森的父母通过一些不同寻常的方法教育他们的子女。

纳尔森的父亲是一个虔诚、严肃、节俭的教徒,他不仅盯紧了公司的财政支出,对家庭开支也严格限制。纳尔森和他的兄弟们要想得到零用钱必须干家务活,孩子们甚至要每天记账,一毛钱都不含糊。父母的良苦用心是要让孩子们把付出和回报联系起来,让他们知道没有什么会轻易地自动送上门来。尽管身为首屈一指的大富豪,纳尔森父母对子女的教育问题从不马虎懈怠。纳尔森每周得到 30 美分,他按要求每周存 10 美分,再捐 10 美分给慈善所。父亲试图用这个办法让纳尔森懂得辛勤劳作才有钱赚。而纳尔森的母亲则教会他如何去面对这个世界。他继承了母亲的精力充沛和想象力丰富,以开朗、积极的态度拥抱世界。

1916 年,纳尔森 8 岁,有 4 个兄弟和 1 个姐姐。热情高涨、冲劲十足的他在家里显得与众不同,是家族里的异类。他精力旺盛、调皮捣蛋,喜欢和自家兄弟打趣、搞恶作剧。他很小就表现出反抗精神,5 兄弟中只有他不怕父亲责打,不关心外界对家庭的非议。他还是个左撇子。在 20 年代，左撇子必须用强制办法加以纠正。他父亲在他手上加了一个橡皮圈，每次他用错了手，父亲就拉动橡皮圈提醒他换手。

纳尔森9岁时进了当时由他父亲大力赞助的纽约林肯实验小学。这所学校向各个阶层的孩子开放，这对纳尔森的生活产生了重大影响。他总是在思考，而且总是表现得富有激情。让父母吃惊的是纳尔森学习成绩并不理想。纳尔森患有阅读障碍症，当时还未确诊。他的父母和老师只以为他学得慢，没人知道他看数字位数都颠三倒四。他拼不出单词，半天只能读几页书，写作对他来说更是困难。最后他自己努力找到了补救措施，他变成了一个贪婪、热切的听众，像台真空吸尘器那样不放过一丝一毫听到的知识。他的家人回忆说："基本上他事先背出要说的话，或者至少清晰地记住提纲。他的记忆力出众，一生中大大小小几千篇演说，甚至他的任职演说也是脱口而出。所有的演说都是他自己打好腹稿，而不是白纸黑字事先写好，因为他的阅读障碍相当严重。"正因为纳尔森不能像常人那样阅读，他的注意力才转向更形象的表达方式。他能很好地把握物体外形和看似缄默的事物。他的母亲经常给他看各种艺术作品，喜欢带他去美术馆。纳尔森从母亲那里学到了不少有关艺术，特别是现代艺术的知识。这也预示着日后他对艺术的情有独钟。

15岁的时候纳尔森获得了自己第一张驾驶执照。17岁，父母送给他一辆新款的福特跑车，纳尔森常常开着它兜风。他喜欢开着新车送兄弟和姐姐去学校，渴望以此让人刮目相看，因为他无法凭学习成绩成为人们瞩目的焦点。高中三年级的时候，他喜欢上同年级的一个女生，这使他更疏于学习，后来父母的压力使纳尔森终止了这段罗曼史。大人们以为只要纳尔森心无旁骛就能提高成绩，毕业后进入普林斯顿这所洛克菲勒家族钟爱的顶级常春藤学校。但直到四年级他才开始坐定下来，开始意识到该在学习上下点工夫了。纳尔森的成绩始终在中游徘徊，进普林斯顿是没有希望了，达特茅斯大学录取了他。学校远离大都市，校长是他父亲的老朋友。小约翰·洛克菲勒坚持认为，儿子成绩不好是因为不够努力，他希望18岁的纳尔森能够全力以赴专心致志地学习。

也许是时间到了，也许是纳尔森比较适合大学的环境。他在大学期间终于依靠自己的努力，而不是"洛克菲勒"这个姓氏赢得了大家的称赞。1926年，纳尔森怀着兴奋的心情来到达特茅斯大学。一进学校他就表现出日后担任政治家的一流素质。他一直忙于结交朋友，形成以他为中心

139

的圈子,通过参加组织课外活动建立一个小范围的权力基础。他充分利用大学的有利条件,踢足球、编撰校刊。他烟酒不沾,还抽空去主日学校义务上课,这使他的父亲备感欣慰。自幼被灌输的有关责任和价值的观念在纳尔森的实际生活里终于得到了充分体现。这个本可以驾驶游艇享受碧浪轻波的富家子弟却一心扑在公益事业上。终其一生,纳尔森都实践着这种勤奋克己的道德准则。

纳尔森与艾森豪威尔

尽管他的兄弟们自小也都接受同样的信条,但纳尔森还是与他们不同,他一辈子都与众不同。他的开朗热情和其他洛克菲勒家族成员的少言寡语形成了反差,只有他的母亲和他最为默契。他和母亲一样支持革新进步,两个人互相欣赏,在很多事情上他们互相配合。母亲一直试图改变纳尔森父亲和爷爷对现代艺术的偏见,纳尔森的许多事情也得到母亲的鼎立支持,两人简直就是一对精神上的最佳拍档。母亲喜欢什么很快纳尔森也会被深深吸引,他把母亲创办的现代艺术博物馆称做"妈妈的博物馆"。1930年初,当时还只是大学四年级学生的纳尔森成为了这家博物馆顾问委员会的成员。

在达特茅斯的时候,纳尔森开始关注如何磨砺社会工作的技巧,这段经历对他今后的事业大有帮助。他总是与教授们搭讪攀谈,这一招很灵,不久他就成了校长欧内斯特·霍普金斯的私人朋友,这对他当然有益无害。与此同时,他终于奋起直追,一门心思读书。这意味着他要和自己的阅读障碍作斗争,更意味着要用实际行动向父亲证明自己不愧为洛克菲勒家族的子孙。最终他战胜阅读障碍并成功地从达特茅斯大学毕业,没人知道他究竟是如何做到的。

家族联姻与洛克菲勒中心

纳尔森毕业那一年,全家在缅因州度假,他遇到了后来的妻子玛丽·泰德·亨特·克拉克。泰德的家庭是费城最有声望的家庭之一,她的祖父是宾夕法尼亚铁路公司总经理,父亲则是一位投资银行家。泰德和纳尔森看上去并不像他们彼此的家庭那么般配。泰德拘谨缄默,纳尔森奔放活泼。可以这样理解,他娶她部分是因为真的喜欢她,更重要的是因为泰德适合当洛克菲勒家一个年轻人的太太,适合做洛克菲勒家一群孩子的母亲。1930年,纳尔森刚从达特茅斯毕业不久,年仅21岁的他和泰德在费城城郊的一座教堂举行了盛大的婚礼,好客又豪奢的主人用香槟酒大宴宾客,参加这次盛宴的客人多达1500人。老洛克菲勒送给孙子2万美元的礼金,而纳尔森的父亲给他们的礼物是一次环球旅行。这次环球旅行不仅让年轻的纳尔森开阔了眼界,也使他有了很多新的感受和念头。

9个月后,纳尔森和泰德回到纽约家中。纳尔森开始到家族名下的各类公司"巡回"上班。在大萧条最困难的日子里,他的薪水仍旧保持每周75美元,但是他对派给他的工作并不满意,觉得这些工作太平淡了,不对他的胃口。在巡回实习期间,他和两位朋友开办了"特克公司",做起了房地产业的经济人。一年后他又买下了合伙人的股份,改公司名称为"特别工程公司",专门做出租摩天商务楼的房地产业务。这栋位于曼哈顿的著名商务楼就是洛克菲勒中心,纳尔森在这里取得了巨大的成功。此外,在小约翰·洛克菲勒和他的6个孩子之间还有一些棘手的事情要解决,纳尔森义不容辞地担起了这个责任。既然纳尔森是哥儿几个的带头人,有困难当然要找他,这次是财务独立问题。小时候他们的零花钱都少得可怜,成年以后父亲对他们的开销依旧管得很紧。孩子们希望有自己的钱,享受自己的乐趣,维持自己日益庞大的家庭。于是由纳尔森牵头,兄弟几个联名起草了一封请愿书,措辞委婉地向他们威严的父亲提出财务独立的要求。出乎意料的是父亲居然一口答应。到1934年大萧条最厉害的时候,每个孩子都获得了价值数百万的股票,一夜之间成为百万富翁。

此后,小约翰·洛克菲勒陆续将财产转让给孩子们。纳尔森对及时转入自己名下的财富很满意,因为他不仅要支付车子房子的费用,还要负担规模日益庞大的现代艺术品收藏。到 30 年代末,他已经是 5 个孩子的父亲了。纳尔森是个好爸爸,就是经常不在家,而他和妻子的关系也日益冷淡,因为他喜欢上了其他的女人。洛克菲勒传记作者卡里·赖克说:"这就是典型的上流社会婚姻。双方都出身豪门,允许丈夫有一定程度的婚外情,不管你怎么称呼这种关系。尽管可以接受,纳尔森的根还在家里。"

洛克菲勒中心这个产业现在已经成为纳尔森的直辖领地。30 年代末,纳尔森又开辟了新的战场——拉丁美洲。在一次对洛克菲勒位于拉丁美洲油田的巡访中,他不遗余力地收集当地的政治人文资料,敏锐的纳尔森感觉到欧洲大战迫在眉睫,届时美国会急需拉美地区作后援。纳尔森写了一封详细的报告并转送到罗斯福总统手中。不久,罗斯福任命纳尔森为白宫拉美政策协调员。纳尔森的父母对此有些惊讶,但他们早就该对他这方面的才能有所发现了,毕竟他们和他个性的成长有着千丝万缕的联系。显然,纳尔森有很强的尽本分、尽义务的责任感,但这种责任和义务绝不是负担,而是挺让人高兴的事。"没什么了不起的麻烦,再硬的骨头我也敢咬,因为我要解决问题。"这就是他的脾气。

"影子内阁"里的"马屁精"

1940 年,纳尔森起程前往华盛顿,接受他人生中第一项重要的政府任命。这份他首次尝试的政府工作将把他带入长达 36 年的政治生涯。

年仅 32 岁的纳尔森,差不多还是个涉世不深天真莽撞的毛头小子,胸无城府但生机勃勃。为了保障美国在拉丁美洲的利益,纳尔森一到华盛顿就着手组建了一套颇具规模的班子。在以后的 15 年里,洛克菲勒在华盛顿进进出出,他发展了他的交际圈,好让自己到达更高的位子。有人叫他"超级马屁精"。40 年代末,他和副总统亨利·华莱士私交甚好,甚至埃德加·胡佛也成了他的同道好友。不过他在最高层结交的人物,也不是每次都能保得住他的。"联合国大会在旧金山召开的时候,我是美国助理国务卿。罗斯福过世后,杜鲁门接任,他想要一个全盘民主党化的政府,战争也已经过去,于是我被解职了。我不想显得怀才不遇的样子,但那时说实话我真的沮丧透了。"纳尔森在回忆那段往事时仍耿耿于怀。

1945年时，洛克菲勒年仅36岁，尽管他全面掌管洛克菲勒中心，并且已经是现代艺术馆的董事长，可仍觉得壮志未酬心有不甘。现在洛克菲勒有更多的时间和家人一起度过，他把勤俭节约的道理灌输给孩子们，这也是他自己从父亲那里得到的传家宝。

1948年，纳尔森73岁的母亲艾比死于心脏病突发，她的去世让全家不知所措。但受打击最大的莫过于纳尔森，母亲的去世，从某种意义上说让他丧失了精神伴侣。他失去了一位了不起的知心朋友，一位他可以对之完全信任、坦白情感、敞开心扉的人，而这恰恰是他对妻子所不能做的。此后，纳尔森和妻子泰德之间的距离越来越大，两人终于分居了。泰德把全部心思放在抚养5个孩子上，纳尔森则开始和一些为他工作的年轻姑娘们好上了。纳尔森生活中的女人不是那种洋娃娃脸金发碧眼的类型，她们都是多少有些成就和教养的女人，独立而且敢为自己说话。

1950年，纳尔森回到华盛顿。和以往一样，纳尔森总是试着挑大梁。但是他又一次被当权派挤了出去。尽管如此，洛克菲勒对白宫的影响力依然巨大。人们不时可以看到这样的称呼：助理国务卿纳尔森·洛克菲勒、总统特别助理纳尔森·洛克菲勒等等，有人称其为"影子内阁"。50年代，当纳尔森想为自己找一

纳尔森小时候（右）与父亲、兄弟在一起

个国务卿时，他发现了当时还名不见经传的哈佛大学历史系教授亨利·基辛格。基辛格博士对纳尔森的第一印象并不好，"在那之前我没见过纳尔森，而他一进门就挨个拍着大家的肩膀。当时我想，哦，我的上帝！来了个地地道道的美国童子军。他对每个人都直呼其名，微笑着和在场的人握了一圈手。我那时惟恐躲之不及。"但是基辛格没能躲过纳尔森，很快来自几乎完全不同背景的两个人成了非常要好的朋友。在两人联手期间，基辛格曾向纳尔森建议在外交事务上从越战泥沼里撤回，以及和中国建交。而在竞选对手尼克松上任后，纳尔森也力劝基辛格到尼克松政府任职，担任国家安全顾问。基辛格成了纳尔森与白宫之间外交政策上的

连接人,两人这种友谊持续了很久。

尽管纳尔森为民主党政府工作过,但他本人却是共和党人,并且全力支持艾森豪威尔竞选总统。1952年,艾森豪威尔轻松获胜,纳尔森就成为他班子中的一员。不出两年,他就被任命为艾森豪威尔的特别助理。出于对艾森豪威尔的敬仰,纳尔森经常送给总统一些非同一般的礼物。一天,艾森豪威尔对纳尔森说:"哎呀,我在葛底斯堡的庄园风景太少。"纳尔森二话没说,就把自己庄园的园艺设计师派到了葛底斯堡,纳尔森支付了一切费用。艾森豪威尔心存感激地收下了这份厚礼。但纳尔森的慷慨大方还不足以永保他在白宫的位置,在任期间,他和国务卿杜勒斯结怨颇深,后者说服总统将他解职。

就这样,当纳尔森这个平时呼风唤雨的人还蒙在鼓里的时候就丢了官职。他又被弹回纽约。州里的共和党人劝说他竞选州长,他忽然发现了自己天命之所在。纳尔森得出结论,他在政坛不会有真正的影响力,除非他成为他认为的那种真正的民意代表。他决定参加竞选。他的决定让全家大吃一惊,他们不喜欢作为公众人物曝光。但纳尔森和相对保守的父亲和兄弟们不同,他喜欢出风头,家里人只能接受他的选择。由于在竞选中先发制人地四处巡游,纳尔森以超过对手50多万票的优势赢得了一边倒的胜利。金钱和权力从来没有如此完美地结合在一起。他的胜利极大地震撼了一向内敛腼腆的洛克菲勒家族,特别是一贯讨厌抛头露面的他的父亲。他很惊讶,完全不敢相信他儿子要当州长了,他从不相信有哪个叫洛克菲勒的能当选什么。

漫漫竞选路

1958年,50岁的纳尔森开始了他漫长的州长任职,至今还没有哪一任纽约州州长的任期超过他。从任职那天起,选民和他本人的政绩将决定他的命运。

1958年,纳尔森宣誓就任纽约州第五十三任州长。洛克菲勒,这个姓氏如今罩上了新的花环,这是纳尔森带来的变化,他也将充分利用。纳尔森颇有一股君临天下的派头,不仅因为他的确是州长,是共和党人,还因为他是洛克菲勒。他很快就开始加税,而且不断加税来支付他的大型工程,尽管老百姓怨声载道,但他们亲眼看到了他带来的巨大变化。用他的话说他改善了人民生活,他的社会福利政策是全国最先进的,以至于国内政治家都弄不明白。他经常被人责骂是个自由主义者。纳尔森扩大了州立大学的规模,并使它成为全美国最好的学校之一。在首府阿尔巴尼,他推倒了上百英亩的贫民窟,建成超现实主义风格的政府办公大楼。这栋建筑招来不少争议,其中就有人认为他是在为自己树碑立传。

纳尔森和其他兄弟在一起

纳尔森不只是一个"建筑师",他收集了许多现代艺术品,藏品规模位列世界顶级。实际上他看中什么就买下什么,他的花园里放满了现代雕塑大师的经典作品,室内则是他钟爱的绘画作品。纳尔森当然欣赏艺术品在传统意义上的质量,他喜欢鉴赏外观结构,除此他还喜欢把好东西悬挂出来。在纳尔森忙于纽约州政务或是艺术珍品收藏的同时,他的个人生活也充满了戏剧性。在第一次竞选州长的时候他和一位志愿者哈比·摩菲一起工作,后者已经是四个孩子的母亲了。纳尔森不论竞选旅行到哪里都带着她,在她身上洛克菲勒看到了和自己相似的精神。他认为找到了和自己有共同志趣的女人,他们相爱了。

1961年,纳尔森和泰德正式分居。然而同年11月纳尔森一生中最大的悲剧发生了。他的年仅23岁的儿子迈克尔,在一场突如其来的洪水中被汹涌的潜流卷走。纳尔森被压垮了。好几年里他书桌上端放的惟一一张相片就是他失去的儿子。纳尔森咬紧牙关,继续前进。

1962年,他与泰德正式离婚,并轻松赢得了第二次竞选的胜利,连任州长。1963年,他和哈比结婚,他们又有了两个孩子,可是纳尔森的眼睛还是不安分。尽管他曾认真考虑过竞选1964年的美国总统,但保守的共和党人认为他的婚变损害了他获得提名的可能性。在一个日益右倾的政党中被看作自由主义的纳尔森处境越来越糟。共和党从来没有真正喜欢过他,他们曾经为他着迷,可后来他们就憎恶起他来。1964年在旧金山召开共和党大会,当纳尔森走上台时事情就再明显不过了。当他走到台上准备对大会致辞时,台下一片嘘声。他没有退缩,不说出要说的话他不会下场。"我要提出警告,共和党危机四伏,随时可能被激进、财力雄厚、纪律严明的多数派所推翻!"尽管很多人认为这是纳尔森表现得最得体的时刻,但实际上他和共和党的关系发生了质的变化。前任法律顾问罗伯特·道格拉斯记得纳尔森对自己说:"我再也不会要求竞选总统了。共和党不需要我,我是不受欢迎的人,虽然我还是一个共和党人,但是我知道我不会在全国性的大场合作为共和党人受到欢迎"。但是只要他一旦想竞选总统他就永远摆脱不掉这个念头。

1968 年,60 岁的纳尔森又试了一次,但这次理查德·尼克松被提名为共和党的候选人。回到阿尔巴尼,纳尔森全力以赴准备纽约州的竞选。1970 年,62 岁的纳尔森终于在一场势均力敌的较量后险胜对手,成为纽约州历史上破天荒的四次连任的州长。

在 63 岁时开始的第四任任期并不能真正满足纳尔森,他的目标是总统宝座。如果他要争取到更高的位置,必须还要改变一下策略。当纳尔森发现他争取总统提名的机会越来越小时,他开始尝试着变得右倾一些。1971 年,阿提卡重刑犯监狱的 1200 名犯人发动暴乱,并绑架 39 名人质,以抗议监狱里的种族主义和过度拥挤的囚室。尽管一再有人敦促纳尔森亲自到阿提卡会晤犯人,他却拒绝了。他认为"随着事态发展,很容易看得出那帮犯人是想找个借口打一仗。"这场暴乱有太多意气用事的成分,却又带有极大的政治敏感性,州长应原地不动。就在紧要关头纳尔森犯了政治生涯中最大的错误,他派全副武装的警察去夺回监狱。警察冲进监狱并开了枪,在激烈战斗中,30 名犯人和 10 名人质被打死,200 多名犯人负伤,这样惨烈的结局不能不引起强烈的争议。但纳尔森本人不觉得遗憾内疚,他觉得在当时情况下做出的决定是正确的。人们对阿提卡事件还记忆犹新,四次连任的他又力主通过了全美最严厉的反毒品法。一切批评家指责他把前几任期间所推行的相对自由主义的政策推倒了。接着,让所有人大吃一惊的事发生了。

1973 年,他辞去了州长职务。水门事件发生时纳尔森乐观地认为自己多了几分当选总统的胜算,然而就在他踌躇满志的时候尼克松辞职了,副总统福特接任总统,他出人意料地挑选纳尔森为副总统。"我觉得我的行政班子需要一个来自与我们不同政治环境的强势人物。"福特说。最初福特要纳尔森担任副总统的时候,纳尔森的回答竟然是"我不是备用设备,我不准备当副总统"。但出于对福特的尊重,他最终还是接受了任命。由于是任命而不是民选,纳尔森经受了马拉松式的国会调查。4个月的听证会结束后,他的任命被国会通过,这才宣誓就职。

福特总统交代给他很多工作,但他从来没有真正满意过。和其他历届副总统一样,他主要负责礼仪性事务。纳尔森绝对是一流的副总统,他进入班子完成总统交代他的每件事,而且完成得很好。但纳尔森的忠心耿耿并没有获得回报,在他任职期快结束时,还以为福特会推荐他为下一届的候选人,然而他又看错了,来自党内右翼势力的压力使得纳尔森的希望又一次落空。副总统一职也是纳尔森政治生涯的最后一个高峰。

68岁那年,他离开了华盛顿,也从此远离了政治。他不回头看,从此再也不请共和党人吃晚饭,再不参加共和党的聚餐会。他把时间全部用在伴随他一生的个人最大的爱好上,那就是艺术。他办了一家公司,复制他的个人艺术收藏,出售给广大的艺术爱好者。他说:"什么都比不上住在家里和美丽的作品为伴。对我而言,创造一个美丽的环境就是创造宁静、和平,这会激发出新的灵感,这种过程是一种纯粹的精神享受。"

70岁的纳尔森用他当年在仕途上的热情和干劲拓展着他的生意和市场,但他的健康状况并不好。纳尔森曾经出现过心脏病的症状,有大夫为他诊治,他像气球一样发福起来,最重时达210英镑,后来不得不减肥。

纳尔森小时候(左一)

1979年1月26日深夜,纳尔森心脏病突发,被紧急送往医院,但一切努力都无济于事。第二天,70岁生日才过了6个月的纳尔森告别了人世。他骨灰被撒在临近哈得逊河的一片树木茂盛的山坡上。至今,只有一块朴素的墓碑标志着那个无名坡地。

纳尔森外表十分亲切和蔼,具有一种迷人的气质,然而在他的内心深处,却让人看到一个强悍的男人,像钉子一样执著坚定。从某些方面说,他表现出的不是富家子弟的儒雅风度,而是一个白手起家者的奋发图强和坚韧不拔。他总想有所突破,总在奋斗,总要领先一步。他自视甚高,把自己在人世的使命看得崇高伟大,终其一生,他一刻也不停地为实现理想而奋斗。

今天,纽约的任何导游都能为你指出与洛克菲勒这一姓氏密切联系在一起的那些看得见的活生生的纪念物和建筑物:洛克菲勒中心、洛克菲勒大学、林肯中心、河边教堂、现代艺术馆、大通曼哈顿银行等等。但洛克菲勒家族最大的影响之处并不在这里,洛氏家族渗透到这个国家的各个领域。而在各级政府方面,洛克菲勒一家不仅参与其中,更起到了积极的领导作用。以纳尔森·洛克菲勒为首的洛克菲勒家族的第三代成员,正是将这一切变为现实的人。

如果要当演员，我就要当最好的！

——丹泽尔·华盛顿

好莱坞的黑色飓风：
丹泽尔·华盛顿

他是少数身价超过千万美元的演员，他是世界上最性感的男人。在孩子眼中他是个好爸爸，为了孩子他愿意得罪导演；在同行眼里他是个值得敬佩的人，汤姆·汉克斯、吉恩·哈克曼、达斯汀·霍夫曼都对他推崇备至；在妻子心中他是个好丈夫，结婚20年在诱惑无时不在绯闻满天飞的好莱坞他们相爱如初。有人说过，每一个人都有另外一个人在世上等他，如果他们彼此发现走到一起那是最为完美的结局。我们引申开来，每个人都有他最适合的事业在等着他，如果他能投入这种事业，那么他是一个最为幸运的人。丹泽尔·华盛顿就是这样一个幸运的人。

男女童俱乐部

　　离纽约市不远的佛诺山是中产阶级的聚居区。1954年12月28日，小丹泽尔·华盛顿出生于这个地区的一个勤奋虔诚的黑人家庭。他是家里三个子女中的老二。他的父母工作非常努力，让子女生活在无忧无虑的环境里。丹泽尔的父亲平时兼了两份工作，早上孩子们醒来前，他早已经出门工作了，等孩子们都上床睡觉了他才回到家。星期天，他又是一位牧师，在教堂讲道时充满了迷人的风度。他个性鲜明，说话有力，块头很大。丹泽尔的母亲则是个美容师，开了几间美容店。她是个歌手，又有很强的家庭观念。丹泽尔的童年就是在教堂和父母的辛勤工作中度过的。那时，他的父亲只让子女们看跟《圣经》有关的电影。

　　丹泽尔的家离充满暴力的布朗克斯区不远，那里的小孩只有少数上大学，大部分都沦为帮派分子。丹泽尔的父母为了子女的安全，放学后把他和哥哥大卫送去男女童俱乐部。他们知道在男女童俱乐部孩子能得到妥善的照顾。那里的目标是训练孩子们，不是培训成专业的运动员或艺人，而是成为好市民，品行端正的人。男女童俱乐部成为丹泽尔的第二个家。他总是和朋友们从男女童俱乐部走到街上的球场，他们整天在那里打篮球、游戏，直到打腻了篮球，球场也关闭了，他们就坐在附近互相取乐。丹泽尔有种独特的笑声，他最会讲笑话。到了11岁，父母安排丹泽尔去附近的美容院打工，一来为了避免他学坏，二来也可以赚点钱贴补家用。

　　丹泽尔念中学的时候，不幸面临家庭破碎的命运。他的父母感情出现问题，父亲搬到弗吉尼亚州，不过他跟儿子还是保持着联系。丹泽尔和母亲一起住，母子之间因此产生了深厚的感情。可是失去父亲也令他感到迷惘，他开始跟一些坏孩子呆在一起，在学校里跟别人打架。丹泽尔的母亲担心他的前途，于是送他去奥克兰私立寄宿中学就读，希望学校能给他一些约束。这所学校大部分的学生都是住在纽约北部的有钱白人。丹泽尔的学习成绩不太好，但是他的体育成绩却相当好。他在篮球比赛投球时的英姿被抓拍，而他则告诉摄影者要把传球给他的人也照进去。丹泽尔从小就是这种有团队精神的人。

　　丹泽尔当时的梦想是成为一个著名的体育明星，但是他的朋友却觉得他长大以后可能会当一个喜剧演员。在风趣的外表下他其实很在意自

在男女童俱乐部与孩子们在一起

己不整齐的门牙，并且觉得很难为情。他很有幽默感，经常面带微笑。他喜欢恶作剧，到处跟人开玩笑，但是从来没做过不该做的事。他的人缘很好。每年暑假丹泽尔都会回到佛诺山的男女童俱乐部打工。

1972 年，他进入布朗克斯区的弗德汉大学。母亲希望他当医生，为了取悦母亲，他申请就读医学院预科，但是却应付不了繁重的功课，于是转到新闻系就读。可他的热情很快就减退了，直到有一次在青年会夏令营，他参加剧场的幕后工作，才终于找到了自己终生的兴趣。

怀揣 30 美元去好莱坞的豁牙美男子

暑假过后，丹泽尔回到学校，决心朝演艺事业发展。大学三年级的时候，他大胆地跟同学表示他要成为世界上最好的演员。丹泽尔回忆起当时的情景说："大家都回过头来一副不以为然的表情说，'什么？你说你要当什么？'这么说其实有点太天真，不过我当时真的觉得如果要当演员我就要当最好的。我如愿进入演艺事业，没有任何家庭背景。"

丹泽尔努力学习演戏这个新科目，毕业那一年他转到弗德汉大学，在曼哈顿的戏剧艺术分部跟罗伯特·史东教授学习。他对演戏充满热情，但是他仍然跟不上同学们的水准。直到有一天，史东对他提出严重的警告："丹泽尔，我很欣赏你的天分。但是你要准时上课，不要经常逃课，否则我不得不把你开除。"他很认真地接受了史东教授的警告，以后他就按时来上课了。当然，按时上课对他来说虽然很困难，而表现天分和魅力却一点也难不倒他。他的表演指导蒂娜·塞丁也记得："那时，他还在弗德汉大学的毕业班，他只演过《琼斯大帝》这出戏。跟他共事相当愉快，我告诉他一些事他马上就记住了，永远不必跟他说第二次。告诉他一个重点他一辈子都记得。当他走进摄影棚的时候女孩子都发疯了似的。她们立刻爱上了丹泽尔，我们一向叫他'英俊小生'。"临近毕业时，丹泽尔在毕业班排演的《奥赛罗》中担任主角。他的表现证实了他在演戏方面的天分，也改变了他的一生。丹泽尔小时候的老师也来观赏他在《奥赛罗》的表演，他惊讶地发现这个年轻人已经找到自己的终身职业。其后史东教授打电话给认识的所有经纪人，其中几个面试了丹泽尔，有一人和他签约拍电视剧。

1977年的《威玛》是丹泽尔的第一部作品，这时他大学还没有毕业。这部电影讲述的是奥林匹克金牌得主威玛·鲁道夫的人生故事。丹泽尔在这部片子里扮演威玛的丈夫。在片场的时候他注意到一位戏分不多的漂亮女演员，她叫宝莉妲·皮尔森，后来他们成为朋友。丹泽尔毕业的时候得到新闻和戏剧两个专业的学位。

在史东教授的大力帮助之下，他顺利地进入位于旧金山的美国室内剧院。一年之后，他前往好莱坞碰运气，身上只带了30块钱。社区中心替他找到在一家私立学校教戏剧的工作，不过他想做的事情是演戏。他回到纽约。在纽约虽然收入微薄，但是不愁找不到演戏的工作。他开始跟宝莉妲约会。她是钢琴家、演唱家兼演员。很快他们相恋了。宝莉妲鼓励丹泽尔追求演艺事业，她的支持给了丹泽尔很大的力量。经过成功饰演一连串角色之后，他陷入半年的低潮期，没有工作也没有收入。当时他和女朋友宝莉妲一起住在故乡佛诺山的一间公寓里。在丹泽尔找不到工作的时候，宝莉妲把自己的事业放在一边，出去工作维持他们两个人的生活。

丹泽尔打算放弃演戏了，他在政府的文娱部门找到一份工作，不过宝莉妲不让他放弃自己的梦想。就在丹泽尔准备上班的前一个星期，他被百老汇录用了。在舞台剧《当小鸡回家休息时》里面扮演黑人领袖马尔科姆·X，周薪125美元。丹泽尔完全融入了这个角色。他做了非常完整的研究，力求知道马尔科姆的一切。他听马尔科姆的演讲，学习他的发音和音调，看他的书并且把自己的头发染红。丹泽尔入木三分的演出赢得剧评人的好评，每一场表演的票都一扫而光。这次成功带给他另一个机会，即参加电影《大兵的故事》的演出。他饰演一个冲动的美国一等兵，也得到影评人的赞赏。丹泽尔因为这部片子赢得了奥比奖，这个奖可以同百老汇的托尼奖媲美。

1980年，有人找他演一部叫《父子俩》的喜剧片。丹泽尔喜欢挑战，也高兴拍电影有可观的收入。但很快他就发现在摄影机前演戏不像他想象的那么简单。他坦言："我是被迫接下这个角色的，我对电影并不太熟悉"。好莱坞开始注意到这个后起之秀，不过电影公司也注意到他不够整齐的门牙，要求他去矫正牙齿。令丹泽尔惊讶的是电影公司替他付了矫正牙齿的费用，让他第一次尝到了被当成电影明星的滋味。

从《圣·艾尔斯维尔医院》到奥斯卡

一位电视制作人邀请他在电视连续剧《圣·艾尔斯维尔医院》中扮演菲利普·昌德勒医生。那时他把舞台当做自己真正的家，所以差点拒绝了《圣·艾尔斯维尔医院》的邀请。不过这部连续剧出的价码使他难以拒绝。《圣·艾尔斯维尔医院》打破了电视连续剧固有的模式，演员阵容和精彩的对白故事发生在一家财政有困难的老医院，对电视界来说都非常具有革命性。《圣·艾尔斯维尔医院》使丹泽尔的演艺事业向前跨进了一大步，每周有几百万人收看。他跟杰出的演员共事，也学到了许多东西。丹泽尔谈到这部戏时说："它使我养成了一种谦虚、不自私的表演风格。因为里面有太多主角，有时候你或许只有两句台词，有时候或许整场戏都是你，所以没有人是惟我独尊的，这么一来你当然会谦虚了。"

1982年，《圣·艾尔斯维尔医院》播出第一集的时候，丹泽尔和宝莉姐搬到洛杉矶居住。交往4年后他们在1983年结婚了。他们的第一个孩子约翰·大卫在一年后出生。他们也在这个时候买下他们的第一座百万豪宅。不久丹泽尔家又添了第四个成员，他们给这个女儿取名叫卡蒂雅。虽然丹泽尔在西岸定居了下来了，他仍然没有忘记住在东岸的朋友和家人。

1983年，丹泽尔暂时离开电视剧组去拍电影。诺曼·朱森导演看了

青年的丹泽尔·华盛顿

他在百老汇以外的实验剧场的演出，请他出演《大兵的故事》里傲慢的一等兵。他觉得自己很幸运，能够得到这个有分量的角色。电影拍完之后，丹泽尔回到了电视剧组。《圣·艾尔斯维尔医院》播出6年期间一共得过12次艾美奖。丹泽尔得到的片酬是每集3万美元。经济宽裕让他没有后顾之忧，可以选择自己想拍的角色。现在丹泽尔已经是有知名度的影视红星了，他喜欢扮演诚实而正直的角色。

1986年，他碰到一部毕生难求的好戏——导演理查德·艾登伯罗请他演出《为自由呼喊》里面的南非黑人领袖史提芬·毕克。为了演好这位自由斗士，丹泽尔试着改变自己的外表。他拆掉假牙的齿冠，增肥30磅，留山羊胡，并且阅读能找得到的有关资料。令他失望的是，几场慷慨激昂的演说被删剪掉了。不过，留下来的戏分已经足以引起老牌演员达斯汀·霍夫曼的注意，他递给丹泽尔一张写着"魅力非凡"的纸条。丹泽尔在这部影片中的出色演技，让他获得了1988年的奥斯卡金像奖男配角提名。他没有感到失望。他说："我觉得很有趣。我去参加奥斯卡颁奖时听到得奖的辛·康纳利说，他上次参加盛会是30年前。我想他是指30年前曾获得提名。所以我说，希望我不必等到30年后才可以再次得到提名。其实能够参加角逐已经很不错了。"不过丹泽尔还是因为饰演史提芬·毕克而得到全美有色人种协进会的形象奖。同年，他回到纽约继续自己在百老汇演戏的梦想。

33岁的丹泽尔已经在舞台、电影和电视剧当中证明了自己的高超演技，他已经得到过奥斯卡奖提名，也演过有深度的角色。不过好莱坞依然是白人的天下。1989年，丹泽尔做出一个困难的决定，冒险接下一个感情丰富的角色，跟他向来正直廉洁、富有智慧的形象相反，这次他要在《光荣》一片中饰演一个充满怨恨、出身奴隶的士兵。丹泽尔甚至没听说过内战期间发生过黑人战役，在学校念的美国历史也没有这些内容，所以，这也等于是给他上了一堂课，令他获益匪浅。丹泽尔带着全家人一起前往佐治亚州拍戏，他说这是他拍电影以来最好的一次体验。他在一场很难掌握的戏里有令人印象深刻的表现，那自然流出的眼泪令观众永难忘怀。他说那时他好像回到以前，接触到祖先的灵魂。他精湛的演技使他在 1990 年 1 月 29 日得到金球奖的最佳男配角奖。金球奖通常是一个前兆，得奖者通常接下来也会赢得奥斯卡金像奖。2 月的时候，他果然获得奥斯卡奖提名。这是丹泽尔第二次参加这个好莱坞最大的盛会。与他竞争同一奖项的都是影坛重量级人物，包括马龙·白兰度等。

1990 年 3 月 26 日，丹泽尔的梦想终于成真，他如愿以偿得到了好莱坞的最高荣誉。他在致辞中说："我一直梦想听到得奖的是丹泽尔·华盛顿。"拿到奥斯卡金像奖后，他又一次获得了全美有色人种协进会的形象奖。他激动地说："上次我说这个奖项对我来说比我没拿到的奥斯卡金像奖更重要。这次我拿到了，不过我还是要说这个奖项更重要。"所有颁奖典礼都落幕以后又传出了喜讯，他的双胞胎孩子——马尔科姆和奥莉薇亚诞生了。

矢志不渝的性感影帝

丹泽尔开始尝试不同的角色，可惜大部分并没有得到好评。在喜剧片《龙虎双响炮》中，他缓和了影片里的种族偏见色彩，可惜票房并不理想。黑人导演史派克·李为丹泽尔度身定制写了《没有更好的布鲁斯》。这部浪漫爱情片里有一场亲热戏，丹泽尔拒绝在戏里脱衣服，与导演争执不下。他担心自己的子女看到这种画面会感到尴尬。他也尝试出演动作片《猎杀红蝎星》，希望演艺事业能进入一个新的层次。这个赌注没有赢，丹泽尔发誓不再拍动作片。他希望自己拍的电影能有更多创意，所以不再拍好莱坞的大制作。他只收四分之一的片酬，拍摄一部浪漫的艺术电影《密西西比马萨拉》。他回到自己出身的舞台，演出改编自莎翁的《理查三世》的特别版本，可惜这项尝试也被剧评人严厉批评。丹泽尔没有因为被人批评而气馁，即使偶尔失败，他仍坚持不断尝试。很多演员拿到金像奖以后，就会重复演出类似的角色，有时要等上一年才能找到合适的剧本。丹泽尔没有这样，他是个专业演员，他挑选自己认为值得演的剧本。

丹泽尔在 1991 年 5 月回到纽约，他由母亲陪同回到弗德汉大学接受母校颁给他的荣誉学位。虽然丹泽尔跟父亲没有那么亲近，不过他父亲一向为他感到自豪。他常常和友人谈到丹泽尔，而且坚持认为自己的儿子向来就有演戏的天赋。1991 年是不幸的一年，丹泽尔的父亲得了中风。不久以后，就与世长辞，享年 81 岁。可惜他永远没有机会看到儿子以他讲道为蓝本的演出。这是大家公认的丹泽尔诠释得最精彩，也是当代颇具争议性的角色。

1990 年丹泽尔·华盛顿
获得全球奖最佳男配角奖

丹泽尔得到金像奖的原因不只是因为他挑选的角色，也是因为他拒绝的角色。他拒绝了戏分太少的《野战排》和《魔鬼终结者》续集，辞演带有种族主义色彩的《亚莫和安德鲁》，还推掉跟米雪儿·菲弗联合主演爱情片《爱之地》。最后，他终于等到令他满意的角色，出演有争议的黑人领袖马尔科姆·X，这正是他追求的有挑战性的角色。《马尔科姆·X》拍摄时所造成的混乱局面成为当时的新闻焦点，一群黑人伊斯兰教徒认为导演斯派克·李没有资格叙述马尔科姆·X的故事。影片长达 3 个小时，拍摄超过预算。丹泽尔仍然专注于揣摩这个角色的一切细节，他把多年前在舞台上扮演马尔科姆·X的时候所学到的一切都找了出来。为了演好这个角色，丹泽尔借助记忆中父亲在教堂讲道的神情。他也接受伊斯兰教徒的训练，不喝酒不吃猪肉，为了让自己的外表像马尔科姆·X，他减去 20 磅的体重，把头发染红烫直。他还采访了马尔科姆·X的遗孀和两个兄弟。大家都在谈马尔科姆·X的幽默感，说他是如何爱笑的一个人，说他是个非常热心关怀别人的人。丹泽尔把这些表现得淋漓尽致。马尔科姆·X这个角色让丹泽尔在 5 年内第三次获得奥斯卡提名。这次他输给了主演《闻香识女人》的艾尔·帕西诺，不过他也因为这部影片第四次获得全美有色人种协进会形象奖。

丹泽尔的成功，也引来媒体对他私生活的关注。他不希望任何人在背后诽谤他。开始投注更多心力在事业和家庭上。1993年，结婚10年的丹泽尔和宝莉姐前往非洲旅行，请图图主教为他们再次举行了结婚仪式。

丹泽尔1993年拍了3部成功的影片，转移了媒体对他私生活的注意。他想通过自己的实力证明不管自己是什么肤色，永远都有票房号召力。在《塘鹅暗杀令》中，朱莉亚·罗勃茨积极邀请他饰演那个有正义感的记者，这个角色原来是白人。朱莉亚说服导演阿兰·帕库拉，说丹泽尔是最佳人选。导演帕库拉根本没想到丹泽尔："我要找的是够聪明，能调查出真相的记者。一个严肃的男子汉，一个女主角足以信任的人。"跟丹泽尔签约之前，帕库拉就已经决定删去原著里的爱情戏，但是却引起外界批评说这是种族歧视。帕库拉表示这件事跟种族歧视一点关系都没有，如果丹泽尔需要向好莱坞证实自己对广大电影观众的吸引力，《塘鹅暗杀令》就是最好的证明。这部电影的全世界票房总收入将近2亿美元。不久，他又获得一次成功的演出机会。《费城故事》是第一部以艾滋病为题材向全球发行的大制作电影。丹泽尔自愿演出那个恐惧同性恋却替患有艾滋病的同性恋者辩护的律师。丹泽尔不想演汤姆·汉克斯的那个角色，因为他认为这个角色可能会令他的儿子约翰·大卫感到尴尬。不过他选的角色也不容易诠释。汤姆·汉克斯得到奥斯卡金像奖，丹泽尔没有，但能让这部电影更具观赏性他有一半的功劳。获得金像奖的《费城故事》是一部叫好又叫座的电影，全球票房总收入超过2亿美元。

到了1995年，丹泽尔·华盛顿已经是影坛的重要人物。他拍的《费城故事》和《塘鹅暗杀令》这两部热门电影，演的角色风格迥异，而且都是跟种族主义无关的题材。现在他不只是演技精湛的非裔美籍演员，而且是票房的保证。他觉得现在是运用自己的观众魅力拍摄属于自己的电影的时候了。丹泽尔创立了自己的制作公司，开拍的第一部影片是《蓝衣魔鬼》。对于电影观众来说，《蓝衣魔鬼》的吸引力显然不够，这部电影花了2000万美元的成本拍摄，却只有1600万美元的票房收入。

一次失败不能挫败丹泽尔继《塘鹅暗杀令》和《费城故事》这两部电影以后，他选了另一部跟有色人种无关的电影，这就是跟吉恩·哈克曼一起主演的《赤色风暴》。他在影片中饰演一个副指挥官。这部电影又创下佳绩，票房总收入大约1亿美元。接着丹泽尔忘了惨遭滑铁卢的

教训，为了讨好儿子，拍了另一部动作片《时空悍将》。这部戏的票房一败涂地，片中动作场面太多，真正的内心戏太少。这以后，丹泽尔又发誓不再拍动作片。丹泽尔心中有一个属于家庭伦理片的题材，他的公司把 1947 年的经典《主教的妻子》改名为《牧师的妻子》，重新搬上银幕。丹泽尔把加里·格兰特的角色改成天使，并且极力游说惠特尼·休斯顿来饰演妻子这个角色。丹泽尔似乎比较适合拍家庭伦理片，《牧师的妻子》票房收入有 4800 万美元，比公司的第一部电影《蓝衣魔鬼》成功多了。《光荣》的导演爱德华·兹维克邀请丹泽尔拍摄他的新片《火线下的勇气》。20 世纪福克斯公司为此付给丹泽尔 1000 万美元，这是有史以来黑人演员在剧情片中拿到的最高片酬。

1998 年的春天，丹泽尔同导演斯派克·李第三度合作，拍摄一部以篮球为主题的电影《一场游戏》。这次他改变形象，饰演一个跟他以前演的角色相差十万八千里的罪犯。影片又一次获得了成功。

丹泽尔曾经捐出 250 万美元给家人经常参加礼拜的教堂盖大楼。他仍然参与美国男女童俱乐部的活动，并且成为这个曾令他免于误入歧途的组织的全国发言人。无论他是演员、监制或只是一个普通人，他总是脚踏实地去追求自己的目标。他给大家一个以家为重的模范形象。家庭是重要的，朋友是重要的，你的过去也是重要的。他带给大家这些值得流传的典范。在演艺事业努力了 20 多年，丹泽尔获得了赞赏和无数奖项。他安然应付了好莱坞的流言飞语和工作压力。现在他无需考虑自己的肤色，可以自由选择想演的角色，这真可以算是了不起的成就了。

尾 声

1999 年，丹泽尔主演了一部惊悚影片《人骨拼图》。他在片中扮演一名瘫痪的罪证专家，运筹帷幄、冷静机敏，与一名年轻女警官联手追捕残忍的连环杀手，此片反响不错。同年丹泽尔主演了传记片《飓风》，登上了他事业的又一高峰。因在片中的出色表演，他获得金球奖最佳男演员和奥斯卡奖最佳男演员提名。2003 年，丹泽尔因其在《训练日》一片中的出色表演，获得奥斯卡奖最佳男演员奖，成为奥斯卡历史上第二位黑人影帝。同年，由他出演和导演的《冲出逆境》也大受好评，成为当年美国电影学会年度十佳电影。

　　我希望你敞开心扉，用一种不同的方式来观察世界。你得到的就是你所给予的。我保证这会改变你的生活，使之更好。

——奥普拉·温弗瑞

❀ 美国脱口秀女皇:奥普拉·温弗瑞 ❀

　　一个人应该如何改变自己的命运？应该如何拥有属于自己的人生？应该如何令自己和他人幸福？也许，我们终此一生也无法得到答案，也许，奔波劳碌的生活早已令我们无暇顾及这些。但是，总有人在尝试着改善什么，尝试着帮助人们在艰难的生活中获得慰藉与力量，即便自己或许也还未能通晓这些问题的答案。

　　在美国，没有人不知道她的名字。她来自贫苦的乡村，历经了坎坷的童年，凭借超人的才干成为进入世界富豪排行榜的第一位黑人女性。但她最期望的却从来都不是金钱。她经历过无数的痛苦，也正是因为这样，她才只愿意把温暖献给别人,把泪水留给自己。她用自己的真诚感动了整个美国。也许,在她幼年的时候,没有人会想到她命中注定将成为美国的脱口秀女皇、一个媒体帝国的缔造者。她的奇迹,让无数妇女找回信心。她的名字——奥普拉·温弗瑞。

幸运与坎坷

1953 年的春天,正在密西西比州科西阿斯科附近度假的军人维能·温弗瑞同当地黑人农场的少女维尼塔·李发生过一段短暂的恋情。两周之后,维能返回位于阿拉巴马的基地,9 个月后,也就是 1954 年 1 月 29 日,18 岁的维尼塔产下一个女婴——取名奥普拉。此时的维能和维尼塔都不曾料到,这个偶然获得的女儿日后将成为红遍美国的脱口秀明星。

在小奥普拉的亲人当中,外婆海蒂·梅·李对孩子影响最大。她很严厉,小奥普拉经常遭到她的责骂。与此同时,作为海蒂的第一个外孙女,小奥普拉也获得了她最大的关爱——她为奥普拉自豪。她教奥普拉识字,教她开关的用途,教她对上帝怀有景仰之情。

在奥普拉家附近,有一个布法罗长老会。每个星期天,人们都会在礼拜结束后,归家的途中来到海蒂的家中品尝她的烹饪手艺。不管有什么,海蒂都要与亲友分享,乐于分享的习惯也从此伴随了奥普拉的一生。

海蒂每个星期天都要带着小奥普拉去教堂。很小的时候,奥普拉就喜欢做礼拜时在公众面前发言,习惯于引人注目。年仅 3 岁时,她就能够背诵《圣经》里的篇目。小奥普拉喜欢在大庭广众之下身着盛装吟诵经文的感觉。她的天赋也的确给参加礼拜的人留下了深刻的印象。在日后的回忆里,奥普拉把这种活动称为自己"广播生涯的开始"。

奥普拉 4 岁时,母亲离开科西阿斯科搬到了密尔沃基。奥普拉依旧和外公、外婆一起生活。他们就住在泥土路旁的一所小木屋里。小奥普拉每天早上都得战战兢兢地去散发着阵阵恶臭的户外厕所倒夜壶,然后去井边打水。

奥普拉 6 岁时,海蒂病倒了,不能再照看自己的外孙女。奥普拉匆匆离开了养育她的密西西比,被送到母亲居住的密尔沃基。那里既冷漠又不好客。母亲维妮塔依然过着单身生活,她跟一个叫米勒太太的女人合住,并且已经又有了一个孩子。她们对奥普拉的到来完全没有准备,也没有多余的房间给她。奥普拉只能睡在厅外被一块帘子遮住的很小的一个走廊里。小奥普拉感觉到自己"好像是被接纳，又好像是被遗弃了，被扔到了外面的走廊上"。那个时候的她，经常在夜里做噩梦。母亲维尼塔是个女佣，尽管她拼命工作，但仍然很难养活自己和两个孩子，家里总是缺吃少穿。

奥普拉在书本和学校找到了慰藉。由于海蒂的教导，奥普拉的阅读能力远胜于同龄的孩子。几个星期内，她就从幼儿园跳到了二年级。学年结束的时候，奥普拉被带到纳什维尔与父亲维能同住。

奥普拉在她的农场

在维能的眼里，奥普拉是个可爱的小女孩。维能夫妇尽力为她提供生活必需品，尽管他们没有钱给她买很多的衣服，但小奥普拉被打理得很干净——在维能夫妇看来，干净是仅次于虔诚的第二要素。

奥普拉的父亲和他的妻子泽尔玛非常强调教育和阅读的重要性，像在密尔沃基一样，奥普拉在东纳什维尔的华顿小学也是成绩优异。这个喜爱阅读的女孩给教师玛丽·邓肯小姐留下了好感，也正是在邓肯小姐的课上，奥普拉获得了充分发挥自我的机会：她可以做自己想做的事，而不用担心自己的机灵表现会引起教师的不快。邓肯小姐鼓励奥普拉要尽可能多地阅读，即使在放学以后她也经常会留下来陪伴这个勤奋的学生。

由于在教室里经常帮助邓肯小姐在她不在的时候监视其他学生，他们决定要对付奥普拉。那是三年级的时候，有一天，班上的几个孩子告诉她："放学后我们要揍你一顿。"于是，奥普拉就对他们讲拿撒勒的耶稣骑毛驴到拿撒勒的故事，跟他们讲以利亚和伊莱莎的故事，跟他们讲整个王国前来赎救的故事。孩子们都跑开了，并且称她为"传教女人"。有趣的是，成年后的奥普拉依然经常被人们视为传教者，当然，再也没有人会取笑她。

1963 年夏天，奥普拉离开了纳什维尔，离开了父亲那个安定的家前往

密尔沃基和母亲共度暑假。而在假期即将结束的时候,奥普拉为了取悦母亲决定继续留在密尔沃基,和她一起生活。然而,奥普拉却为此付出了惨重的代价。就在那个夏天,9 岁的她被自己 19 岁的表哥强暴了,而在日后的 5 年里,她还将不断受到来自家庭朋友的性侵犯,但她从不把自己的遭遇告诉别人。

奥普拉的功课依然出类拔萃,她不得不以此来克服自己在私生活上的羞耻之心。她热爱学校,热爱礼拜仪式,因为两者都给她机会,让她出色地发挥,获得良好的感觉。此外,奥普拉还经常沉浸在书本当中,虽然她的母亲并不喜欢这个习惯:"我希望她能像其他的孩子一样玩耍。我记得有一次开派对,我到那里,看到奥普拉正捧着《圣经》在读,而其他人却在跳舞玩乐。"

奥普拉对读书的钟爱也为她带来了机会。林肯高中的一位老师看到这个少女每天都在自助餐厅看书,于是便帮助她申请到了一家私立高中的奖学金。这所学校在密尔沃基上流社会的白人社区。1968 年,奥普拉是尼克雷高中为数不多的几个黑人学生之一。学校距她的家有 20 英里,奥普拉每天都要换乘 3 次车去上学。

在尼克雷高中,学生们放学后总会去比萨屋,他们都有零用钱,对奥普拉来说,这是个只有在电视中才存在的、完全陌生的世界。奥普拉有时候也会哀求母亲给她一些零用钱,但每一次都遭到拒绝。

14 岁的奥普拉,白天要和富有的白人孩子融洽相处,晚上又要遭受性虐待。她开始反叛,她偷母亲的钱,她变得乱交。一次,为了获得一副款式更新颖、更流行的眼镜,她甚至在家中上演了一出抢劫戏。

在同一年的夏天,奥普拉遭受了更骇人的暴行——在送她回纳什维尔的家中小住几天的路上,奥普拉遭到自己姨夫的强暴。

"那时我才 14 岁左右,在遭受姨夫的性虐待后我有点沉沦,变成了一个在我看来很坏的女孩。"——终于,母亲维尼塔再也无法容忍奥普拉的不良行为,在 1968 年的夏天,她决定把女儿送进青少年教化所。不过,教化所要到两周之后才有地方安置奥普拉,而对于维尼塔来说,即便是两周的时间也实在太漫长了。于是,她叫来了维能。维能又一次把奥普拉带回了纳什维尔。终于,在度过了 14 年被侵犯、被遗弃的动荡生活之后,奥普拉再次拥有了一个真正的家。

令维能苦恼的是,奥普拉不仅带着不良习性回到了纳什维尔,而且还带回了一个秘密:她怀孕了。这令 14 岁的奥普拉备受身心之苦。朋友劝维能考虑让奥普拉堕胎,但维能最终还是选择了接纳这个孩子。

奥普拉早产了一个男婴,两周之后,婴儿便夭折了。对奥普拉而言,孩子的夭折是一个结束,也是一个全新的开始。

奥普拉确实重新开始了自己的生活,她决心要珍惜这个机会。她成了高中的明星,获得了戏剧和演讲比赛的州冠军。她在学校的演出当中担任角色,而且还是副班长。16 岁的时候,奥普拉获得了纳什维尔"消防小姐比赛"的冠军,她是第一个获此殊荣的黑人女孩。在去当地的黑人广播电台领奖时,她受邀参观了电台,其间作了一个声音测试。奥普拉的声音令导播印象深刻,他专门找来了总经理一起试听。总经理克拉伦斯·克尔克瑞斯被奥普拉的声音中"某种神奇的东西"深深地打动了,他当下就雇佣了这个 17 岁的女孩,让她每天下午放学之后来台里播放新闻。尽管有了专职的工作,但奥普拉还只是一个十多岁的孩子。直到几年之后,她才最终找到了自己命中注定的工作。

初出茅庐

1971 年高中毕业之后,奥普拉进入了纳什维尔的田纳西州立大学就读,主修戏剧和演讲。尽管她梦想成为又一个芭芭拉·沃特斯,但当纳什维尔电视台打电话找她的时候,她为了学业却拒绝了他们的邀请。不过,在与同学校的戴瑞·考克斯教授交谈之后,奥普拉最终决定接受这份工作。于是,在 1973 年,也就是 19 岁的那一年,奥普拉·温弗瑞正式成为了一名女主播。

作为一个初出茅庐的新闻工作者,奥普拉有两个至今仍是她的典型特征的习惯:容易受报道的情绪影响和喜爱即兴发挥。对于一名记者来说,这两者并不是最好的结合。

尽管奥普拉的播报方式很不正统,但是她和电视观众却很投缘。在 1973 年,一个黑人女主播会受到很多关注,引起颇多争议。不过,人们与她投缘,似乎是因为她的个人魅力,而不是她的肤色。

在纳什维尔工作了 3 年之后,21 岁的奥普拉搬到了巴尔的摩。她在当地电视台与别人联合播报一档晚间新闻。从一开始,电视台的管理层就看不惯奥普拉,他们既不喜欢奥普拉播报新闻的方式,也不喜欢她的长相：他们认为她的眼睛分得太开、头发太密、鼻子太宽，电视台的新闻总监甚至建议她去整容。

这样一个在摄像机前大声叫喊的主播当然不是电视台管理层所乐意看到的。于是在1977年愚人节，他们就不再让奥普拉播报晚间新闻了。

奥普拉获得的新栏目是从周一到周五的早间新闻。对于一个新闻主播来说，从6点档的女主播变成了非黄金时段的节目主播无疑是个大降级。对这一切，奥普拉觉得有些气馁，她感到自己没有做出理想中的成绩。

幸运的是，电视台的新总监比尔·贝克意识到奥普拉不适合做新闻主播，他为奥普拉找到了一份更好的差事——在一档全新的早间直播节目中担任联合主持，那个栏目名叫《人们在谈论》。

起初，奥普拉对这个任命并不满意，当比尔·贝克走过去对她说"奥普拉，我认为你会是个很出色的脱口秀节目主持人"的时候，奥普拉的泪水夺眶而出："你知道，比尔，我是个新闻工作者，我想做新闻，我不想做这种轻松的栏目，我没兴趣做脱口秀主持人。"但是，在比尔的坚持和鼓励下，奥普拉还是接受了这项任命。随后她便惊讶地发现，主持脱口秀节目令自己如鱼得水。

"做脱口秀的那天，我觉得自己好像是回到了家，我觉得那是我做过的最自然的一件事。就像呼吸那样随意，你想说什么就可以说什么，如果你不想谈论这个话题，你可以谈点其他什么。"

奥普拉的节目成了收视热点，WJZ的管理层和电视观众都喜爱奥普拉。很快，《人们在谈论》就超过了主要对手菲尔·唐纳休。奥普拉在这个热点栏目担任联合主持将近6年，在即将跨入而立之年时，奥普拉感到有些不安，所以当一个先前的同事从芝加哥给她打来电话，告诉她有一份很有发展潜力的工作时，奥普拉考虑到跳槽。为了担任《早安，芝加哥》的主持人，在劳动节的周末，奥普拉飞往芝加哥试镜。WLS电视台时任总监丹尼斯·斯文森对这次试镜的评价是："这是我所见过的最出色的样带。"

借着这次试镜，奥普拉开启了一扇通往新生活的大门，那扇门并不仅仅把她带到了芝加哥。

辉煌的岁月

1984年，三十而立的奥普拉辞去了巴尔的摩电视台的工作，把生活的重心转移到了芝加哥。她将在 WLS 电视台担任直播节目《早安,芝加哥》的主持人,而她的光辉时代也将从此开始。

奥普拉的主要竞争对手是当时脱口秀节目的统治者菲尔·唐纳休。唐纳休是当时全美国收视率最高的脱口秀节目主持人,在其家乡芝加哥更是在长达 16 年的时间里排名收视率榜首。他控制着白天的电视谈话类节目,被公认是行业的领军人物。他从没有被竞争者击败过,用当时的 WJZ 电视台总监比尔·贝克的话说,任何想要跟他竞争的同行"无疑是在自寻短见"。就连 WLS 的管理层也没有指望奥普拉能击败菲尔·唐纳休。

1984 年 1 月 2 日,奥普拉首次上镜,出任《早安,芝加哥》的主持人。奇迹随之降临:到了 2 月底,《早安,芝加哥》的收视率就从最后一位跃升至榜首,把唐纳休赶下了宝座。

人们开始接受奥普拉这个电视朋友了。她会用与唐纳休不同的、更令人舒服和放松的方式展开话题。她独特的坦率、亲切为她赢得了观众。芝加哥的观众喜欢奥普拉,奥普拉也喜爱芝加哥,她终于找到了自己的归宿。

1986 年夏天,奥普拉和她的团队打算把他们在芝加哥的成功推广到全美:在全国播放《奥普拉·温弗瑞秀》。由于他们在芝加哥已经作了整整一年这个节目,有一半的目标群体收看节目,在观众中口碑很好,所以奥普拉满怀信心地签了一份关于节目在多家电视台播出的合同。1986 年 9 月 8 日,全美 138 家电视台播出了首期《奥普拉·温弗瑞秀》。所有的计划和准备都取得了成效。很快,奥普拉的观众超过了 1000 万。像芝加哥的妇女一样,全国各地的妇女都热切地欢迎她们的新朋友奥普拉进入自己的生活。33 岁的奥普拉成为全美脱口秀主持第一人。

这一年,奥普拉在一个偶然的机会遇到了斯特德曼·格拉哈姆——一个高大英俊的公关人员,在此后漫长的时光里,他们共同度过了一个个艰难的时刻,彼此分享一个个成功带来的喜悦。

《奥普拉·温弗瑞秀》在全国范围的播放,给奥普拉带来了庞大的收视群,也为她带来了在业界不可动摇的地位。节目总共获得了 34 个有"电视界的奥斯卡"之称的艾美奖,其中有 7 个是授予作为主持人的奥普拉本人的。到 1988 年底,节目一共赚了 1.25 亿美元,奥普拉获得了其中的 3000 万。

1988 年,《奥普拉·温弗瑞秀》的全国播放合同面临续约。生财有道的奥普拉以强者的姿态与电视台进行谈判，最终她为自己和哈普的制作公司争取到了节目的所有权，从而成为自己命运的主宰。从那时起，她可以做自己想做的事，凭借自己的魄力和直觉，制作她认为观众想看的节目。

哈普制作的首个节目，是根据小说《酿酒厂的女人们》改编的电视系列片，尽管由于收视率比较低，在播放4集之后就被撤下了，但对奥普拉来说，这仍不失为一次有益的尝试。

为了控制自己节目的制片权，奥普拉花了2000万美元在芝加哥闹市区购置了一个演播室，并装修一新，里面设备一应俱全，由此她成为全美第一位拥有私人演播室的黑人女性。当业内很多人还不知道怎么保持办公室的整洁时，奥普拉却已经借助自己庞大的演播室，一年之内推出了200到300期节目。

1996年9月，奥普拉引入了一套全新的节目《每月书友会》，她想让全国的观众重新开始阅读。用"成功"一词已不足以贴切地形容奥普拉的"书友会"：只要奥普拉说"去读一下这本书吧"，上百万人就会照着去做。每一本经她推荐的书都跻身于畅销书的行列。这一年，国际广播电视协会授予奥普拉"金质奖章奖"。

1998年9月，奥普拉在全国范围内推出节目《改变你的生活》，这是一档更加关注精神性和启迪性的节目。奥普拉期望通过这个节目去帮助别人，因为她相信人可以变得更好。在一次直播中，一位原本失业的黑人妇女对奥普拉说，她在奥普拉的义卖展销会上买了一双奥普拉的鞋，尽管她穿7码的，而奥普拉穿10码的。她说道："我买了它，放在我的卧室里。当我觉得非常非常沮丧时，看着这双鞋，我可以对它说说话。"奥普拉接下去说："当她想让自己觉得好过一些的时候，就穿上我的鞋。但现在，她不需要穿着它，因为她可以依靠自己了。"一些评论者认为，奥普拉更像是个传教者，而不像脱口秀主持人——她情愿自己是一种工具，帮助别人变得更好。同年，奥普拉被《时代》杂志评为20世纪最有影响的100位人物之一，并且获得了国家电视艺术和科学终身成就奖。

奥普拉怀着巨大的热情去关注社会生活，她的节目涉及到各种各样的社会问题：婚外情、吸毒、性虐待、黑人居住权……1991年，她甚至聘请一家法律公司来草拟旨在为性虐待者设立全国登记处的立法议案，并为争取议案的通过而到处奔走。经过3年的努力，这项议案获得通过，她本人应邀前往华盛顿列席克林顿总统的签字仪式。

　　在自己漫长的主持人生涯中,奥普拉始终关注着自己的观众,她知道如何倾听他们——不仅用耳朵听,而是用心灵、用灵魂去感受。她和自己的观众始终保持着非常紧密的联系,她深受广大观众的喜爱。当她走在大街上时,人们会热情走上前去,跟她交谈,跟她聊家常,手持纸币或者当时能找到的随便什么东西请她签名。奥普拉说:"我从一开始就相信,人与人之间的相同点要远多于他们之间的不同点。地域的不同不会使我们产生心灵上的隔阂。我发现,在某种程度上,由于我主动向其他人敞开心扉、表白自我,使我在他们的心目中建立了信任,他们也愿意敞开他们的心扉。"奥普拉的友人戈耶利·金说:"人们真切地感受到他们和奥普拉之间的这种联系。她对你有着巨大的感染力,你会要求自己做得更好,因为你能感到,这也是她对你的希望。"

永远的挑战者

　　奥普拉·温弗瑞从密西西比的农场一路走来,历尽艰辛才拥有了今天的一切。然而,奥普拉并不满足于脱口秀女皇的地位,她要对自己的人生发起新的挑战。

　　奥普拉终身保持着她在童年时期就养成的习惯:阅读。她最喜爱艾利斯·沃克的《紫色》,当听说这部作品要搬上银幕时,奥普拉非常希望能在影片中获得一个角色。在被奥普拉称为"生命瞬间"的那个早晨,这部影片的一位制片人碰巧就在芝加哥,而且他恰好把电视调到了奥普拉的那一档节目上。

　　"我看了第一眼",昆西·琼斯日后回忆说,"我没有换台,我注视着这张脸,令我印象深刻……我说,毫无疑问,索菲亚就是她了。"

　　角色试镜的几个星期后,奥普拉接到了制片方的电话,通知她尽快赶到加州,导演斯皮尔伯格要见她,还特别叮嘱道:"听说你在减肥,如果你掉了一磅肉,你就可能失去这个角色。"备感紧张的奥普拉在出城后赶紧到"牛奶皇后"加餐。

　　1985年1月,奥普拉来到南卡罗来纳,准备开拍她的首部影片,饰演索菲亚一角。但由于缺乏经验,她的首次出场斯皮尔伯格并不满意。

　　在当天的日记中,奥普拉写道:"我知道我会被踢出电影,因为他们意识到,'她太嫩,没经验,她什么也不懂。我们得解雇她,我们有充足的时

167

间寻找另外的人选'。"每天晚上,奥普拉都会不安地这样想。然而,她不但没有被解雇,而且她还因为出演的角色获得了奥斯卡最佳女配角的提名。虽然在颁奖当晚,奥普拉并没有获奖,但这并不重要,因为她将拥有更多的财富,更多的契机。

几乎所有的人都知道,奥普拉一直坚持不懈地进行减肥斗争。早在巴尔的摩 WJZ 电视台工作时,她就在自己的节目里坦白地谈起自己的体重。数百万观众,特别是女性观众,对这个话题相当认同。她不怕当众暴露自己的问题,当她在节目中对观众说"哦,昨天晚上我吃了两碗法式鱼苗"时,她赢得了场上观众善意的笑声——这也正是她的魅力所在。

1993 年,原本体重 237 磅的奥普拉成功地通过锻炼塑造了新的形体,但她继续坚持与自己的体重搏斗,以实现自己的最终目标:跑马拉松。

1994 年 10 月 8 日早晨,在华盛顿,40 岁的奥普拉和上百人一起参加了全程为 26 英里的马拉松,并以 4 小时 29 分 15 秒跑完全程。在只剩 1 英里的时候,她的眼泪夺眶而出

——多年来的愿望终于实现了。在接受采访时,奥普拉说:"这让我认识到,你能做任何事情,如果你全心投入。"也是在

奥普拉脱口秀电视节目的片头标志

这一年,奥普拉再次获得艾美奖,为自己的 40 岁生日献上了一份贺礼。不惑之年的奥普拉拥有了更大的影响力。

1996 年冬天,疯牛病的危害在美国人心中造成的担忧越来越重,在一个名为《危险的食物》的节目里,奥普拉对疯牛病做了特别报道。当讲到疯牛病对人体的危害时,奥普拉宣布,她将不再吃汉堡包。第二天,牛肉业指数下降了 10 个百分点。得克萨斯的牛肉业主们指责奥普拉,他们决定以诋毁牛肉产品为名起诉她,并且提出了 1000 万美元的赔偿要求。

1998 年 1 月,审判在得克萨斯阿玛瑞勒的法庭开庭。在审判期间,奥普拉把节目搬到了敌人的阵地上。白天,她一连几小时地坐在法庭上,傍晚离开法庭后,她就径直赶往阿玛瑞斯剧院录制节目。在艰难的条件下,奥普拉勇敢地接受挑战。在忠实观众的支持下,奥普拉赢得了审判的胜

利,1998年2月26日,法庭宣布奥普拉胜诉。

　　1997年,43岁的奥普拉·温弗瑞准备开拍一部电影,她为这部电影筹划了将近10年。10年以前,在读完托尼·莫里森的小说《挚爱》之后,奥普拉就意识到,她命中注定要把这个描写逃亡黑奴的小说搬上银幕。1997年冬天,奥普拉终于拥有了一个富含原著精髓的剧本,找到了一位与她观点一致的导演,得到了一个让她爱不释手的角色。44岁的奥普拉将在影片中饰演女主角瑟蒂,一个被往事困扰的解放黑奴。一年后影片即将上映,奥普拉兴高采烈地到好莱坞参加影片的首映式。1998年10月16日,《挚爱》终于在全国上映。但是,难以置信的事情发生了:影片没有观众。多种原因使《挚爱》在票房上惨败,因为这是奥普拉·温弗瑞的影片,所以这个失败又被频频曝光。

　　成年后第一次遭到公众的拒绝,奥普拉感到既震惊又伤心。但她很快摆脱了沮丧的心情,变得更加坚强,因为拍摄影片使她有机会直面自己的历史,从中她获得了继续攀登人生高峰的动力。事后,在接受采访时,奥普拉说:"《挚爱》改变了我,对我来说,它不只是部电影,直到今天它仍然不只是部电影。它是一种我从来没有过的和祖先的联结方式。我真正了解了它,了解了做奴隶的后代意味着什么。对我,它意味着你可以做任何你想做的事情。祖先们已经那么做了。经历过奴隶制,你能做任何事。"

　　奥普拉·温弗瑞不仅仅是一个白天脱口秀的主持人,她还是千百万美国人心目中的"文化偶像"。今天的奥普拉,打理着一个依然在不断扩张的媒体帝国,其中包括一个面向妇女们的有线电视频道《氧气》。与此同时,她仍然主播白天的脱口秀节目。

　　所有这一切,让奥普拉财源滚滚。据估计,她的身价已经超过7亿美元。对于财富,奥普拉这样说:"我当然珍惜财富,但金钱并不是我前进的动力……事情的真相是,当你挣到的钱远远多过你本人的花销时,其余的部分就成了游戏,就好像你应该怎样保管它们。对我来说就是,你怎样最合适地使用它们。"

　　奥普拉用自己的钱在印第安纳州购买了一个面积达165英亩的农场。她还在科罗拉多和佛罗里达购置了房产。她乐善好施,经常捐助慈善团体。她还鼓动他人捐款,在她的感召下,她和她的团队募集到的捐款总额达到了3 557 083.94美元。

　　45 岁左右的时候，奥普拉丝毫没有放慢脚步的迹象。"我总是对我的员工也对我自己说，我在跑道上赛跑。当你发力拐弯时，看到身后的家伙差你一大截，在心理上、肉体上、情感上，那都会让你放慢脚步。你的目标是跑，不停地跑，为自己赛跑，这样可以不分散注意力，集中精力。我有一个最大的体会，是在纳什维尔试图成为第二个芭芭拉·沃特斯期间得到的，那就是你能成为更好的奥普拉，而不是模仿他人。"

　　在生命的前 46 年里，奥普拉·温弗瑞取得了大多数人终身也未必能获得的成功。每个人都在猜测，她将怎样对待自己的下一个 46 年。但，有一点可以肯定，无论是作为脱口秀主持人、政治家、传教者，还是心理治疗家，奥普拉都将一如既往地同人们一同分享她的人生。

　　"我非常骄傲，我可以抱着最纯洁的理想离开，我相信理想决定一切。我们每个人都应该尽最大的努力把它付诸实践，并且造福全世界。那就是成功，那就是力量。"

　　"此刻，在我 46 岁生命的当口，我全部的追求就是，我该怎样利用我的生活，我全部的生活——包括我的金钱，我的机智，我的机遇，我所谓的有形影响力，我怎样才能充分利用自己，为他人造福，为全世界带来启迪。"

　　奥普拉获得了人们的爱戴，在无数的溢美之词中，这一句令她的父亲维能最感欣慰，"一个黑人对一个白人说：'奥普拉是个很好的楷模'，白人的回答是：'她不但是黑人的楷模，她也是全人类的优秀楷模'"。

世界上最美妙的感觉就是能够认清自己喜欢和擅长什么。
无论什么,只要你坚持,快乐就一定属于你,并将伴你一生。

——乔治·卢卡斯

游走于幻想与现实之间的
影坛精灵:乔治·卢卡斯

　　乔治·卢卡斯这个"梦幻机器"曾凭借《星球大战》系列创造了一个又一个票房神话。非凡的想象力造就了这位科幻电影的启蒙者和领军人物,他开创了科幻大片之先河,成为科幻电影的强劲引擎和助推器。卢卡斯成为用电脑打开电影这个潘多拉魔盒的第一人。

　　有人笑话卢卡斯是用魔术(早期默片电影曾采用过的)来欺骗观众,事实却证明,用电脑产生的电影图像征服了观众的心。他同孩子们很默契,他能够从儿童的视野看世界。卢卡斯是一位纯朴天真的浪漫者。正是这种天真纯朴、这种对浪漫世界的想入非非，使得《星球大战》能够如此清新，如此妙趣横生，如此异想天开。他是一位技术派科幻电影大师。他的理念是，只有你想不到的，没有我做不到的。他翻开了科幻电影辉煌的一页，策动了一场经久不衰的"科幻热潮"。

《星球大战》是好莱坞空前绝后的里程碑，不但它的票房收入是不可逾越的巅峰，它的影响力甚至"阳光普照"到政治舞台。当年里根很可能是看了《星球大战》之后才想出美国的全球及国家导弹防御计划。萨达姆也不例外，在美英联军宣布动武后，伊拉克电视台播放的议会全体通过抵抗决议的背景音乐正是《星球大战》的主题曲。电影的威力有时可能会超过核裂变。令人隐隐担忧的是，《星球大战》似乎成了美国文化的一部分，美国青年的价值观也许从此发生转变⋯⋯

成长中的卢卡斯动如脱兔静如处子

1944 年 5 月 14 日，小乔治·沃顿·卢卡斯出生在美国西海岸加利福尼亚州的莫德斯托。父亲是一个成功的商人，祖父是一个木匠，母亲名叫多萝西·卢卡斯。莫德斯托位于北加州，靠加州的中西部，是一个乡村小镇。在那里，人们彼此相识，骑车不到十分钟就能逛遍小镇。在孩提时代，卢卡斯视莫德斯托像诺曼·洛克威尔的漫画杂志《少年生活》的方式，周六下午集些树叶，点起篝火，这似乎成了很典型的美国生活。

看书、做小制作、绘画、编故事、
摇滚乐和飙车，一个都不能少

卢卡斯在全家 4 个孩子中排行第三，是家里惟一的男孩，两个姐姐分别大他 10 岁和 8 岁。因为母亲患有肾病和高血压，他通常由姐姐来照看。在母亲和姐姐眼里，卢卡斯很乖巧可爱，一点也不讨人嫌。

自从母亲生下了比卢卡斯小 3 岁的温迪后，她的身体每况愈下。母亲对他的影响仍然很大。母亲始终爱书如命，卢卡斯也成了个书迷。他家中书堆四壁，卧室里卧榻边都摆满了书，令他最惬意的事就是到楼下的书房去看书。

卢卡斯是个矮小精瘦的孩子，母亲叫他"花生米"，虽然附近有许多朋友,但他仍然很害羞。在卢卡斯家里,孩子们搞了很多假想的活动,比如马戏、狂欢,他们还做了许多小玩意。通过这些,孩子们彼此相识。卢卡斯不是孩子王,但想象力丰富,很有创造力,头脑里尽是点子。

20世纪50年代初,莫德斯托普及了电视,卢卡斯对电视着了迷。他喜欢看西部片和三四十年代的连续剧。从小想象力丰富的卢卡斯就爱画一些素描或编一些小故事,其中一则小故事被收录到三年级的学年报告中。他的才能已经有点初露锋芒了。

上小学时,卢卡斯是个好学生。他聪明可爱,成绩优秀。上中学时,卢卡斯彻底厌倦了学校的功课,课上总开小差,成绩一落千丈。

年幼的卢卡斯

1960年,卢卡斯15岁时,举家搬到一个13英亩大种满胡桃树的农场里,他离旧友们的距离从4个街区变成了4英里,这让卢卡斯感到些许寂寞。他开始留意唱片,和大多摇滚乐迷一样,变得更反叛,结交一些不三不四的人,似乎变成了个小无赖。

以后到了可以拿驾照的年龄,卢卡斯对摇滚乐的痴迷被汽车所取代。他开的第一辆汽车是辆小菲亚特,他改良了汽车,加入了赛车协会,参加了赛车大赛,得了不少奖品。汽车为卢卡斯提供了一张进入社会的入场券,借着车轮滚滚,他可以巡游莫德斯托。汽车显现出他性格中新的一面。

在距高中毕业的前3天,卢卡斯驾菲亚特回家,途中被撞。卢卡斯在病榻上接到了高中毕业文凭。这起事故使他当赛车手的梦想破灭,住院期间他决定上大学。

从爱摄影到学电影　水到渠成才华初显

1962年卢卡斯上了当地一所初级大学,开始用心地读书学习,很快他对人类学和写作课兴趣大增,这对他日后成功意义重大。

大学时,卢卡斯继续热衷于摄影,那是高中时就有的爱好,从中显示出他与生俱来的超凡眼力。他给姐姐的孩子们拍了许多照片,在摄影上花了不少工夫。

从初级大学毕业后,他决定申请上艺术院校。父亲曾一度反对,认为艺术家不属于这个家庭,艺术家赚不到钱,养不了家。但是卢卡斯从一开始就对子承父业毫无兴趣。他听从了朋友的折中建议,把申请南加州大学的商业学院改成了南加州大学的电影学院。这样,既兼顾了他的摄影爱好,又通过说服得到了父亲的学费资助。卢卡斯被录取了。

开学初,老师先给学生们泼了盆凉水:"学电影没前途,你们找不到工作,不如退学,还能省点学费。"卢卡斯对此置之不理,对学电影铁了心。不到一个学期,卢卡斯就完全着了迷,他视电影如生命。他感觉在学院像在家一样无拘无束,乐不可支。卢卡斯说:"世界上最美妙的感觉就是能够认清自己喜欢和擅长什么。无论什么,只要你坚持,快乐就一定属于你,并将伴你一生。"

卢卡斯在南加州大学的第一个制片课程是动画制作,他很快在所有同学当中树立了自己的拍片风格。他拍的那部《看生活》使同学们领略了他那与众不同的智慧火花。

《看生活》在学生电影节上获得了一些奖项,卢卡斯的其他几部片子也同样受到了关

年幼的卢卡斯与父母在一起

注。在这里,他仅用了一年时间,就确立了自己的明星地位。他的推崇技术的平面艺术观念、精简的剪辑功力以及运用丰富声音的方法都被公认是相当高深。他在视觉心理学上很具创新性,他的影片从不以人物为主,很少使用演员,他喜欢拍一些关于汽车、机器和技术之类的电影。但在一部叫《自由》的影片当中,他选室友担当主演。那个角色没有台词,这预示着他往后将拍的电影模式,主题将一直是关于某人逃避过去。他能兼顾影片的艺术性和商业性,能让观众领会到其中的内在信息以及巧妙的风格。《自由》提高了卢卡斯的名声,他成为了一名年轻聪颖的电影人。

卢卡斯表示:"那时的生活比以往任何时候都美妙,每天 24 小时,每周 7 天,都在充实地生活。我对此心驰神往,我没日没夜地工作,以巧克

力、咖啡为食,真是快活逍遥的生活。"在电影学院,向来好交友的卢卡斯又结交了许多志趣相投的朋友,后来都成了毕生的知己。周末的时候,他常常和朋友们一口气看完 5 部电影。除了电影和交友,多数时间卢卡斯躲在自己的房间里画画,那时他还没有真正意义上的女朋友。他一如既往地安静,不善侃侃而谈,并坚持己见。

1966 年夏天,22 岁的卢卡斯从南加州大学毕业,取得了电影学士学位。他的父母参加了他的毕业典礼,他们确信他不会再回莫德斯托了。

事业上显山露水的卢卡斯胸怀童心看世界

卢卡斯毕业后的第一份工作是为美国新闻总署剪辑一部片子。内容是拍摄约翰逊总统访问亚洲的过程。他想当一名出色的剪辑师或摄影师,想用拍纪录片的方式拍电影。可是该片导演的干涉和指手画脚令他很失望,他萌生了当导演的想法。

剪辑高手 研究生兼助教 学生电影节获奖 被朋友盛赞

工作中,卢卡斯认识了剪辑助理玛西亚·格林芬,因为电影是他们的共同爱好,他们成了朋友,不久两人就确立了恋爱关系。玛西亚对电影很有见地,他们经常会围绕电影展开一场有创意的争论。

为美国新闻总署剪辑影片期间,卢卡斯抽空回到母校南加州大学电影学院读研究生,并在培养海军摄像师的班上担任助教。由于那里彩色胶片和摄影器材的供应不限量,他获得了赞助,拍摄了新片《未来世界》。

影片的主题在当时看来十分鲜明,即便是在今天,仍然能够经受时间的考验。《未来世界》是一部阴郁前卫的影片,以未来为时代背景,描写了一个男人如何逃避压抑的社会。影片获得了全国学生电影节的最高奖项,一些业内人士和影评家也观看了此片。当时还是一名年轻的电影人的史蒂芬·斯皮尔伯格看完该片后惊讶地说:"《未来世界》拍得与众不同,屏幕上并没有什么大胆创新的东西。可是卢卡斯花很少力气,所表达出的影片意义是别人无法比拟的。"他对卢卡斯直言:"我的第一印象就是,我恨你,我恨你这家伙。你远比我出色,你的电影太棒了,我怎样才能拍出比这更好的片子?"从握手那刻起,两位年轻的电影人成了挚友。

凭借着《未来世界》的成功,卢卡斯在华纳兄弟电影公司见习了半年。其

卢卡斯工作照

间,公司只拍了一部叫《彩虹仙子》的音乐片,导演是年仅25岁的才俊弗兰西斯·福特·科波拉。

卢卡斯和科波拉一见如故。卢卡斯随即意识到,好莱坞和音乐片都不适合自己。科波拉给他找了一份工作,让他在自己的新片《雨族》中担任助手,它是个小制作的剧本,卢卡斯把握了机会。在拍《雨族》期间,他同时拍了部叫《电影人》的纪录电影,在纪录影片(《雨族》)的拍摄过程,他从中获益匪浅。

科波拉成了卢卡斯可信赖的顾问,他教卢卡斯拍片要领和如何与演员合作,指出剧本的重要性。卢卡斯提供技术洞察力和专业知识,那正是科波拉所欠缺的。卢卡斯像个"点子机器",精于设计,善于剪辑,科波拉赞赏他的超凡才华。拍完《雨族》后不久,两人离开好莱坞赴旧金山,准备共同建造他们自己的电影王国,两位理想主义者即将接受现实的考验。

卢卡斯并不是电影的苦行僧,1969年2月22日,在加州的太平洋树林,乔治·卢卡斯迎娶了玛西亚·格林芬。婚后,卢卡斯在旧金山外围的玛林州(Marin)租了一所小房子,开始了与玛西亚的生活。

噩梦醒来是早晨 天才星探凭《美国风情画》带来转机

到了25岁,卢卡斯已经成为一个成功的电影人。1969年,他和科波拉在旧金山市中心的一个仓库的阁楼上创办了自己的电影公司——"美国旋转话筒"。这间工作室不仅不在好莱坞,也没有好莱坞的特质,他们渴望标新立异和个性化,渴望电影不光为赚钱更要为生活提供启迪。

商业版的《未来世界》是以前在电影学院拍的《未来世界》的特别版,是"旋转话筒"拍的首部影片,它的拍摄效果同样令人震惊。尽管影片里有演员,但是画面和音响效果才是真正的明星。样片完成后,科波拉飞往洛杉矶给华纳看片。

华纳不喜欢这部片子,认为它不商业,平淡怪异。最终,片子被剪掉了5分钟，为此卢卡斯整整郁闷了3个月。1971年影片才得以上映，票房和人气平平，尽管影片深受某些人士的赏识。随后华纳兄弟解除了与"旋转话筒"的所有合同。

公司没有电影可拍，并且还欠华纳30万的预付款，濒临倒闭。科波拉和卢卡斯都负债累累。

卢卡斯不得不向父亲和朋友借钱，以便周转。在那期间，他创建了自己的公司——卢卡斯影业。卢卡斯着手拍下一部新片《美国风情画》，这次他要避免前卫或超现实，它将是现实主义的，兼具首创性、观赏性和商业性，他的事业成败在此一举。

拍《美国风情画》前，卢卡斯二十七八岁。影片描写上世纪60年代初期的青少年，描述汽车，开车巡游，这些都取材于他本人在莫德斯托的少年生活。环球影业看了

卢卡斯影业公司的一家公司标志

卢卡斯写的电影剧本初稿后同意出资，科波拉签约出任制片。1971年冬天，他们开始招集演员试镜，不善言辞的卢卡斯担任导演，亲自挑选演员。他几个月里，挑选了几百个没有名气的演员，结果证明他具有一种发现新人的神秘力量。好莱坞评论员罗伯特·奥斯本这样评价：他是个天才的星探，由他发现的演员后来大多功成名就，或者至少是片约不断。1972年6月26日，《美国风情画》正式开拍。

很久以来一直有种说法，认为卢卡斯不喜欢同演员合作。对此，卢卡斯予以否认。不过，很多演员却有这种印象。技术派大师卢卡斯曾认为，卡通片很纯粹，那里只有导演，只有摄像机，只有图画；没有演员，没有什么碍手碍脚的事。

1972年底，《美国风情画》在旧金山试映一场，800多观众为影片喝彩鼓掌大笑发狂，可是却遭到决策人的怒斥，要求重新剪辑。科波拉说服了环球影业，该公司保留了影片，但片子再一次被剪掉了5分钟，《美国风情

画》被批准在影院上映。时隔几年后,在耿耿于怀的卢卡斯的强烈要求下,曾被剪辑的《未来世界》和《美国风情画》都重新按原版发行。

《美国风情画》不仅是卢卡斯一个具有转折性的胜利,而且反响连连。在当时,它成为好莱坞最赚钱的投资。卢卡斯享受着成功。他付钱或者按照净利的百分比把收益分给那些他认为对影片做过贡献的人。直到今天,他仍然采用这种方法。

卢卡斯和玛西亚成了百万富翁,他们还不满 30 岁。不过,这些新开掘的财富并没有太大地改变两人的生活。卢卡斯用钱低调,他总是穿最普通的衬衫和牛仔裤,他开那辆 1969 年的卡马拉开了很长时间。他们惟一的一笔大消费是在玛林州家的附近购买了一所维多利亚式的房子。这样,他和朋友们都有了宽敞的办公室,一部新的太空冒险剧本将在这里横空出世。

想象力电脑特技和速度造就了《星球大战》之父

由于《美国风情画》的成功,乔治·卢卡斯渐入佳境,成了好莱坞最炙手可热的电影人,一部酝酿已久的影片(《星球大战》)呼之欲出。读大学时,卢卡斯对神话和神话学情有独钟,萌发了写一部发生在遥远星球上的现代版神话的想法。为了找寻时代背景,他花了几个月的时间,阅读了许多神话、童话和心理学书籍。卢卡斯从耳熟能详的传奇文学,从儿时读过的西部牛仔和弗莱希·戈登的小说中汲取素材,他将这些古老的故事带入最现代的语言——电影之中。

20 世纪福克斯公司同意投资《星球大战》。之后的两年中,卢卡斯艰苦地编写着电影剧本,他写作很吃力,他天生就不是一个剧作家。当时剧本有 200 多页,它被分成了 3 部。第一部必须成功,它将决定后两部的拍摄资金是否能够落实。

1976 年,电影脚本最终定稿。影片在突尼斯开拍,几周后移师伦敦的摄影棚。三个主演是美国人,但制作班子却是英国人。这些英国人从开始的怀疑,发展到对卢卡斯这个留胡子、穿牛仔裤和软底鞋的美国人的怨恨。此外,卢卡斯那种安静、谦逊的导演风格也无助于提高他的权威。在拍摄过程中,卢卡斯承受了巨大的压力。英国同行拒绝加班,工作进度被拖延,预算增加。最后阶段,他曾在一个场地同时拍三场戏,在好莱坞看来,这里成了"疯人院"。

回到加州时,卢卡斯已经筋疲力尽,他的特技公司一事无成,却蒸发掉了 100 万美元。他辞退了剪辑师，不得不自己担当此任，并说服了妻子玛西亚来帮忙。他与妻子的品位不尽相同，常有口水战，卢卡斯总是固执己见。在之后的半年里，他每天工作 16 个小时，没有休息日。其间，他的特技公司成功地设计制造出一套全新的用电脑控制的摄像机，这样大大地提高了卢卡斯想象中的太空战争的速度。他终生与速度结缘，无论是赛车还是电影中的电脑特技。

1977 年初，卢卡斯完成了《星球大战》的样片，他邀请朋友们观摩，反响各不相同。5 月，《星球大战》正式公映，影评家看好该片。不到一周，它就成了大小报刊报道的焦点。8 月底，影片赢利突破 1 亿美元。之后的 5 年间，它一度是电影史上票房最高的影片。该片几乎囊括了 1977 年第五十届奥斯卡金像奖的所有的 7 项技术奖项。影片触及了一种普遍的紧张心理，它在越战和水门事件结束后上映，20 世纪 70 年代愤世嫉俗的心理对票房也许起了推波助澜的作用。

在南加州大学期间的卢卡斯（右）

《星球大战》的巨大成功让卢卡斯身价大增，不光有票房收入，还有与电影有关的所有商品的赢利。他很精明，在开拍前的一份合同里保留了许多权利。不过，巨大的财富没有影响到卢卡斯和玛西亚的生活方式。他们没有买豪宅、游艇或汽车，卢卡斯不喜欢铺张，主张讲究效率，他把收益又投资回自己的电影公司——卢卡斯影业。创业伊始，公司生意兴隆，加紧生产与《星球大战》有关的出版物和商品。

1979 年春天，《星球大战Ⅱ 帝国反击战》开拍。为了取得控制权，卢卡斯自己出资为影片提供经费，他没有充当导演，却担任了制片人。《帝国反击战》延续了《星球大战》太空反叛的故事，但在心理学方面比前一部更加深刻复杂，在影像和特技方面也有了更大的突破。该片更具创造性，场景更广阔，人性得到充分彰显。1980 年影片公映，获得了第五十三届奥斯卡的两项技术大奖。事实证明冒险是值得的，全球票房奇迹般地突破了 3 亿,卢卡斯获益颇丰。

天马行空开拓帝国　脚踏实地呵护家庭

　　《星球大战》成功之后,卢卡斯和玛西亚在旧金山附近的山上买了一块 2000 多英亩的土地。卢卡斯梦想在那里设立公司总部,并建造一个具有大学环境特征的新型电影社区,取名为"天行者牧场"。

打造自己的电影帝国

　　1980 年,牧场的工程开工,卢卡斯为此殚精竭虑,他对建筑的热情此时甚至超过了拍电影。牧场仿效维多利亚风格,有家庭小办公室、一个收藏 12000 本书的图书馆和高科技的后期制作设备。它像是一个专门为电影人建造的迪斯尼乐园,那里的设备应有尽有,是卢卡斯所梦想的那种田园化的摄影棚。卢卡斯喜欢天马行空,喜欢独来独往,他拍的电影不受好莱坞的控制和影响。牧场是一个电影中心,是他自己的好莱坞。

　　在建造牧场期间,他也在扩大卢卡斯影业公司。除了电影和相关商品,公司还涉及了电脑动画和电子游戏等领域。到 1983 年,公司的雇员达到了上百人,从未想过经商的卢卡斯正统领着一个蓬勃发展的公司,像父亲那样小心谨慎地打理着生意。

　　这时,卢卡斯的家庭生活发生了巨变。卢卡斯和玛西亚一直计划有个孩子,但始终未能如愿。1981 年,他们领养了一个女婴,取名阿曼达。突然间,女孩成了卢卡斯生命中的最爱,他对她一见钟情。

　　一时间,卢卡斯的生活被排得满满的,但他仍然挤出时间来拍电影。同年,他同最好的朋友斯皮尔伯格一起着手拍摄《夺宝奇兵》。卢卡斯又一次担任制片人,导演是斯皮尔伯格。影片完成后,斯皮尔伯格给卢卡斯看了样片,为了让影片的中部更精简更有活力,卢卡斯做了部分剪辑,片子更震撼更有特效了。卢卡斯是一位公认的才华横溢的剪辑大师。《夺宝奇兵》曾是当时最卖座的影片,他们接着又拍了两部续集《印第安那·琼斯》即《法柜奇兵》和《圣战奇兵》。

　　卢卡斯乘胜追击,1982 年 1 月,他开始拍摄《星球大战Ⅲ 杰迪的归来》。影片再次轰动一时,不过对卢卡斯来说令人心碎的婚姻变故为影片的成功蒙上阴影。卢卡斯和妻子聚少离多,玛西亚另有所爱,她离开了卢卡斯,带走了一半的家产。这意味着,卢卡斯和他的"天行者牧场"要花上许多年才能从打击中恢复过来。

离婚后更加关爱孩子,不管事业多么成功家庭仍为生活中心

1983 年,卢卡斯和玛西亚维系了 14 年的婚姻宣告解体。此后,卢卡斯陷入持续 7 年的生活质量下降期。养女阿曼达成了卢卡斯的惟一。他不得不去拍片,赚钱把孩子抚养成人。随后的 10 年里,卢卡斯担任了许多影片的制片人,其中包括《鸭子霍华德》和《风云际会》。那些片子充满了创新的特技,不过票房却差强人意。卢卡斯解释说:"我钟爱自己拍摄的每部电影,没有一部让我惭愧,当然也会有一些影片成为票房毒药。影片成功与否并不特别重要,我始终认为拍片这个行当对我来说很有趣。"拍电影的部分乐趣,来自与志同道合的朋友们并肩工作。从早期作品开始,卢卡斯就经常邀请朋友担任导演或演员,朋友们渐渐发现他比以前更坦率更容易接近了。

尽管卢卡斯的几部电影不太卖座,但他开的几家公司却在 20 世纪 80 年代末日趋繁荣。他创立的 ILM 公司(工业光魔 Industrial Light & Magic)成为美国最顶尖的特技电脑动画公司。他为 120 多部影片做过剪辑,包括赫赫有名的《侏罗纪公园》、《天地大冲撞》和《深渊》。成功的降临并不是轻而易举,卢卡斯的公司是在运作了几年之后才开始赢利的,他费了诸多周折才开发出新的技术。现在,世界为他折服,他看上去像是幻想家和预言家。

卢卡斯拍摄的纪录电影《电影人》

20 世纪 90 年代,卢卡斯的"电影帝国"——卢卡斯影业不断扩张,分成了 5 家不同的公司,员工近 2000 人。卢卡斯不但是电影剧作家、剪辑师、导演,而且还是这 5 家不同公司的董事会主席。他做事专注,扮演各种角色都游刃有余,他牢牢地掌控着公司的决策权,他没有改变他的一贯风格。他被戏称为"一个慈祥的独裁者"。

在卢卡斯的生活中,这些生意还只是次要的,孩子们才是他最关注的。1988 年,他又独自收养了一个女孩名叫凯蒂。5 年后,他收养了一个

男孩名叫杰特,这令女孩们兴高采烈。卢卡斯非常爱他的孩子,孩子们成了他生活的中心。在孩子们眼里,父亲不是个工作狂,而是个令人敬畏的顾家的父亲。他经常和孩子们在一起,每天回家吃饭,开车送孩子上学。为了找乐,卢卡斯一家喜欢去大型购物中心,迪斯尼是他们最喜爱的度假胜地,但多数时间他们还是呆在家里。

卢卡斯没有再婚,尽管他也和别人约会,与歌手琳达·朗斯苔特交往了4年,但因琳达不想结婚,最终两人分道扬镳。

如果他想就此止步,那他就不是乔治·卢卡斯。他仍然有很多与那个星球有关的故事要讲述。1997年,卢卡斯影业推出了《星球大战特别版》,它在原先的三部影片中增加了新的情节,以数码技术为主导。影片的票房达到了4.5亿。同年,《星战前传Ⅰ幽灵的威胁》开拍,这是前传的第一部。前传的这三部影片详细讲述了《星球大战》中人物的早年生活。早在1975年,编写《星球大战Ⅰ》的剧本时,卢卡斯就粗略地列出了影片大纲。《星战前传》的详细剧本是在1995年开始创作的。时隔20年后,卢卡斯第一次出任导演。

卢卡斯发现,由自己创造的技术已经有了长足的发展,他可以用自己设想的方式来讲述故事。影片《星战前传Ⅰ 幽灵的威胁》有2000多个特技镜头,是《泰坦尼克号》的4倍。而且,第一次由数码技术生成的人物和真正的演员同场做戏。影片还未上映,所有的媒体就都对它大肆报道。1999年5月,影片公映。到年底,票房达到近10个亿。观众好评如潮,影评家们却是毁誉参半。

之后,卢卡斯拍了《星战前传Ⅱ 克隆人的袭击》,他和别人合作编写剧本,并担当导演。影片在2002年夏季上映。这又是一次家庭盛事,小儿子杰特饰演年轻的杰迪,女儿凯蒂扮演身着紫衣的特维里克。卢卡斯依然激情澎湃,富有创造力。该片在同样规模的影片中率先采用高科技数码技术进行拍摄,是一部不用电影胶片的电影。5部"星战"系列影片总共花费了电影公司3亿美元左右,却取得了超过60亿美元的收入。在事业上,卢卡斯总能捕捉到下一个热点,并付诸实施。

卢卡斯从影已经超过半个世纪,他讲故事的冲动依然如故,永远旺盛。滚石乐队成员彼特·特拉法兹说:"他改变了人们看待电影的方式,这是笔惊人的遗产。最不可思议的是,很多与他地位相仿赚钱无数的人住在山顶安享生活,但他却依然努力改变人们看待电影的方式。因为这一点我向他致敬。"

即使你有钱，可以买到一切，也无法替代艰苦的劳动。

——维拉·王

婚纱女王：维拉·王

她的服饰改变了女人对婚礼的理解。

她的名字已经成为含蓄、优雅的同义词。

维拉·王从小在美丽事物的环绕下长大。如果说花样滑冰是她的"初恋"，那么时装就是伴随她一生的"亲密爱人"。23岁时，她成了《时尚》杂志最年轻的时装编辑。虽然家境富裕，但在工作上，维拉·王从不吝惜自己的时间和精力。她甚至忙得没有时间谈恋爱。一直到她辞去《时尚》杂志的工作，作为一名设计师加入拉尔夫·劳伦公司之后，她才开始考虑自己的婚姻大事。40岁的维拉·王因为找不到一件满意的结婚礼服，不得不自己动手做嫁衣。而就是这套别具一格的礼服，成了维拉·王美丽王国的第一块奠基石。

1990年，维拉·王创办了自己的公司，用大胆的设计风格掀起了结婚礼服的变革浪潮。她为电影明星、滑冰运动员以及"经典女人"芭比娃娃设计服装。"婚纱女王"的华服背后是一个地道的女人，也是一位平凡的母亲。

花样少女

维拉·王的职业是创造美丽。她所设计的服装几乎都没有过分的装饰，线条简单，剪裁流畅。她知道如何吸引众人的目光，同时又不失优雅风度。设计师的作品风格往往与其本人的性格有着千丝万缕的关系。维拉·王是一个正直、聪慧、时尚的女人，她完全秉承了父母的个性。二次大战后，维拉的父母从中国移民到了美国。她的父亲C-C王是一位将军的儿子，受过良好的教育，会讲一口流利的英语。母亲弗罗伦斯是一位开明而进步的女性，而且十分讲究穿衣打扮。维拉·王出生于1949年，这时她的父母已经在纽约定居下来。18个月后，她的弟弟肯尼斯也来到了这个世界。王家靠着制药和石油生意在美国东区高尚地段过着朴实而富有的生活。维拉·王的父母十分注重发挥孩子的才智，提高他们的综合素质。母亲美丽端庄的举止、无可挑剔的品位对维拉·王的影响非常大。在她还是一个小女孩的时候，母亲就教她，穿衣最重要的是合身；她还经常跟着母亲去圣劳伦斯和巴黎，见识了无数精致时尚的服装和饰品。但在当时，最吸引她的并不是美丽的服装，而是一项美丽的运动——花样滑冰。

维拉·王曾经把花样滑冰形容为是她的"初恋"。这项运动注重细节、讲究艺术。维拉·王从8岁起就开始学习滑冰。1962年，她获得了大西洋中部少年组冠军，那时她才12岁。维拉·王全身心地投入到这项运动中，她每天早上6点就到滑冰场进行训练，然后再去上学，晚上又回到滑冰场，开始另一轮练习。维拉·王的外貌与她的才能相得益彰，有一位专家精心为她包装，这位专家就是她自己。中学毕业后，维拉·王进入学风严谨的萨拉劳伦斯大学学习。由于曼哈顿没有室内滑冰场，她经常背着所有器械，坐上两个半或3个小时的火车，赶到南泽西进行滑冰训练。她一直梦想着能够代表美国参加奥运会，但却始终没能如愿。在她20岁的时候,维拉·王知道,她必须放弃某些东西。尽管她努力训练,并且获得了无数个滑冰奖牌,但她没法像佩吉·弗莱明那样,赢取重大赛事的桂冠。因此,维拉·王勉强决定放弃滑冰运动。11年的热爱与努力就这样付诸东流。她试图继续学业,但放弃滑冰带来的"后遗症"使她根本无法专心学习,最后她不得不离了萨拉劳伦斯大学。

少女时代的维拉·王

她需要找一个地方静静地思考。于是她来到巴黎,花了一年时间补补课、想想生活。她依然热爱滑冰,但不再为放弃滑冰而悲哀。经过一段时间的调整后,维拉·王的目光被另一项美丽而富有冒险色彩的事业吸引住了,那就是时装。

时尚新娘

滑冰生涯结束之后,维拉·王面临两种选择:时装和电影。这两个都是她十分热爱的行业。但由于当时妇女解放运动刚刚兴起,能够进入电影制作圈的女性并不多,最后她决定放弃电影,投身时尚界。C-C王并没有对21岁的女儿要成为时装设计师而大为恼怒,尽管他本人的愿望是让女儿进入法律界。这位精明的商人建议他的女儿先去找一个与时装有关的工作。回到纽约后,维拉·王得到了一个去《时尚》杂志面试的机会。这本杂志堪称时装界的"圣经",那儿有个既有影响又很严厉的编辑需要一个助手。这位名叫波利·梅隆的编辑很快就雇佣了维拉·王。她从他那里学到了很多有关服装的基本准则;通过《时尚》这个平台,她也得到了向阿玛尼、范思哲等伟大设计师学习的机会。两年后,23岁的维拉·王成了《时尚》杂志最年轻的编辑。时装编辑是一项劳累身心的工作,维拉·王终日与摄影师、服装以及模特打交道。在光照充足的季节,他们经常从凌晨5点就开始拍照,有时会一直持续到晚上11点。在欧洲的服装展示会上,他们晚上拍摄时装照,白天参加展示会,一天的工作时间可能长达15个小时。维拉·王每周7天马不停蹄地工作,如此月复一月。她把当年滑冰时的那种干劲完全转移到了时装上。她自称,在那段时间她拥有一种嬉皮士的心态,从不为日常事务而烦心,也没有时间、没有兴趣谈恋爱。黑色紧身衣是维拉·王当时的形象标志,因为这样的装束让她整个人显得瘦削、练达,这样她就可以不必为自己的形象而操心,把全部精神集中于外界。一心扑在工作上的维拉·王常常过了几个星期甚至几个月之后,才在沙发底下发现自己的工资支票。对她来说,在《时尚》杂志工作并不是为了薪水,而是为了创作的快乐。

时尚维拉·王(中)

1983 年,维拉感觉筋疲力尽,十几年来她一直在为《时尚》杂志拼命工作,现在她需要好好地休息一下了。34 岁那年,她又一次来到巴黎,并在那儿待了两年。两年时间里她一直忙于装饰自己的公寓。她决定尝试着做一名设计师。

回到纽约后,维拉·王离开了她为之工作了 16 年的《时尚》杂志。后来,她进入拉尔夫·劳伦公司,成为拉尔夫·劳伦 13 个服装配件系列的设计总监。此时的维拉·王有了更多的个人时间,她开始重新考虑自己和老朋友阿瑟·贝克尔的关系。

1989 年,40 岁的维拉·王最终决定嫁给阿瑟·贝克尔。为了使自己成为一个美丽的新娘,维拉·王四处搜寻漂亮的结婚礼服。她跑了很多婚纱店,看了很多婚纱秀,但结果却让她大失所望:所有的结婚礼服都是一种式样，20岁的新娘和50岁的新娘的结婚礼服并没有多大的区别，而且每套礼服上都有很多蕾丝花边、人造珍珠和闪光饰片。最后，维拉·王不得不自己动手做嫁衣。她把礼服的腰围线降低了大约6英寸，这样，礼服就能紧紧裹住臀部，勾勒出身体的曲线。她还用一些手工丝花代替了当时流行的廉价小花。维拉·王敏锐地意识到，婚礼服饰市场是一个空白。她发现，没有一个设计师从时尚的角度设计婚礼服饰，那些不愿意落入俗套的新娘根本找不到合意的礼服。根据她自己的知识、背景和风格，维拉·王决心尝试着去填补这个空白。但不管怎么说，她首先还得举行自己的婚礼。维拉·王和阿瑟·贝克尔的婚礼的确不同凡响。这场豪华的婚礼融中式风格和犹太风俗为一体，宾客们无不诧异于维拉·王的大手笔。但在当时，维拉·王并没有意识到这场精心安排的婚礼会对她的事业产生什么样的影响。婚后，维拉·王和阿瑟想要一个孩子，于是她前去接受不育治疗。既然没时间工作，她就索性辞去了拉尔夫·劳伦公司的工作。而离开拉尔夫·劳伦恰恰成了维拉·王事业的一个转折点。

创造美丽的商人

维拉·王的父亲建议她开办一家自己的公司，而且他也愿意投资。维拉接受了父亲的建议。1990年，她大胆地推出一系列现代风格的结婚礼服，颠覆了人们对婚礼的传统理念，掀起了结婚礼服的变革浪潮。"我喜欢创作具有时代感的服装，我喜欢设计过程中所遇到的挑战。通过服装，一个女人可以展现出她的个性和品位，我想让人们看到这些服装的同时也能欣赏这位女士的内涵。"作为一个女人，维拉了解女人最乐意展示自己身体的哪些部分，哪些部分又最让她们局促不安。她力求让每一个穿上维拉·王礼服的新人感觉到，自己是世界上最美丽的人。作为一名严谨的设计师，维拉·王非常注重服装的细节，有时为了剪裁一个领口，她要修改6次才能满意，因为她知道，几英寸的差距可能会导致截然不同的效果。

维拉·王的身上有着两种特质。她既是创造力非凡的设计师，同时也是头脑灵活、胸怀大志的商人。虽然一开始，她的公司规模并不大，只拥

维拉·王(右)和丈夫及两个养女

有一家小店铺，但维拉·王的心中早已有了一张宏伟的蓝图：她要创立一家真正的时装公司，从婚礼服装入手，再向晚礼服发展，进而涉足日装，接着再向服装配件发展。

维拉·王的礼服与众不同，有时简洁，有时暴露，但永远高贵迷人，而且构思巧妙、剪裁得体。但一开始，并不是所有人都能接受这种少而精的概念。很多事情对她不利，其中之一就是《时尚》报道。由于维拉是业内人士，人们总以为她动用了种种关系，再说，她家已经太富有了。当人们认为一个人可以负担一切时，这本身就是一种误解。"即使你有钱、可以买到一切，也无法替代艰苦的劳动。"这是维拉·王对他人误解的回应，也是对自己所以取得成功的最好阐述。

开始经商时，维拉·王和阿瑟收养了一个女儿，名叫西西利亚，后来，他们又收养了第二个女儿，名叫约瑟菲娜。维拉·王当上母亲后，她的服装越来越受到顾客的赏识，她们愿意花 1.2 万美元购买她的结婚礼服，要是定做，价格还要高。她们有人甚至说："看到这件婚纱我甚至产生了想再结一次婚的冲动"。维拉·王会根据每位新娘不同的风格特点设计适合她们的礼服。好莱坞著名影星乌玛·瑟曼结婚的时候已有几个月的身孕，她在维拉·王店里挑了一款带有很多蕾丝的纱质传统婚纱，让婚礼上的宾客惊艳不已。由于天赋出众，维拉·王终于技压群雄，在结婚礼服市场打出了一片属于自己的天空。有人说她开创了一种魔幻风格，把新娘装扮得犹如天界的仙女。维拉·王的服装从来不受潮流的左右，它们自成一格，又变幻万千，因而也就格外引人注目。

1993 年，维拉·王推出了一款晚礼服，反响极好，她的顾客群也从此得以扩大。但直到一年之后，当她为滑冰运动员南茜·克里根设计服装时，维拉·王的名字才家喻户晓。南茜穿着维拉·王为她度身定做的服装参加了奥运会。全世界成千上万的人都看到了这套服装，很多人都想知道，这么美丽的滑冰运动服究竟是谁设计的。维拉·王即将登上她事业的顶峰。

停不下脚步的女人

为了不断满足顾客的要求，维拉·王必须设计出不落俗套的结婚礼服。她明白，就服装而言，最重要的是穿着效果。她把顾客而不是自己放在第一位。维拉·王为人坦荡，心胸开阔，对人对事从不猜忌，这也使她更为人喜爱和尊重。当她的结婚礼服日益成功时，维拉·王开始追求一个更高的目标，那就是：向更多人展示她的设计理念。她需要借助某些人来表达她的审美意图。就在这时，电影《魔鬼总动员》的女主角吸引了她的目光，她觉得这位女演员十分迷人，而且天生具有一种双重性。这位女演员就是莎朗·斯通。

维拉·王和莎朗·斯通见了面，两人相处得很好，渐渐地成了朋友。在时装界，她俩是非正式的合伙人。莎朗·斯通是一位引人注目的电影明星，她需要与众不同。这对组合彼此获益匪浅。维拉·王不仅引起了更多关注，而且还有了新的客户，那就是社会名流。霍莉·亨特非常崇拜维拉·王，常常出席维拉·王的时装秀。霍莉·亨特凭借电影《钢琴课》获得奥斯卡最佳女主角奖，上台领奖时穿的就是维拉·王设计的服装。那一年的时尚界几乎复古了维多利亚时代的服装风格，而维拉·王却为霍莉·亨特设计了一条简洁的紧身连衣裙，这无疑是对时尚界繁琐风潮的一种反叛。

有些设计师会给女演员送去一架子衣裙，让她们随意挑选，但这不是维拉·王的工作作风。维拉·王会和她的顾客一起商讨，除非明星答应穿她的服装，否则她拒绝设计。当简·方达想要改变形象、借助奥斯卡颁奖典礼重回好莱坞时，她找到了维拉·王，向其征询意见。维拉·王全力以赴，一袭荷兰缎礼服让这位62岁的女演员光芒四射。凭借电影《女魔头》夺得奥斯卡最佳女主角奖的莎莉丝·赛隆回忆说，是维拉·王让她第一次有了魅力四射的感觉。维拉·王尝试给电影明星设计服装，这不是一次简单的转变，而是一次扎实的商业转型。当然，她并没有放弃新娘，继续为各行各业的女性设计结婚礼服。卡伦娜·戈尔结婚时就穿着维拉·王的礼服。芭比娃娃在她的重大节日里穿的也是维拉·王的服装。"维拉·王"这个商标成了庆祝的象征。

2000年时，她的雇员数量已经达到250名，拥有一家位于麦迪逊大街的旗舰商店，穿过大街还有一家女傧相服饰店。在高级百货店里，她共有9个专卖店，一年的零售额高达6000万美元。她每年举行两次时装展示会，结婚礼服和成衣的订单总是源源不断。成功越大，压力也越大；生意越是兴隆，就

越要保持质量。在维拉·王的眼中,再小的瑕疵也像霓虹灯一样扎眼。

维拉·王双亲

虽然她在商场多方出击,但是维拉·王也一直在努力使自己成为一个好妻子、一位好母亲。她曾经说过这样一段话:女人要有勇气做真正的自己,探索真正的自己。结婚也好,订婚也好,实质都是在创造生活,都是一个通过经历不同的事物获得知识和智慧的过程。即使这个过程很痛苦,有时让人难以接受,但如果你能坚持到彼岸,你就能为真正的自己,以及你爱的人带来丰富的收获。

维拉·王尽量抽出时间,陪两个女儿玩耍聊天。就像许多母亲和女儿一样,谈到服装时她们总有争吵。要将工作和家庭有机地结合在一起,通常需要一番努力。十几年来,维拉·王几乎没有休息过。作为一名优秀的设计师,她必须让自己无休无止地感觉到激情;作为一名从事时尚行业的商人,她有无数的策略、方案和工作细节需要考虑。而这些都需要精力和体力,有人担心她追求的目标超出了她的能力,但她自己却充满了自信和热情。

维拉·王的影响力并不局限于新娘和美人。她积极参加各种活动,其中包括收养孩童和防癌宣传。另外,她还是一个政治活跃分子。克林顿夫妇和戈尔夫妇都是维拉·王的朋友。希拉里还是维拉·王的顾客。维拉·王和阿瑟是白宫的常客,这个时候,你有可能看到一个并不时尚的维拉·王。有一次她去白宫赴早宴,无意中穿了两只款式相同却颜色不同的皮鞋,一只蓝色,一只棕色,这让她极为尴尬。当然,了解维拉·王的人最看重的是她务实的精神。虽然名声显赫,但是维拉·王坦诚、善良的性格始终没有改变。

年过50的维拉·王依然没有工夫停下来想想自己的成就。她的眼睛始终看着前方。她要用一种全新的方式诠释"婚礼"这个词语。在这条充满挑战的探索之路上,维拉·王是一个停不下脚步的女人。年华老去,她却美丽依旧。

世界上没有丑女人,只有不关心或者不相信自己魅力的女人。

——雅诗·兰黛

美丽的天使:雅诗·兰黛

　　出生于20世纪初的雅诗·兰黛生长在纽约的贫民窟。她从小就对各种各样的护肤品有着浓厚的兴趣。在化学家舅舅的引导下,雅诗·兰黛学会了自己配制化妆品,并初尝了"成名"的甜头,于是,她希望自己将来能在美容行业里大展鸿图。结婚后的雅诗·兰黛仍然沉迷于制造和推销她的化妆品,在经过离婚、复婚的婚姻波动后,她和丈夫齐心协力、白手起家,经过半个多世纪的艰苦打拼,建立了一个完全属于兰黛家族的"化妆品帝国"。

　　雅诗·兰黛公司之所以能发展成为今天覆盖全球130多个国家的销售网络,与雅诗·兰黛顽强的意志和不断创新的努力息息相关。而她在客观条件不允许的情况下自创的销售手段,比如"产品赠送"等,已经成为今天化妆品行业的行为标准。这位全球著名化妆品品牌的创始人,用她的一生书写了一部商界传奇。

立 志

　　二十世纪初的纽约皇后区在人们眼中是一个垃圾成堆的贫民窟。在这个地区的东北部有一条科罗那大街,居住着来自意大利、德国等地的移民。1908 年 7 月 1 日,科罗那街上的五金店店主——来自匈牙利的移民迈克斯·蒙泽和他那漂亮的捷克斯洛伐克妻子罗丝迎来了他们的第二个孩子约瑟芬·伊莎·蒙泽。从童年时开始,这个小姑娘就继承了母亲的美貌——金色的头发,清澈的双眸,还有柔嫩细腻的皮肤。

　　伊莎是一个活泼好动的孩子。同众多女孩子一样,她对母亲的护肤霜和香水特别感兴趣。六岁那年,她得到了舅舅约翰·肖兹给她的一瓶护肤膏,漂亮的小姑娘从那时起就心存一念:我的未来就写在一瓶护肤膏上。"我渴望描绘出一副像我这样的年轻女孩的美丽容貌——一个迷恋于美好事物和善良人群的时代女孩",雅诗·兰黛在她的自传中曾这样写道。但是,这个漂亮女孩从来就没喜欢过自己的犹太移民身份,她从小就对父母蹩脚的英语、浓重的口音和欧洲化的生活习惯感到惭愧,内心十分希望能够成为"一个百分之百纯正的美国人"。20 岁之前,伊莎就给自己改过两次名字,在面对公众时也从未承认过自己成长于贫民窟,甚至假称父亲是英国绅士、自己是欧洲豪门出身,用那些扑朔迷离的故事来掩饰对自己身世的强烈不满和自卑。

年青时的雅诗·兰黛

　　雅诗·兰黛厌倦贫民区的生活,并且一直拼命想摆脱那里特有的气息。不过童年时期的她在放学后还是常常去父亲的店里帮忙,记录商品的流通情况、同客户进行沟通,甚至亲手设计橱窗的风格。圣诞节期间,她会精心点缀圣诞树,因此吸引顾客并最终促进了销售。后来,她加入到嫂子范妮·罗森塔尔经营的 Plafker & Rosenthal 商店里联系业务、布置商品、招揽顾客,为今后出类拔萃的商业能力的培养奠定了良好的基础。此时,雅诗·兰黛已经展现出了一个优秀的销售人员应该具有的热情与天赋,"收银机那动听的铃声令我对未来充满了无限的遐想"。

上个世纪的 20 年代,美国进入了一个辉煌的时代,化妆品市场也随之逐渐发展起来。单就纽约来说,那个时候就有 1.2 万名女性从事美容师、指甲修饰师和皮肤养护医师的工作。上门推销化妆用品和用具的妇女更是无计其数。很多女性还开设了自己的美容场所。1915~1925 年期间,药品、化妆品和化妆用具在知名杂志上的广告投入增加了三倍,化妆用具在美国国家杂志中的广告"亮相率"高居第二。随着电台广播在 20 年代的普及,化妆品广告也通过电波传遍了整个美国大陆。到 20 年代末,电台美容广告的投入从 30 万美元迅速增长到了 320 万美元,众多介绍化妆品知识的书籍和杂志也应运而生。

消费者对化妆品的逐渐认同也为化妆品行业的迅速发展提供了一个良好的契机。随着妇女运动的步步胜利,使用化妆品的女性人数越来越多,那时候,几乎所有的美国女性都可以把自己打扮得跟她们心目中的好莱坞偶像一样光彩照人。她们上一代的妇女把油彩和唇膏当成堕落的象征,而现在,姑娘们可以自由地购买她们想要的化妆品,就连那些以前对化妆品嗤之以鼻的妇女也试图接近这个她们曾经不会"越雷池一步"的神秘地带。

1924 年,雅诗·兰黛的化学家舅舅约翰·肖兹在家里建立了一个简陋的实验室,制造面霜、香水等化妆品。16 岁的雅诗·兰黛深深地迷恋着这些琳琅满目的化妆用品,并利用自己所有的闲暇时光如饥似渴地从实践中汲取相关知识。肖兹舅舅常常教她如何调制各种各样的美容配方,如何用美容霜为妇女祛除皱纹。这些知识和经历对一个少女来说就像黄金一样珍贵。渐渐地,除了在舅舅的指导下调制配方,她还开始琢磨自己的配方。

当时,就连高中生也很关心自己的肤色。雅诗·兰黛常常和同学们一起讨论,想办法改善化妆品的性能,并把自己配制的美容霜送给同学们使用。她就这样成了学校里最知名的人物。这也是雅诗·兰黛第一次尝到出名的滋味。

起 家

20 世纪 30 年代,美容行业是为数不多的几个能够赐予女人声望、财富和权力的行业之一。当雅诗·兰黛从高中毕业时,像伊丽莎白·雅顿和赫莲娜·鲁宾斯坦这样的美容大师已经进入了世界一流巨商的行列。雅

诗·兰黛希望能够像她们那样,但她的父母却另有打算。他们不断地提醒她,女人长大以后应该嫁人,然后在家里相夫教子。即使是打扮,其目的也无非就是去吸引男人。

1927年,雅诗·兰黛在纽约州北部度假时认识了25岁的纺织品推销商乔·兰黛。乔是一位温文尔雅、相貌英俊、机智幽默的青年。他的父亲是一位奥地利移民,在曼哈顿从事裁缝的职业。相似的成长背景更拉近了两颗年轻的心。为了浪漫的爱情,雅诗·兰黛推迟了她驰骋美容业的宏伟计划。三年后,漂亮的金发女郎变成了甜蜜幸福的新娘。乔把雅诗·兰黛接出了科罗那街,搬到了曼哈顿居住。又过了三年,他们的第一个孩子莱昂纳多出世了。

那时候,雅诗·兰黛整天都在忙着为孩子换尿布、给丈夫做饭,这对她是远远不够的,她不希望像母亲那样把生命的一半时间花在家务与照看孩子上面,她期待着成为聚光灯下的明星。在接下来的几年时间里,虽然她一直在家庭责任和个人理想之间徘徊,不过,她最终还是没有放弃对美容事业执著的追求。她在家里研究美容霜的配方,有几次把饭都烧糊了。邻居们常常为雅诗·兰黛的敬业精神深感惊讶,他们看见她执著地向路人推荐面霜,诚恳地征询他们的意见和建议。

1933年,雅诗·兰黛以"兰黛化学家"的名义将自己的家中电话注册到纽约的黄页上。她将自己的家作为生产和销售基地,同时还通过邮寄方式发展业务。闲暇时,雅诗·兰黛喜欢去美容院,尽情地享受"脱胎换骨"般的美容过程,同时和其他顾客讨论使用美容品的心得。这种面对面的交流令她对美容业有了更深刻的认识。她深信,大多数消费者尤其是那些对化妆品知识一知半解的女性急需这方面的专业指导。

美容店老板非常羡慕雅诗·兰黛保养良好的皮肤,而她也不失时机地拿出自己配制的四种化妆品——洗面乳、面霜、胭脂和唇彩,为老板精心打扮一番。光彩照人的老板欣喜之余,立即允诺为雅诗·兰黛的化妆品提供销售特许权。从此,顾客们再也不会为如何打发做头发的那段无聊时间犯愁了。她们期待着一位叫雅诗·兰黛的女士为她们做免费美容,享受那些自制的神奇护肤品为她们的肌肤带来焕然一新的感觉。

在美容店里做成的每一笔买卖对雅诗·兰黛来说都是一次胜利。不过,就算有些顾客当场没有买她的产品,雅诗·兰黛也不会担心,她会削下一小片唇膏,或是在蜡纸上倒一点粉霜,让顾客当作样品带走。"非卖品赠送"这一化妆品销售传统就此诞生。典雅优美的形象,慷慨大方的气度,人性化的销售方式,实惠有效的美容产品,人们怎么能够拒绝这样一位富于魅力的女士,拒绝她为使他人变得更美丽所做的努力呢!最终,这些顾客都成为她的客户。

从一开始,雅诗·兰黛就证明自己是一个销售天才。她总是见缝插针地销售她的美容霜,在海滩俱乐部、在大桥晚会上、在奢侈品一条街的第五大道上……她相信,当你能够触摸到顾客的皮肤时,你就成功了一半。所以,她屡屡在街上拦下陌生人,免费送给化妆品让她们试用。她不能看着有人皮肤粗糙而袖手旁观,她总是想帮她们补救一下。雅诗·兰黛深知慷慨和真诚的力量。

风采迷人的雅诗·兰黛

在产品的推销过程中,雅诗·兰黛总是费尽心思地从顾客那里获取第一手信息,他们的反馈意见为雅诗·兰黛优化产品质量、调整销售策略提供了最可靠的依据。假如多名消费者对面霜的质量提出抱怨,她会从产品配方的角度寻找问题的症结所在;如果某种销售手段引起了大家的不快反应,她会在第一时间内予以摒弃。经过不懈的努力,到了 20 世纪 30 年代,纽约几乎所有的美容店都代理了雅诗·兰黛的产品。

为了吸引更多的顾客,雅诗·兰黛还在产品的名称和包装上狠下功夫。雅诗·兰黛的化妆品包装起用了乳白瓶身和黑色瓶盖,完全不同于传统的医用药瓶和锡制封盖。产品的名称同其外观形象一样,不仅有着吸引眼球的重要作用,还包含着产品欲向消费者传递的一系列重要信息——它的属性、功效以及使用方法。不过对雅诗·兰黛来说,产品的名称也必须折射出自己参与的痕迹。"我希望亲自走到聚光灯之下,化妆品的瓶子必须印上我的名字"。

经过认真的思索和选择,雅诗·兰黛最终将自己的名字改为 Estee Lauder,并以其命名她所有的产品。

正当雅诗·兰黛的事业慢慢展开时,乔的生意却是一落千丈,好几次投资都以失败告终。妻子全身心地扎在自己生产和推销化妆品的工作中,让心情低落的丈夫感到她追求化妆品事业的渴望大于维持家庭的决心。雅诗·兰黛太富进攻性了,她不能容忍任何人、任何东西挡住她前进的步伐;而乔则太腼腆了,让他感觉不能带着她去走她想走的路。1939年,雅诗·兰黛和乔离婚了。

在1939年的美国,离婚还是一件很不寻常的事情,但是31岁的雅诗·兰黛却坚持认为独立比婚姻更重要。在美容这一行当中摸爬滚打9年之后,她终于离开了她的丈夫乔。

雅诗·兰黛带着年幼的儿子莱昂纳多搬到了迈阿密海滩,当时的有钱人都喜欢到迈阿密去度假,因此,这里也成了雅诗·兰黛推销护肤霜的理想地点。她住进一家华丽的酒店,在厅堂里开设专卖柜台,把化妆品卖给富有的度假者。在出售美容品的同时,雅诗·兰黛还从一部分富有的女性客户那里学会了如何和谐地搭配服装、优雅地与他人打交道。她频繁地穿梭于上流社会之中,与那些名门贵妇保持密切的联系,既寄希望通过此举抬高自己的身份地位,也希望找到一位可以帮助她登上事业顶峰、有实力、有远见的成功男士。

在美丽的迈阿密海滩,雅诗·兰黛同一名电影制片人开始了浪漫的约会。他带着她参加各种各样的晚会,向她引见了许多的名人;她还和荷兰企业家范·阿莫林根有过一段交往,阿莫林根最后成了美国最大的香水制造商——国际香料香水公司的总裁。事实上,当时追求她的人很多,既有商业巨头,也有慈善家。但是,这些富翁们似乎只对美女的迷人微笑和情致盎然的海边罗曼史有兴趣,没有一个人和她发展到谈婚论嫁的地步。

在与乔分手的日子里,雅诗·兰黛既不用担心生意,也不用发愁身边没有陪伴者。然而,她仍然十分思念她的乔。

在分开三年之后,雅诗·兰黛终于明白,乔在她心中的分量无人能及。后来,莱昂纳多的一次麻疹发作终于使他们破镜重圆。1942 年 12 月 7 日,雅诗·兰黛和乔在纽约市政厅复婚,14 个月之后,他们的第二个儿子罗纳德出生了。

拓　展

二战期间,政府要求美国妇女向世人展示最佳的面貌,以保持美国人与法西斯斗争的士气。当时美国女性的魅力让很多美国兵都感到值得为她们而战。与此同时,美国女性的社会地位和个人收入较以往都有了明显的提高,她们对自己容貌的关注程度也超过了以往任何阶段。职业女性拥有众多购买化妆用品的理由:美化形象、增强独立性、放松心情、体现自己的价值……广大的美国女性在战争期间并没有间断对化妆品的投入。1940 年,美国彩妆、香水以及美容用具的零售总额达到了 45000 万美元,五年之后上涨了 23%,突破了 71100 万美元。这样的增长速度在战时政府管制期间显得超凡脱俗。

战争结束时,化妆品业已经成了美国最重要的一百个行业之一。在原料供应方面,联邦政府也取消了战时管制。此时,雅诗·兰黛的化妆品已经风靡纽约。她决定趁此大好时机打开更加广阔的消费市场。

1946 年,雅诗·兰黛和丈夫在曼哈顿东六街 39 号布置了一间办公室,凭借自己的积蓄和从迈克斯·蒙泽那里借来的资金,正式创建了雅诗·兰黛化妆品公司,并选用"兰黛的蓝色"作为品牌的标志颜色。兰黛夫妇之间也制定了明确的分工:雅诗·兰黛负责产品的生产和销售,乔负责后勤和财务。

公司的首条生产线建立在雅诗·兰黛长期以来对产品不断精炼和大力推广的基础之上,包括几款护肤霜、去污乳液、搽脸香粉、绿松色眼影和唇膏。这些产品大部分都是在曼哈顿西六十四街一座旧饭店的厨房之中制作出来的。在经过高温、高压灭菌和产品包装之后,带有"雅诗·兰黛"标签的化妆品就走上了纽约和美国其他城市的货架之上。为了提高品牌声望,雅诗·兰黛重新设计了产品的包装,以体现"化妆品是一种展现个人魅力的产品"这一宗旨。经过几个月的观察和设计,雅诗·兰黛选用了散发着豪华气息的乳白色掺杂绿松石色的包装风格,并在包装上印着"我渴望消费者以展示我的产品为骄傲"的字样。

197

兰黛夫妇还认为，产品的销售途径和销售场所将对公司未来发展的走势产生重要的决定作用。在他们看来，药房、超市、廉价商店与雅诗·兰黛产品高贵、优雅的气质格格不入，而连锁店的经营模式又需要花费很高的成本。经过一番思考，他们决定选择高档百货商场作为最佳销售渠道。

1948 年，雅诗·兰黛决定进军 Saks。在曼哈顿中心地带 Waldorf－Astoria 酒店举行的一场慈善午宴上，雅诗·兰黛将八十多种唇膏作为赠品派送给在场的每个人。这种用金属外包装的唇膏有着纯正的颜色和细腻的材质，令在场的很多人赞不绝口。活动结束后，一大群女性跟着雅诗·兰黛，争先恐后地向她索要唇膏。这种火爆的场景终于使原先对雅诗·兰黛化妆品非常冷淡的 Saks 化妆品采购商罗伯特·菲斯科相信：雅诗·兰黛的化妆品在消费者当中的潜在市场是难以估量的。Saks 随即向雅诗·兰黛化妆品公司认定了价值 800 美元的美容用品。

在成功登陆 Saks 之后，雅诗·兰黛又施展其软磨硬缠的功夫，以不屈不挠的顽强意志和优越的产品性能进驻了总部位于得克萨斯的 Neiman Marcus 百货商场。在接下来的十年里，雅诗·兰黛奔波于美国各大城市之间，游说形形色色的百货商场所有者。她怀着对家庭的深深愧疚，以极大的热情投入工作，为建立一个全世界闻名的品牌让她激动不已。

每进驻一个商场之前，雅诗·兰黛都会用一星期的时间在商场门口仔细观察消费者的活动规律。比如，她发现 90％的顾客进门后都会首先将目光投向右侧柜台。这个发现对她在商场中抢占和布置柜台起了很大的指导性作用，她相信，自己在商场入口处右侧精心布置的化妆品柜台将首先吸引消费者关注的目光。获得商场的特许经营权后，雅诗·兰黛都要亲自在柜台前驻足一周，审视销售代表的表现，设计商品陈列，与顾客交流，听取她们的意见。她会亲自为每一个前来咨询的顾客化妆，让她们清楚，这种"改变人生的方式"就像"呼吸一样自然"，是在短短三分钟内就可以做到的。雅诗·兰黛还积极与商场内的服装鞋帽销售人员沟通，向她们赠送彩妆或面霜。按照她的理解：这些销售人员如果对雅诗·兰黛产品感到满意，她们就有可能利用工作之便，自觉或不自觉地为这些化妆品做义务宣传。雅诗·兰黛还不忘通过纸面媒体与消费者进行沟通。每在一处开设柜台，她总要邀请当地的编辑记者共聚一堂，与他们进行讨论，为她们赠送化妆品，并免费做一次彩妆服务。很多人都惊讶于她的迷人美丽和无与伦比的亲和力，不遗余力地在自己的刊物上开辟专栏，介绍雅诗·兰黛及其产品。

为了维系高档百货商场中成本昂贵的化妆品柜台,加快产品知名度的推广,兰黛夫妇决定拨出五万美元打广告。由于资金太少,没有中介机构愿意承担这个项目,雅诗·兰黛和乔只好将这笔活动资金用于赠品的投放,并辅助以各种促销策略,比如,邮购产品和购物奖励。这些手段在今天都是行业内的标准行为,但是在当时,大多数化妆品公司都没有发展邮购业务,免费赠送产品更是天方夜谭。

然而,产品赠送活动获得了巨大成功。全美各地的女性朋友纷纷涌向商场中的雅诗·兰黛柜台,她们在这里不仅得到了免费产品,还了解到更多的化妆品知识。一系列的促销活动为雅诗·兰黛品牌形象的推广开辟出一条宽广的发展道路,随着消费群体的逐渐壮大,雅诗·兰黛的事业也迎来了又一次高潮。

创 新

不断创新是雅诗·兰黛成功的要则之一。伴随着产品的不断开发和创新,雅诗·兰黛的化妆品公司也越来越具有鲜活的生命力。

雅诗·兰黛一直对香水、花露水、浴液等系列产品充满向往,但是,在20世纪50年代,香水在价值10亿美元的美容市场中所占份额不到1%。然而,雅诗·兰黛深知香水蕴含着比护肤品和彩妆更大的商业利润,香水的推出还会刺激后者的市场需求,况且,香水所引发的冲动购物也是其他化妆品所无法企及的。但是,那个年代对香水的消费是非常保守的。大多数女性只有在特殊场合才会使用香水,这种奇妙的化妆品一般都是女性的丈夫或男友在特殊的日子送给她们的礼物。

为了鼓励女性自己购买中意的香水,雅诗·兰黛开发了一种带有香水功能的沐浴液,这种产品既可以倒入洗澡水中,也可以直接喷洒在皮肤上,她把它叫做"青春露"。每瓶"青春露"只卖五美元,而且它的包装没有密封,这样,顾客可以随意打开瓶塞,在手上搓试产品。经久不散的香味和人性化的销售使很多女性变成了雅诗·兰黛的回头客。

"青春露"造就了雅诗·兰黛创业史上的第一个巨大的成功。那时候,众多的美国人疯狂地追逐"青春露",这些人也从此变成雅诗·兰黛产品的忠实用户。琼·克劳馥甚至说,是"青春露"让她和她的第四任丈夫、百事可乐公司的总裁艾尔弗雷德·斯蒂尔得以喜结良缘。在法国巴黎,雅诗·

兰黛在老佛爷店中故意打碎一瓶"青春露"来吸引顾客,从而成功地将她的产品摆到了老佛爷的货架上。在之后的几年里,雅诗·兰黛化妆品的销售业绩迅速攀升,在 Neiman Marcus 商场里的周营业额从 300 美元上涨到 5000 美元。雅诗·兰黛也成为继伊丽莎白·雅顿和赫莲娜·鲁宾斯坦之后"稳坐第三把交椅"的化妆品女王。

"青春露"的巨大成功对雅诗·兰黛公司产生了深远的影响。从经济角度看,这款非凡的香水为公司赢得了丰厚的利润,在它问世后的第 32 年,"青春露"的年销售额已达到 3000 万美元;从企业经营的角度来看,这款香水的成功推出为公司的系列产品扩展了销路,雅诗·兰黛的品牌形象得到了空前的壮大。

1985 年,77 岁高龄的雅诗·兰黛费尽七年心血,亲自调配出一款独一无二的高档香水。这款香水被寄予了继续巩固雅诗·兰黛化妆品公司在全美 38 亿美元的化妆品市场中领先地位的厚望。首先,公司准备以这款香水迅速占领该领域的市场份额。20 世纪 80 年代,美国超过 80% 的女性有使用香水的习惯,但是缺少指导的她们在选择香水时往往不知所措。仅在 1985 年,美国市场上的香水种类就超过了 700 多种,并且每年还在以 70 多种新型香水的速度递增。香水既能折射出使用者的个性,又能反映出她们的地位、创造性和品位。所以,发展香水业可以获得丰厚的商业回报。

这款香水还要体现雅诗·兰黛更远大的战略目标——塑造自己在化妆品市场中惟我独尊的崇高地位,所以,无论是它的包装还是商店内柜台陈设的风格,都要体现雅诗·兰黛无与伦比的浪漫与高雅的风格。另外,依靠此款香水,雅诗·兰黛还要进一步扩大产品的知名度。所以,从这款香水的名称到它的宣传,都必须是卓尔不群的。

在一次市场调查活动中,试用了香水的女性在评论产品的芳香时都不约而同地用到了"美丽"这个词,这让雅诗·兰黛怦然心动。她说:"这个名字同我的香水犹如天造地设,就叫它'美丽'。"

150 美元一盎司的"美丽"香水的消费群主要是接近 30 岁的女性,它有着粉红和金色混杂包装的外表。在进行形象策划时,公司别出心裁地选择了一名新娘作为形象代表,并特地制作了一个 30 秒钟的商业广告:在景色宜人的田园背景中,身着 1.5 万美元婚纱的顶级模特漫步其中。"你是如此美丽"的歌声悠扬奏起,沁人心脾的美妙感觉弥漫在空中。结尾处广告词"这就是你的美丽时刻"回味隽永,让无数女性产生了巨大共鸣。

公司尽心竭力地配合零售商推广"美丽"香水的活动,从柜台布置、宣传标语、橱窗风格以及员工培训,零售商都可以得到详细的指导。匹兹堡考夫曼百货公司还举行了一场模拟婚礼,所有到场的顾客都佩戴着喷有"美丽"香水的雄花,享受免费的蛋糕。零售商还不失时机地为顾客拍快照,并把相片镶进与"美丽"包装相同风格的镜框中。在整个销售活动中,雅诗·兰黛共派发了2500万美元的"美丽"试用品。

在接下来的15年内,雅诗·兰黛享尽了"美丽"为她带来的巨大成就感和高额回报。20世纪80年代末及整个90年代,"美丽"都以极品香水的形象出现在美国人的心目之中。1998年,"美丽"成为全美销售量第二的品牌香水,而排名第一的是雅诗·兰黛公司1995年推出的"欢愉"香水。这些主打产品使雅诗·兰黛公司1999年的财政收入达到了竞争对手可望不可及的40亿美元。

依仗着雅诗·兰黛化妆品不断强大的市场优势,公司又成功地推出了一系列附属品牌。

20世纪60年代中期,雅诗·兰黛看准了从未有人涉足的男用化妆品市场,开发出专门面向男性消费者的Aramis系列,并于1967年将其产品扩大到润肤霜、美容面具、眼罩、古龙香水、剃须用品等。到70年代末,这一品牌为公司总财政贡献了14%的力量;1968年,公司推出了情碧彩妆和护肤品系列,面向那些非常注意保养皮肤的消费群体。产品诞生五年内一直亏本,到1978年,它的销售额达到了8000万美元,占公司总财政的30%。90年代中期,它在所有商场中的销售量稳居前两位,它的成功也蕴含了公司管理层对急功近利心态的摒弃和高瞻远瞩的战略目光;1979年,公司推出了技术含量很高的Prescriptive系列护肤品和彩妆,它直到80年代中期才得到广大消费者的认可,并在之后的几年成为公司旗下发展最快的一个品牌,每年为公司带来4200万美元的销售业绩;1990年,公司成功研制了一系列以草本植物为主要原料的彩妆和护肤品系列,并取名为Origins。雅诗·兰黛非常重视这个品牌,所有人都悉心呵护它。公司采取专属经营和店中店的销售模式,在全世界拥有二百多个销售场所。

传 承

进入20世纪50年代,雅诗·兰黛公司进入了稳步发展的阶段。1958年,兰黛夫妇的大儿子莱昂纳多正式加入了公司,并在产品宣传推销方面显示出独特的才华。莱昂纳多始终非常忠实产品质量的严格把控,并花费大量时间和消费者交流。1959年,莱昂纳多的新婚妻子放弃教师的职业,也加入这个家族企业,负责培训销售人员,并在产品开发和包装设计上为公司出谋划策。

随着公司的不断壮大,公司招募了大量广告宣传、市场运作、包装设计、质量控制等众多领域的专业人员。兰黛一家人信奉"用人不疑"的原则,以"钟表的发条和交响乐团的指挥"自喻,最大程度地激发员工的工作热忱和聪明才智。不过,此时的雅诗·兰黛仍然把持着许多重要部门,如产品的研制和宣传策划等;乔依旧负责生产、后勤和财务。60年代中期,兰黛夫妇的小儿子也加入进来,供职于比利时的分公司。

年轻有为的莱昂纳多借助自己的经验和他人的辅助,将公司的生产安排纳入了系统化的轨道,并着手建立了一套完善的组织体系,发展了全国范围内的销售网络,培养了与零售商之间长期密切的关系。1958年后的十年里,雅诗·兰黛公司的销售额以45%的年平均增长率持续攀升,60年代晚期突破了4000万美元的大关,并于1972年达到了1亿美元。1973年,雅诗·兰黛将公司总裁的宝座让于莱昂纳多。

与雅芳和露华浓相比,雅诗·兰黛的化妆品价格不菲,但是它的利润并没有竞争对手丰厚。频繁地派送产品、不遗余力地促销以及一丝不苟的培训都增加了公司的成本。然而,公司高层管理者的心中非常明白:这些投入对扩展品牌知名度有着不可估量的作用。他们踏踏实实地扩大品牌优势,严格地控制产品的质量,坚定地放弃各种短视行为,努力保持雅诗·兰黛产品旺盛的生命力和持续良好的发展势头。

雅诗·兰黛也从未放松过对海外市场的开拓。1960年,雅诗·兰黛公司第一家海外销售点在哈罗德商场落地生根。35年后,雅诗·兰黛的销售点已遍布五大洲的一百多个国家和地区,其海外市场的收入已占公司总利润的40%。

1994年,雅诗·兰黛成功隐退。世纪之交,兰黛家族的第三代开始担当起领导这个家族企业的重任。兰黛家族的后辈都从雅诗·兰黛那儿学到一个原则:不管做什么,一定要把它做好,而且是把它当成一种享受。如果你竭尽全力,你就一定能在事业上获得成功;如果你竭尽全力,你也一定能获得美满的家庭。

雅诗·兰黛的一生是一个典型的美国式的成功故事。2004年4月24日,这位传奇式的"化妆品女王"因病逝世,享年97岁。

顺应潮流、精心研究市场和顾客心理变化。

——梅西

一个时代的开辟者:梅西和梅西百货

　　罗兰·哈斯·梅西拥有世界最大的零售商店。每年的感恩节都是由以他为名的大游行揭开假期的序幕,这已经成为美国文化中不可缺少的一部分。在经典影片《第34街的传奇》中,他的商店被描绘成购物天堂。然而成功来之极其不易,从在海上远航的日子到在波士顿开设商店,从狂野的西部淘金到哈弗维尔的花岗商店,从威斯康星州的房地产投资到纽约大都市的百货商店,一次次失败都没有击倒他,反而磨炼了他的意志,最终他从一个楠塔基特岛的捕鲸人跃升为世界著名的商人。他把一个仅1200平方英尺的小店铺发展成为世界上最大的百货公司。梅西开辟了一个时代,成为美国人最津津乐道的成功范例。

　　梅西百货公司仍在继续发展着,它代表了一个时代,更把一种创新精神永久地留给了世人!

203

移民生涯

罗兰·哈斯·梅西出生于 1822 年 8 月 30 日。父母是约翰·梅西和伊莱扎·梅西。梅西家族是最早在楠塔基特岛定居的白人。这个位于马萨诸塞州外海的小岛,不久就成了世界著名的重要捕鲸港。全盛时期的楠塔基特岛人口曾达到一万人,捕鲸船从这里出发,驶往世界各地。楠塔基特岛的居民大部分是船员,约翰也不例外。他曾经担任船长,掌管过两条航线,后来才在离家不远的地方安顿下来。最初,罗兰和父亲约翰一样在海上工作,他们继承了祖先托马斯·梅西追求冒险的生活方式——他是最早移居到楠塔基特岛的人之一。

早在 1659 年 7 月,托马斯·梅西一家搭乘一艘没有篷的小船向美国出发,他们一行 9 人最后抵达了楠塔基特岛。托马斯以两顶海狸皮帽作为代价向岛上的马修夫妇买下一块占地 3 万亩的葡萄园。起初移民们以为楠塔基特岛是牧羊人的天堂,因为岛上见不到羊群的天敌——狼的踪影。1712 年,人们在楠塔基特岛附近的海域捕杀了第一头抹香鲸,从此岛上的经济重心就从陆地转到了海洋。抹香鲸油是很吃香的商品,也是日益发展的工业革命不可或缺的原料。大部分楠塔基特人都有着吃苦耐劳的天性,他们开始前往世界各地捕杀抹香鲸。罗兰的父亲约翰·梅西船长,1811 年和 1815 年曾两次赴太平洋捕鲸,每次都颇有收获。第二次返航的时候,他带回来 1009 桶抹香鲸油,价值超过 3 万美元。这时的楠塔基特岛已经不再是几个牧羊人住的小岛,而是一个重要的海港了。

罗兰·哈斯·梅西诞生在一个不可思议的时代,捕鲸业正在进入历时几十年的繁荣期。这个繁荣的盛况使梅西野心勃勃,他从小就经常听父亲和同伴们谈论海上捕鲸时那惊心动魄的场面。梅西 15 岁的时候,作为前桅手他第一次参加捕鲸探险,成为船上最年轻的船员之一。这是艘名为"埃米莉·摩根"号的捕鲸船,原籍是马萨诸塞州的新贝德福德港。楠塔基特的男人都必须出海,一生至少出海一次。传说楠塔基特的女人私下里都发誓只嫁给第一个捕到鲸鱼的人,所以难怪梅西在很年轻的时候就决定出海探险,尽管他最终并没有以此为职业,但他当初也觉得自己应该这么做。

1837 年 12 月 11 日,梅西在新贝德福德港登上"埃米莉·摩根"号,开始他的处女航。"埃米莉·摩根"号长 110 英尺,宽 27 英尺,总载重量 368

吨,是楠塔基特最大的一艘捕鲸船。作为船上的新手,他被派去执行寻找鲸鱼的重要任务,必须站在40英尺高的桅顶瞭望台,两个小时轮一次班,直到有人看见鲸鱼喊出"鲸鱼来了"为止。

出航的捕鲸船行程从1年到5年不等,通常必须捕捉并且加工处理了足够的鲸鱼才返航,鲸鱼油必须先在船上提取出来,这是一项艰苦的挑战。梅西在"埃米莉·摩根"号度过了4年的时光。他从一个海岛男孩长大成为一个见过世面的青年,捕鲸生涯使他变得坚韧而勤奋,也使他见识到不同的文化和生活形态。这次出海非常成功,"埃米莉·摩根"号上装载了将近3千桶鲸鱼油,1千磅鲸鱼骨,还有一桶龙涎香,这是用来做香水的一种原料,是从鲸鱼的肠胃道中提炼出的蜡状物质。"埃米莉·摩根"号捕获到的鲸鱼估计有50条之多,总价值大约在8.5万到9.5万美元之间。身为刚入行的新手,梅西分到了550美元的酬劳,虽然不是太多,不过也算是差强人意了。

尽管这是一次成功的航行,但却不是梅西理想中的成就。

■曾经沧海

经过在海上4年的磨炼,550美元已经不能够满足梅西的野心,他觉得捕鲸不是一条走向成功的快捷方式,不过在楠塔基特岛的捕鲸经历,却使他毕生难忘。楠塔基特灌输给梅西一些价值观:关于家庭、家庭关系以及工作的重要性,人必须工作才能维持生计。这种观念符合传统的价值观,也来自现实的捕鲸工作。

大部分捕鲸回来的人都会留在岛上,可是梅西志向远大,他不甘心困在家乡,打算到美国大陆闯天下。1842年1月,梅西和哥哥罗伯特一起离开楠塔基特岛前往波士顿,带着浓烈的思乡情绪,他开始了自己的征程。罗伯特一抵达波士顿就找到了工作——替一个批发商做事,他还想让梅西一起去,但是梅西受到本杰明·富兰克林的启发,跑去当了印刷学徒。富兰克林是当时跟楠塔基特有关的人当中最出名的一个。他的母亲也是楠塔基特人。梅西非常崇拜他的创造力和成功。梅西学会了编排、设计以及打字排版这些业务。可是过了6个月,他发现印刷就像是捕鲸业一样,不能让他达到成功的目标。

1843年初,做批发生意的哥哥罗伯特已经小有成就,梅西去找他,想尝试商品零售。在哥哥和纺织品商人乔治·赫夫顿的支持下,梅西开了自

己的第一家商店。这家商店开在波士顿的汉诺弗街，以卖针线为主。这个时候梅西不仅开始了他的商业冒险，还爱上了乔治·赫夫顿的妹妹露易莎。这一对情侣在 1844 年 8 月 29 日结婚了，时年梅西 22 岁，新娘 23 岁——她是梅西家族 7 代以来迎娶的第一个岛外的新娘。

梅西在波士顿开了几家商店，都不成功，最后只好替自己的大舅子——塞谬尔·赫夫顿工作。在尝试零售业期间，他的儿子小罗兰在 1847 年 6 月出生了。接着有关发现黄金的消息传到了东部，不安分的梅西也决定向西部出发加入这股热潮，共有 650 名楠塔基特人长途跋涉，加入淘金的行列。梅西和哥哥查尔斯·梅西一起踏上旅途，由于担心旅程中的种种不测，决定把家人留在家乡。他们搭乘巴拿马籍的轮船"希区考克"号从纽约出发，打算选最短的航线前往旧金山，没想到却花了比预期更长的时间，原本五六个星期的航程，梅西两兄弟却用了整整 4 个半月。旧金山在 1849 年的时候，只不过是方便淘金客停泊船只的一个码头，这里停满了空无一人的船只。梅西两兄弟抱着发财的美梦而来，却落入了满面尘土、苦不堪言的困境。

他们决定再次从事零售生意，这一次以淘金客为主要对象。1850 年 7 月，梅西和哥哥查尔斯找来了两个年轻的生意伙伴，开了一家商店，为加州马维尔镇的矿工和淘金客提供服务。3 个月之后，商店的生意逐渐走下坡，因为镇上还有另外 30 家杂货店都卖差不多的商品。最后，他们把商店卖给了自己的竞争对手。

梅西也尝试做房地产，他在短短一个月之内赚了一倍的钱。

1851 年，查尔斯留在马维尔镇，梅西则回到了马萨诸塞州的家人身边。梅西的淘金之行并不是全盘皆输，据说他回家的时候随身带了三四千美元，他还带回了具有淘金客特点的胡子，更重要的是梅西看到淘金客那种不顾一切的狂野生活，这激发了他的商业野心。他分析后认为自己过去从事零售业的失败，或许是因为经营的品种不够齐全，于是他打算再开一家商店，出售更多种类的商品。一直留在波士顿的罗伯特这次又助了他一臂之力。

1852 年 11 月 15 日，梅西在日益蓬勃的制鞋工业小镇——马萨诸塞州的哈弗维尔镇重新开了一家小店，后来又开了一家规模比较大的店，取名为"花岗商店"。他把自己创新的零售政策全部运用在这家 4 层楼的商店里，梅西提供比别的地方更低廉的价格，但是要求以现金交易。这种商业政策在 19 世纪中期相当独特，当时的大部分商店无论进货或是出售都使用记账的方式，而且通常没有固定的售价，全凭交易时的突发奇想或是讨价还价。梅西在波士顿当印刷学徒时学到的东西也派上了用场,他替自己的商店设计所有的广告,并且选了一个公鸡的图案作为商店的标志。这个公鸡标志可能出自梅西出海捕鲸的时期,当时的捕鲸人几乎身上都有文身,公鸡是一个受欢迎的图案,他们把它刺在脚上当做免于落水的护身符。梅西在哈弗维尔开的商店本来很成功,可是他操之过急,过度地扩充。1855年7月花岗商店都被他自己的野心拖垮,被迫破产,他只好出售花岗商店并且结束营业。幸好跟债权人达成了协议,挽回了两三千元的本钱,可是他的信用已经荡然无存了。

1857年2月,梅西碰到一位哈弗维尔的老朋友,他愿意出钱让梅西去威斯康星州做房地产投资生意。威斯康星州的大湖地区即将开发,预计会刺激土产的繁荣。梅西以前做房地产的时候,曾经赚到过钱,所以他决心放手一搏。据他所言,在这昙花一现的日子里曾经赚到了1万美金。在1857年的圣诞节前梅西回到了哈弗维尔。梅西的朋友们鼓励他用赚来的钱去纽约,再尝试一次零售生意。1858年初梅西一家四口,包括新的家庭成员——他的女儿,一起前往美国最重要的城市——纽约。

36岁的梅西即将踏上成功之路,丰富的经验和多次的失败使他不断地成熟,不断地掌握稳操胜券的策略,从在海上远航的日子到在波士顿开设商店,从狂野的西部淘金到哈弗维尔的花岗商店,每一段经历都让他学到了重要的东西。这一次,天时和地利终于垂青于他了!

盛极而殒

梅西抵达纽约后,他开始寻找开设商店的地点。纽约是美国发展最迅速的城市,也是生机勃勃的港口,能够容纳大批涌入的移民。经过几个月的寻找,他终于在第十四街和第六大道附近找到了能够承受的店面,月租金是135美元。梅西的店铺在1858年10月27日开张了。令人失望的是第一天的收入只有11元零6分。用纽约人的眼光来看,梅西开的店只是一家小铺子,面积只有1200平方英尺。商店里出售所谓的流行纺织品,也有些特色商品,像缎带、刺绣、花边、假花、羽毛、手帕、袜子和手套等。在19世纪50年代后期,梅西做生意的手法比同时期的人先进,可是在纽约仍然不算特别,不过他觉得店铺位于地铁和电车沿线,可以吸引顾客上门,于是他开始引进更多的商品。因为有历年从业的经验和教训,梅西充满了必胜的坚定信念。

同年 11 月，梅西开店还不到一个月，他就登了自己的第一幅广告，就像在哈弗维尔的时候那样，他自己撰稿、设计广告，再次运用了当印刷学徒的时候所学到的技巧。他巧妙地运用空栏以及重复的技巧，既刺激了顾客的购买欲，又令他们觉得新鲜。他选择了一颗红星的图案当做商店的标志，这个标志代表指南针，小时候出海捕鲸时他就在手臂上刺了这样的红星图案。梅西的眼光一向放在未来，不过他也从没忘记过去。

梅西在他梦寐以求的商店里非常努力地工作着，他要把自己的全部理想都付诸实践。他有着异常独特的革新精神和事业心，在 19 世纪 60 年代做出了别的零售业者不敢做的事情。他说："我的价钱比别人便宜 6%。"没有人知道这个 6% 是怎么来的，但他就是订出了 6% 的标准，然后勇敢地去尝试。梅西设计的广告醒目而有力，是不可或缺的促销手段，因为商店的位置不是在主要的购物区。为了吸引顾客上门，他必须让顾客觉得来这里买东西是物超所值。第一年他拿出了营业额的 3% 来做广告，对一家小商店来说这可是一笔不算小的数目。

梅西成功了，流行纺织品商店经营一年以后，总共获利 8 万美元，这是笔很可观的利润。他成功创造的不只是一家商店，而是一个品牌。他把零售业各种不同的革新结合了起来，运用强而有力的促销手段使以前单调的购物活动变成一种富有刺激的体验。梅西继续使用革新的手法经营商店，还沿用这些办法来管理他的雇员。

梅西在纽约用一颗红星作为商店标志

1860 年 12 月，梅西在楠塔基特岛的远房表妹玛格丽特·盖歇尔来找工作，梅西雇用了这位当过数学老师的亲戚担任出纳。玛格丽特成为梅西工作上最得力的帮手和梅西全家最亲近的朋友，3 年之后她甚至搬去和梅西一家人同住。梅西十分信任同乡，他对玛格丽特委以重任，让她掌管商店的现金，比当时的一般人更加重视女性的长处。在楠塔基特岛许多男性长期背井离乡，女性则担起维系家庭的责任，她们要经营生意、养家糊口，从某种程度上来说小岛是由女性掌管的，所以楠塔基特人对性别的态度完全不同：他们相信女性和男性有着同样的灵感和智商。梅西的直觉是正确的，1866 年玛格丽特担任商店的负责人,成为第一个在零售业担任主管的女性。梅西让她全权负责,并且请她帮助了解女性的心理,怎么吸引女顾客上门,怎么令女性成为忠实的顾客,应该卖哪些产品,应该怎样去布置商店等等。

1902年施特劳斯兄弟建造的占地23.5英亩、耗资450万的梅西百货商店

正当梅西的商店逐渐走向成功之际,他遇上了另外一个问题——必须面对一个内战的逃兵。他的儿子小罗兰·梅西在17岁生日之前离家出走,用查尔斯·米歇尔的假名加入了联邦部队,成为纽约第一○六志愿军的成员。但他发现军队比不上家里的生活,刚过了10天他就逃走了,3天之后在华盛顿特区被捕。梅西去看儿子的时候,认识了埃比尔·拉福吉中尉,中尉告诉梅西他会帮他把小罗兰训练成真正的军人,并且努力兑现自己的诺言。后来,拉福吉离开部队前往纽约,出于对帮助儿子的感谢,梅西雇用了他。1869年初拉福吉成为梅西商店刺绣、手帕和花边等商品的采购员。拉福吉在梅西商店不仅找到了工作,还找到了爱情,他和玛格丽特于1869年6月结婚,这对新婚夫妇搬到商店楼上的公寓居住。

此时,梅西商店的店面和规模都扩大了,他把隔壁的店面也租了下来,第一次扩充是在1866年,沿着第十四街和原来的商店相连。到了1870年,商店已经划分成12个不同的部门,除了原来的纺织品部还增加了玩具部、家具部、针织品部和帽子部。1870年的销售总额首次突破了100万美元。从1858年开门营业起的11年间,年度销售总额从8万美元增加到了100万美元,梅西商店在零售业创下了成功的奇迹。梅西在享受成功喜悦的同时,考虑着未来的扩充计划。为了使店里卖的是样式最好、款式最新的商品,他遍访了伦敦、巴黎、罗马等大城市。商店则留给他的得力助手玛格丽特去掌管。

梅西的生意已经成功了。他利用3次不同的机会想把儿子也带进这一领域。小罗兰·梅西似乎不愿意,或者说他没有能力达到父亲的要求,据说他喜欢跟手下出去喝酒。有一次他在商店里对顾客无礼,从此就没有了他的位置。1871年梅西邀请拉福吉做他的合伙人,和他分担责任、利润和商店的所有权。梅西希望死后有人能够继承他的事业,使他的商店继续生存下去。

在1873年的时候梅西接受了一项新的提议,他把2500平方英尺的地下室租给了一个瓷器批发商拉扎勒斯·施特劳斯以及他的儿子伊西多和内森,梅西曾经向他们购买过为数不多的瓷器。随后,他接受了内森的提议,在商店设立了这一新的部门。这项安排非常成功,瓷器很快就成为整个店里销售量最大的商品,占了全年销售额的10%。

正当店里的生意不断红火的时候,梅西的健康状况却一天比一天差,在医生的建议下,他由妻子露易莎陪同前往德国疗养。梅西一方面庆幸自己在商业上的巨大成功,另一方面也对儿子的表现大失所望,在商店和儿子之间他做出了艰难的选择,在遗嘱里他没有给儿子留下任何股份。罗兰·哈斯·梅西于1877年3月29日去世。他生前的足迹跨越大洋远至巴黎,历经多次失败之后终于获得了惊人的成功,他留下的遗产和创新精神更是鼓舞人心!

泽被后人

梅西逝世之后,商店几度转手,最后一个拥有部分股权的梅西家族成员是梅西的外甥罗伯特·梅西·瓦伦丁,他于1879年去世。由于销售额持续增长,新东家决定不更改店名。1888年,经营瓷器部的伊西多和内森·施特劳斯兄弟成为合伙人,买下了45%的商店股份。施特劳斯兄弟随即推出了不寻常的价格形式,比如说当时买一件衬衫通常是5元钱,他们就卖4.98元,这又是一种有趣的新手段。现在我们或许已经习以为常,但在那时却是罕见的。施特劳斯兄弟的创举非常成功,从19世纪90年代初期开始,每年的销售额都有10%的递增,这种情况就算在经济快速增长的年代也是非常了不起的。到了1896年,施特劳斯兄弟出资120万美元买下了梅西商店的其他股份,成为惟一的店主。同年,商店的营业额超过了700万美元,纯利润则超过了25万美元。

一个时代的开辟者:梅西和梅西百货

随着纽约的不断发展,商业中心也持续向北移动,施特劳斯兄弟知道应该寻找新的地点,开设更大的商店。1901 年 4 月,他们宣布梅西百货公司将要在第三十四街和百老汇大街之间盖一座新的大楼,就像当年梅西把店址选在第十四街一样,这是一个大胆的举措,因为当年的购物中心是在第十八街和第二十三街之间,施特劳斯兄弟也选了一个闹市之外的地区。有所不同的是,现在梅西百货公司已经成为纽约家喻户晓的名字了。

现在的梅西百货商店

1902 年 11 月 8 日,崭新的梅西百货公司开张了。新店占地 23.5 英亩,耗资 450 万美元。新店的经营非常成功,在伊西多和内森稳定的管理之下,营业额不断上升,他们的弟弟奥斯卡也开始在公司负责公共关系。但天有不测风云,事业蒸蒸日上的伊西多和妻子艾达却遭遇了历史上最严重的海难,1912 年 4 月 15 日,他们随着"泰坦尼克"号邮轮沉入了海底。施特劳斯家族失去了亲人,百货公司失去了最主要的领导人。公司在继续运作着,可是内森和伊西多的 3 个儿子杰西、珀西和赫伯特之间却有不少的摩擦。伊西多的儿子们估计梅西百货公司价值 1500 万美元,他们希望内森买下他们的一半股份,或者是他们买下内森的那一半股份。

1913 年底,梅西百货公司归伊西多的 3 个儿子所有。杰西、珀西和赫伯特喜欢促销新产品,随着电力的发明,他们极力向顾客推销新颖的电器设备。他们和发明家爱迪生密切合作,积极推广方便好用的家用电器。不过梅西百货公司也有竞争者,1910 年邻近的第三十二街开了金贝尔百货公司。两家展开了美国零售业史上最激烈的竞争,它们竞相削价以期吸引更多的顾客。当时流行的一句话是"他们又较劲了"。

梅西百货公司的销售额和规模仍在不断地扩张,店面继续向西扩展,几乎占据了从第三十四街到第三十五街、从百老汇大道到第七大道的整个街区。到了1924年梅西百货公司的总面积已经达到45英亩,短短66年的时间,公司从原来1200平方英尺的小店铺发展成为世界上最大的百货公司。一直延续至今的游行传统也是从那一年开始举行的。现在梅西感恩节大游行已经成为美国文化中不可缺少的一部分。这个传统的大游行成为宣布假期来临的最佳预告。影片《第34街的传奇》把梅西感恩节大游行的盛况展现给了全世界的电影观众,这部在梅西百货公司拍摄的影片成为每年的假期经典影片。

1968年,伊西多的孙子、杰西的儿子杰克·施特劳斯以梅西百货公司总裁的身份退休。施特劳斯家族的人不再直接掌管梅西百货公司的业务,他们是最后一批和罗兰·哈斯·梅西有关系的人。

一个时代结束了。

1980年,在梅西百货公司工作了一辈子的埃德·芬克尔斯坦被任命为总经理。当时梅西百货公司在全国15个州,已经拥有将近100家分店,公司利润也在不断地增长。但到了1985年情况却急转直下,梅西百货公司的销售量大幅度下降,年度净收入比上一年下滑了15%。20世纪80年代中期,总经理芬克尔斯坦决定股东无权过问公司的业务。他和他的亲信认为应该采用举债经营的方式,理论依据是:实际工作的人有权拥有公司权利。1985年10月21日,芬克尔斯坦宣布内部收购梅西百货公司。他联合公司350名高层人员一起集资,从其他的股东手里买下了公司。1986年6月,梅西百货公司再度成为由个人经营的企业。为买下公司发放低于面值的债券显然是过分了,1992年芬克尔斯坦举债经营了6年之后,梅西百货公司申请破产。

两年之后,梅西百货公司被联邦百货公司收购。于是联邦百货公司成为全国最大的百货零售商,全年销售额高达150亿美元。他们明白梅西这个名字的特殊意义,因此旗下的大部分商店重新改组、命名,到了1997年共有191家商店被冠以"梅西"这个名字。

今天,如果你走进这家百货公司,仍然会感到非同凡响。一家百货公司就像一本杂志,应该让人浏览每一页。人们逛完了商店以后会说:"这里我看见了10样东西代表潮流"。让顾客知道潮流是什么,这就是它们的使命,这个使命和梅西百货公司的创始者梅西的想法不谋而合。梅西从不气馁,坚持不懈,并且始终对自己的能力和成功充满信心。他从楠塔基特岛的白手起家到纽约的成功巅峰,这个由他一手创办施特劳斯家族薪火相传的现代化百货公司将会把"梅西"这个名字永远流传下去。

站在时代的前沿，这就是我的诀窍。

——康拉德·希尔顿

旅馆业大亨：康拉德·希尔顿

一位诚实、好客的男人白手起家，他在这个任何神话都可能发生的旅馆业里，创造了一番事业并闻名于世，此人便是康拉德·希尔顿！他在茫茫无际的新墨西哥沙漠地区开始了小本经营，逐渐建立了遍布全球的连锁旅馆。他是一位接待数以百万计旅客的旅馆老板，曾一度面临倾家荡产的危胁，但是他最终挺了过来，并获得了坚如磐石的声誉。他在人生征途中实现了自己的梦想，成了总统们的朋友，还娶了一位漂亮的好莱坞影星为妻。他是一个性格复杂的人，在虔诚的信仰和对美好生活的奉献之间搏斗。他过着令人赞叹的美好生活。他的贵客来自全世界！

早经风霜

新墨西哥干旱的土地是那样的贫瘠,19世纪80年代人们对它仍然毫无指望。这就是那些未被开发的西部地区,它仍恪守着传统的价值观念,尽管条件艰苦,但是创业者坚信:只要你努力奋斗,你就能取得成功!

在那开拓的年代,格斯·希尔顿和玛丽·希尔顿建立了家庭。住在索科洛。在庆祝了1887年圣诞节之后,第一个儿子出生了,他们给儿子取名为康拉德·希尔顿。康拉德的父亲格斯·希尔顿身材魁梧,留着车把式的胡子,他洪亮而粗犷的声音总会吸引人们的注意。他拥有镇上的一家百货商店,也涉足任何合法、有利可图的生意。如果没有上门的生意,格斯便驱车进山寻求商机,以毛毯和金块换取毛皮和山狸皮。康拉德·希尔顿从父亲那里学会了艰苦奋斗和讨价还价的本领;而从他母亲那里学到的却是迥然不同的一套价值观。玛丽·希尔顿文静、善良,作为一名开拓型的妇女,她是这个家庭的台柱子。玛丽给她儿子灌输了对天主教的虔诚奉献、对祈祷力量深信不疑的观念。这些混合的价值观——他父亲对工作的热爱和他母亲的虔诚信仰,造就了康拉德早年的性格,赋予了他进取的精神和获取成功的动力。康拉德在孩提时期总是骑着一匹小马到只有一间教室的学校上学。他的数学成绩优秀,并且从许多墨西哥和印第安朋友那里学会了西班牙语。

当康拉德个子长到高于柜台时,便开始在父亲的百货店里工作。他学到了父亲经商的一个基本原则——寻求公平价格。百货店的工作经历为康拉德以后经营旅馆业做了准备。在从阿尔布开克到埃尔·巴索的路线上开车经商的人,偶尔会在索科洛逗留。当格斯一听到火车抵达时,便派康拉德去迎接到达的客人。他要康拉德一定要留住客人,告诉他们只要付一美元就能在清洁的房间里住上一夜,还可以吃上一顿热饭。在康拉德为他父亲的临时旅店拉来旅客的时候,他对参与旅馆生意并不感兴趣。他有更大的梦想!

1910年康拉德22岁,他高大、聪明。希尔顿的家庭成员也增加了,包括康拉德在内,一共有8个孩子。家庭扩大了,格斯的生意也发展了。这个小小的百货店已扩大成为一个兴旺的干货企业,格斯也成为富有的、受人尊敬的商人,在当地以"希尔顿上校"著称。格斯指望儿子继续为他工作,但是康拉德与父亲经常发生冲突。格斯总是苛求别人,而且不断地犯忧郁症。康拉德曾经尽力地与父亲配合,但是他知道父亲永远不会把他视为平等的合伙人。为了摆脱专横跋扈的父亲,康拉德不得不开办自己的分店。

康拉德(左三)小时候的全家福

1911年,新墨西哥成了美国的一个州。新州带来了各种新的政治机遇。康拉德不顾父亲的反对,决心从政。他在新墨西哥州议会的下院当了两年的议员,提出了8项议案,包括公路必须设立路标、禁止在电影中描绘犯罪行为等动议。当康拉德的任期结束之后,他决定放弃政治,他说:"政治太缓慢了,太令人沮丧了!"

但是从政的经验对他以后还是有用的。

城市热气腾腾的生活吸引着康拉德。他参加了在州首府举办的各种豪华的舞会,学会了跳舞,培育了激情。回到家中,康拉德不得不面对父亲咄咄逼人的眼光和"我早就告诉过你,你就是不听"这种讥讽的言语。但是他比任何时候都更加坚定地走自己的路。家人对音乐的爱好,给了他再次尝试的机会。他的妹妹伊娃会拉小提琴,她与她的两个朋友组织了一个小组,称之为"希尔顿三重奏演奏组"。康拉德成为她们的经理、代理人和引路人。他在1916年的整个夏季都忙着为三重奏小组举办音乐会,但是来观看演出的人很少,他们差点破产。康拉德感到沮丧,但是他却未改变。回到家之后,他就立即着手努力实现自己的梦想,既然在圣安东尼奥没有银行,那为什么他本人不能开设一家银行呢?他东拼西凑,凑了数千美元,在圣安东尼奥开办了第一家银行。康拉德担任银行行长、出纳,有时还是看门人,他奋斗了一年多,想尽办法去劝说这一地区的民众将他们的积蓄托付给他,但还是很少有人这么做。最终,康拉德被迫承认开办银行是一个很糟糕的生意。

康拉德·希尔顿26岁了,尚未有自己的事业。看来他别无选择,只能在他霸道的父亲指挥下,继续为百货店工作。

屡败屡战

1918年,全世界正处于战争之中。康拉德·希尔顿萌生了参军的愿望,他入伍了,并被派往法国。他的抱负再一次受到扼制,军队打算利用他在干货生意方面的经验,将他分配到物资供应处———一个远离前线的地方。他被派往巴黎任职,任务很简单。希尔顿的法语不是很好,但他迷恋法国的女人和文化。不久,战争胜利了。当希尔顿在巴黎这个流光溢彩的城市里独享战后的欢乐时,一封电报彻底击醒了他的迷醉,电报内容是:"父亲去世,速回!母亲。"

他的父亲格斯·希尔顿总是要力争第一,在圣安东尼奥镇,他是第一个开着自己的汽车进镇的人。不幸的是,格斯也成了该镇第一次汽车事故的丧生者。康拉德从军队退役之后迅速赶回家中,但是为时已晚,他未能赶上父亲的葬礼,未能向他所热爱、敬佩有时又感到不满的人告别。希尔顿知道父亲希望他能接管百货店。但是,他意识到索科洛县的繁荣年代已经过去,矿井正在枯竭,火车也正在减少班次。如果他想发财的话,财富不会在他的家乡。正如命运注定的那样,夺取他父亲性命的带尖齿的机器正在创造巨额的财富,在得克萨斯州,黑色金子——石油正在一夜之间造就着百万富翁。

1919年春天,希尔顿兜里揣着5000美元去了得克萨斯州。希尔顿并未在油田下注,本分的玛丽和保守的格斯之子是个非常实际的人,他不会迷恋盲目开掘油井的梦想。尽管希尔顿面对机遇,但是他在人生道路上孜孜不倦追求的是成为一名银行家。在西斯科这个石油小镇,机会来了,有一家银行要出售。康拉德决心拥有它,于是他报了价。但就在希尔顿即将到手的时候,银行主抬高了价格,他非常失望。希尔顿来到了附近的摩布莱旅馆,他站在旅馆前厅里思考着如何说服那位脾气不好的银行主把价格降下来,突然注意到眼前这家旅馆的利用率非常之高。经过进一步的调查,他发现旅馆分三班营业,以小时计算出租房间,但是仍有一些客人被拒之门外。于是,他想如果不能成为银行家,为什么不能成为一名旅馆经营者呢!康拉德找到了摩布莱旅馆的老板,老板表示愿意出售旅馆,因为他想去油田发财。康拉德花了4万美元,买下了他的第一家旅馆。摩布莱旅馆有40间客房,每周进账为2000美元。当希尔顿拥有这家旅馆的时候,他就决定要把它变成一座金矿。摩布莱的大部分顾客是油田工人,希尔顿知道他们想要的是一顿好饭菜、一些烈性酒和一个小房间。所以他拆掉了旅馆的门厅,这样可以增加客房。他又建了一个酒吧和餐馆,以合理的价格给顾客提供一顿满意的饭菜。这样,顾客得到廉价的服务,希尔顿也赚得了利润。摩布莱取得了极大的成功,这使希尔顿完全忘记了银行业。不久,从摩布莱赚到了足够的钱使希尔顿得以在得克萨斯的一些小镇上收购了一批旅馆。他在父亲百货店柜台上学到的精明的讨价还价技巧帮了他很大的忙,他总是以最低廉的价格买到旅馆。这些旅馆是需要整修的破旧亏损旅馆,但是它们个个都有潜力。希尔顿创立了一个重要的经商理念——"挖掘黄金",或者称"从现在的每一块场地中挤出美元"。他把门厅一分为二,来增加客房和扩大酒吧;把漱洗室改建成礼品商店;把柜台出售给广告商。希尔顿的战略成功了,利润滚滚而来。随着生意的发展,希尔顿需要一个口号,一个时髦的口号,能向人们宣传他的旅馆的宗旨。思索了几个星期,他仍然总结不出自己经商的哲学。突然,他想到了两个词:"最低"、"最高"。他喜欢这两个词的发音,但是它们意味着什么呢?刹那间,他想到了——以最低的价格提供最高的服务,这正是他的主张。希尔顿找到了他的口号!到1925年,希尔顿的小城连锁旅馆已达8家。他的年收入为10万美元。

希尔顿是一个虔诚的教徒,他恪守对母亲做出的保证,每星期都参加弥撒。在教堂里他遇见了玛丽·巴伦。玛丽是从肯塔基来此访友的,希尔顿被玛丽的栗色长发、欢快微笑和蓝色眼睛给迷住了。这是一种充满激情、旋风式的求爱。1925年10月19日他们结婚了。他们看来是完美的一对。玛丽喜欢操持家务,做她丈夫喜欢吃的菜肴——金枪鱼面条砂锅。她经常抽时间为丈夫熨烫做生意时穿的西服。生活过得幸福而充实。几年后他们就有了3个儿子。希尔顿对他的生意有一个长远的计划,他在努力奋斗着,很少给家庭生活留出时间。当希尔顿的家庭在扩大时,他的

旅馆业也在发展。到了19世纪末,希尔顿在阿尔布开克创建了对他来说第一家真正意义上的旅馆,在达拉斯的另一家旅馆也在建造之中。40岁时的希尔顿正处在上升时期,他的经商投资和无限热情闻名于整个得克萨斯州。他取得了同行们的尊敬,成了一个富翁。

然而,灾难降临了。1929年10月的经济大萧条给美国带来了巨大的损失,数以万计的企业倒闭了。几乎在一夜之间,希尔顿的生意停顿了。更糟糕的是他最雄心勃勃的项目——达拉斯市中心的高层饭店马上就要建成了。由于受到大萧条的打击,希尔顿负债累累。在不到一年的时间里,他除了保住埃尔帕索旅馆之外,一切都丧失殆尽,正在扩大的旅馆王国消失了。

希尔顿没有认输,他重整旗鼓,勒紧裤带,继续工作;他从未像现在这样艰苦奋斗过。为了减少供暖支出,他命令封闭各个楼层,用木板加封各个房间。他甚至减少墨水瓶中的墨水。有一段时间他负债50万美元,名下已经没有分文。但是希尔顿估计,他只要保住埃尔帕索旅馆,便有可能生存下去。因此,当埃尔帕索旅馆的租赁费到期的时候,希尔顿便飞赴密苏

埃尔帕索旅馆

里,那里有一位银行家曾经答应借给他维持旅馆所需的4万美元,但这位银行家对这笔交易反悔了。希尔顿陷入绝望之中,如果失去埃尔帕索旅馆,他也就毫无指望了。他的谈判能力又一次帮了他大忙。一回到得克萨斯,他便立即安排同他母亲和旅馆的一些供货商会晤。他表示,如果他们每个人出资5000美元帮助他偿付租赁费,他就保证买他们的货。争论非常激烈,最后有一个人打破了沉默:"好吧,康尼,这是我的5000美元!"其他人以及他的母亲都提供了5000美元,他凑得了4万美元。希尔顿紧握着钱跑向电梯,下了电梯后直奔这家银行,付清了租赁费。他说假如他付不了这笔款项,他将失去一切。希尔顿保住了埃尔帕索旅馆,但是他还远未摆脱财务困境。他坚持着,决心保住他的信誉。其他的旅馆都倒闭了,只有希尔顿旅馆勉强支撑着;其他人破产了,他没有破产。他的律师

们同他争议,恳求他采取申请破产的做法,他却一边用拳头重击桌子,一边说:"我绝不采取申请破产的做法!"希尔顿从未破产,当国家从萧条的灾难性后果中复苏时,希尔顿的业务也得到了恢复和扩大,希尔顿摆脱了困境,获得了新生。他获得了比财产更有价值的东西——坚如磐石的声誉!

希尔顿为他的艰苦奋斗付出了代价,他的生活和家庭遭到了严重的损害。他很少回家,即使回家也总是疲惫不堪。玛丽受够了这一切,她感觉受到了怠慢和抛弃,她在1931年提出了离婚诉讼。对希尔顿这样虔诚的天主教徒来说,离婚是一个灾难性的打击。经济萧条夺走了他钟爱的女人并且毁掉了他的财产,但是并没有完全摧毁他的事业。到20世纪30年代末,希尔顿开始购置新的财产。他意识到经济复苏最强劲的浪潮将来自西海岸。1940年,希尔顿离开了埃尔帕索,去寻找在金融和社会两方面都更灿烂的阳光,他走上了改变自己生活的旅程。

时代号角

希尔顿很精明,西海岸——别人把它视为灾难之地,而他却看到了机遇。太平洋战争给西海岸带来了恐怖,当其他人因为害怕日本人入侵而逃跑的时候,希尔顿却决定在此发展。他认识到,由于日本人入侵的可能性,许多人认为西海岸可能遭到入侵,因此房地产正在降价。事实上,他往往通过谈判以购买地下室的低廉价格在洛杉矶购得城市豪宅的房产。差不多可以这么说,他得到了讨价还价的本钱,那就是价格。

希尔顿的最新房产为他创造了新的社会生活。他决定稍稍地轻松一下,享受这来之不易的成功。他和儿子们在贝弗利山庄的舒适住宅当中享受着悠闲生活——划船、钓鱼。每天晚上他都出去跳舞。在夜总会的一次活动当中,希尔顿遇见了一位野心勃勃的年轻女子。她正试图在好莱坞发迹,她就是22岁的前任"匈牙利小姐",这位年轻的影星名叫莎莎·加珀尔。对于莎莎来说,希尔顿拥有一位美国男士所应有的一切——高大、热情、富有。当他们跳第一支舞的时候,这一位旅馆老板紧抱着她,她悄悄地对他耳语说:"我想我会使你娶我的!"希尔顿被这位匈牙利美女吸引住了,被她的魅力迷住了。几个月之后,他便向她求婚。他生意上的助手们认为他太糊涂了,他们说这是一个淘金者,一个眼睛盯着希尔顿数百

希尔顿和他的三个儿子

万美元的刁妇。希尔顿对他们的议论不屑一顾，他对莎莎的爱竟是那样的热烈，以至于他无视自己的宗教信仰。1941年，希尔顿和莎莎结婚了。

有了莎莎的伴随，希尔顿准备迎接下一个最伟大的挑战——向纽约进军。

当他瞄准了"大苹果"时，华尔街有议论说希尔顿是一个傻瓜，是一个乡下来的土包子，他不懂得旅馆业是最糟糕的投资行业。但是，希尔顿认为战后的繁荣正在来临，它将使旅馆业得到空前的发展。他以他的审时度势和对自己的信心，收购了罗斯福饭店。但是，当他瞄准广场饭店——这个城市最受尊敬的设施之一时，纽约人开始慌了。上流社会不能容忍那个得克萨斯的"野草籽"飞进这个城市，让他来经营纽约最好的旅馆。希尔顿很精明，他懂得"传统"是他购置的这份财产的重要组成部分。当希尔顿宣布广场饭店将照原样保存下来的时候，纽约人松了一口气。在纽约的收购完成之后，他又购进了当时世界上最大的旅馆——芝加哥有3000个客房的史蒂文斯饭店。他将它重新命名为"康拉德·希尔顿饭店"。希尔顿不久就可获得超出他原来所梦寐以求的成就。

20世纪40年代中期，康拉德·希尔顿正在腾飞。他在贝弗利山、纽约、芝加哥都收购了一些显赫的饭店，获得了美国最成功的企业家之一的美誉。但是希尔顿的私生活刮起了风暴。自从他和莎莎结婚以来，他们之间的关系一直充满着狂风暴雨，一种反复无常的激情和悔恨交织在一起。希尔顿总是说如果他再多等一个小时的话，他就绝对不会同莎莎结婚。他是一个十分虔诚的教徒，一生信仰宗教，这也是他同莎莎这场婚姻的问题之一。直到娶了她之后，他才认识到宗教对于他是何等重要。他们在1946年离婚了，这就消除了希尔顿对违背宗教信仰带来的负疚感。在他离婚一年之后，深深的悲痛又一次降临。他最尊敬的女人——他的母亲于1947年8月去世了，享年85岁。

希尔顿陷入了极度的悲痛之中，为了克服忧伤他一心扑在工作上。

纽约广场饭店

随着他工作热情的高涨,他的梦想也在膨胀。1948年,他的公司改为股份有限公司。他的股票猛涨。他成了冉冉升起的新星。投资者们都希望成为他旗下的一员。希尔顿不会辜负他们的期望。像希尔顿旅馆这样规模的经营者,他的梦想只能指向一个地方,顶峰——纽约的华尔道夫·阿斯托里亚饭店。希尔顿确信只要采取积极的态度,事情就会有积极的结果。他的办公桌上放着一张华尔道夫饭店的明信片,上面写道:"这是饭店之最!"他对自己说:"将来总有一天我将得到这家饭店。"1949年,希尔顿最终控制了这家有名的饭店。这个来自新墨西哥州的帮着他父亲出租房间的男孩,将永远以"华尔道夫饭店收购者"而闻名于世。他购置的华尔道夫·阿斯托里亚饭店成了他横跨东西岸饭店王国皇冠上的一颗明珠。

希尔顿成了美国最富有者之一,他的财产净值约1亿美元。他成了闻名全球的人物。对华尔道夫·阿斯托里亚饭店的所有权将希尔顿带进了世界领导人的圈子——他成了艾森豪威尔总统的好朋友。他经常是总统的高尔夫球友,还说服了艾森豪威尔在华盛顿特区的五月花希尔顿饭店做早餐祈祷,并举行国会会议。人们开始研究希尔顿的成就,他用的是什么点金术呢?有些人认为,他具有超人的财产价值观;另一些人指出,是他坚忍不拔的品德吸引了投资者和他的员工们对他无限忠诚。"他会

苦苦地讨价还价,但是他从不在交易中欺骗任何人,他是一个非常光明磊落的人。"希尔顿基金会会长如是说。

希尔顿从早年开始就长期全身心地投入工作,他现在仍然艰苦奋斗。但是他玩乐时也同样充满激情。他的规则是每晚六时起便不想与任何人讨论生意上的事。在那时,他想的是外出跳舞。希尔顿的舞伴总是漂亮的女人。他从不为倾心女人而感到歉疚。他对"大世界小姐"的露天表演很在行,他在贝弗利山希尔顿饭店款待客人。跟随他的是大儿子尼克。尼克有着四处游逛的名声,他是一个总把眼光盯在女人身上的花花公子。正如希尔顿的父亲在许多年以前想要他接管干货店一样,他现在也想要尼克接管他的旅馆王国。像希尔顿年轻时一样,尼克的头脑当中也想着一些别的事情,尼克对晚会比对利润更感兴趣。1951 年,尼克娶了名叫伊丽莎白·泰勒的好莱坞漂亮女演员。当时的报道说:"激动的影迷们看到18 岁的伊丽莎白·泰勒到达古德·谢帕德的贝弗利山教堂,她将在那里嫁给小康拉德·希尔顿——一个庞大旅馆王国的继承人。"他们的婚礼是这10 年社交场上最重大的事件——好莱坞明星和大企业家爆炸性的结合。然而,这两个人 7 个月之后便离了婚。

这些家庭问题没有能够阻碍希尔顿扩大他的事业。1954 年,他以11000 万美元收购了斯塔特勒连锁旅馆,共有 10 家旅馆,是仅小于希尔顿旅馆的第二大连锁旅馆。斯塔特勒这一笔交易将希尔顿的旅馆企业扩大到了 28 个旅馆,是路易斯安那采购以来创纪录的最大的地产交易。

桑榆晚景

康拉德·希尔顿还以其他方式创造历史。

在 20 世纪 50 年代后期,他把眼光放到了新的地平线上,一个尚未被美国企业开发的领域。希尔顿认识到航空旅行使世界变小了,未来的几十年当中美国人去国外旅游肯定激增。这些旅游者需要合适的旅馆——美国式旅馆,很显然它就是希尔顿旅馆。希尔顿在国外建旅馆的第一次尝试是在波多黎各。波多黎各政府也希望将旅馆设施引进它的国家,于是向这一位受尊敬的旅馆业主发出了邀请,询问他能否在波多黎各建造旅馆。希尔顿对邀请做出了回答。采取这一做法,他是惟一的一个人。此举给波多黎各人留下了深刻的印象,他们选择了他。这是希尔顿国际性旅馆公司的开端。

在卡里布希尔顿饭店开张之后,希尔顿又开始建造一些最豪华的国际饭店。闻名于世的希尔顿连锁饭店又增添了一环——哈瓦那希尔顿饭店。1958年3月19日,希尔顿正式宣布哈瓦那希尔顿饭店开张。希尔顿希望,这一海滨胜地将成为实现他建立世界旅馆王国之梦的台阶。希尔顿要为他每一家旅馆的开张举办奢华的庆祝活动,哈瓦那也不例外。不断有飞机降落,带来准备在新的哈瓦那希尔顿饭店度假的客人。海达·霍珀和欧内斯特·海明威等社会名流都赶来庆贺,欢庆活动持续了许多天。同往常一样,总有一位迷人的女人伴随着希尔顿。每一次开张庆典的传统节目是希尔顿跳瓦索维亚纳舞,这是他少年时代从新墨西哥州学来的舞蹈。在哈瓦那希尔顿饭店,他第一个走进舞池,伴舞的是著名的舞蹈家——他的好朋友安·米勒。

事业上的成功抵挡不了厄运的发生。一件不幸的事即将使他陷入灭顶之灾。

他的大儿子已经成为希尔顿旅馆王国不可缺少的一部分。有一次,希尔顿曾考虑让尼克担任这个王国的最高领导。然而,1969年3月31日,一个佣人发现尼克已死于心脏病,时年42岁。这件事使希尔顿感到极大的震惊,当时他已经85岁了。

可能因为尼克的去世或是年事已高,朋友们注意到,这位曾经精力充沛、我行我素、喜欢通宵达旦的晚会的旅馆业巨头,行动开始迟缓了。他每天仍然在他的城市豪宅的办公室里工作,依然喜欢女朋友的陪伴。但当他再次结婚时娶的并不是年轻的好莱坞影星,这也是他最后一次为爱情而结婚。因为他的第一任妻子已经去世了,这在天主教会的心目当中,希尔顿已经有了再婚的自由。他在87岁高龄时娶了60岁的弗朗西斯·凯利为妻。希尔顿在贝尔·艾尔这一富丽堂皇的别墅当中度过了心满意足的暮年生活。他称别墅是一所"情趣盎然的住宅"。

1978年希尔顿去世了,享年91岁。

希尔顿一直十分活跃,直到生命的终结。他总是每一个新希尔顿饭店开张庆典的参加者,总要跳他的"好运舞"。在他去世时,希尔顿饭店已遍布全世界,数目增至 184 家,营业额达 5 亿美元。今天,希尔顿饭店增至 233 家,营业额高达 40 亿美元。希尔顿最持久的遗产就是他设立的希尔顿基金会。希尔顿的遗嘱规定,将他价值 3 亿美元房地产的 1% 赠给这个慈善机构。希尔顿基金会会长唐纳德·哈布斯说:"他遗嘱最基本的要旨,是消除人类的苦难……"

给顾客质量,这就是全世界最好的广告。

——米尔顿·赫尔希

巧克力之王:米尔顿·赫尔希

　　一百多年前,有一位美国人突然来了个灵感,他说:"只有巧克力才是永恒的,我要把它推销到全世界,让它成为和酒一样不可缺少的东西,成为最浪漫的食品!"他成功了。他没有受过多少教育,但他建立了一套出色的教育体系;他很少写作和阅读,但却创立了一个惊人的商业国;他羞涩、不爱说话,但却拥有博爱和忠诚的品格;他是个百万富翁,但关心他人胜于关心自己;他十分节俭,但从不会对需要帮助的人袖手旁观。不懈的努力和永恒的信念使他得到了上帝的格外眷顾,就在他给世界带来无数欢乐的同时,他的名字连同他神奇的产品——巧克力一起享誉全球。他对于巧克力的贡献犹如亨利·福特对于汽车的贡献。他就是米尔顿·赫尔希。

早年困顿

在 19 世纪中期,宾夕法尼亚州的德里镇和多芬县的很多居民都是门诺派教徒,他们虔诚而骄傲地信仰着上帝,辛勤地干着永无休止的农活。米尔顿·赫尔希的父亲亨利·赫尔希是一个既平凡又古怪的人,他是个梦想家,虽然没受到过正统教育,但博览群书。他有层出不穷的新主意,因为没有决心、金钱或门路付诸实施,所以很多想法都只停留在构思阶段。门诺派牧师的女儿维罗妮卡·斯奈弗里,人们都叫她芬妮,是个严格、专注而吝啬的女人。她同亨利·赫尔希相遇之后,双双坠入了爱河,他们很快就结了婚。1857 年 9 月 13 日他们的第一个孩子出生了。这时亨利遇见一位刚有了儿子的朋友,他问:"你给孩子起了个什么名字?"那个朋友回答说:"米尔顿。"亨利说:"这个名字很好啊,我的儿子也叫米尔顿吧!"

亨利在 1860 年把家迁到了宾夕法尼亚州的泰特斯维尔,希望赶上第一次开采石油的热潮,然而这只是一连串失败的开始。虽然 1862 年女儿莎蕾娜的出生给全家带来了喜悦,但亨利的不走运让芬妮十分恼火。

1866 年,亨利又把全家迁到了兰开斯特县的一个破落农庄。芬妮不喜欢这里,把它叫做"乱石岗"。亨利和米尔顿却喜欢这里与众不同的山、水、峡谷和人。亨利不是一个成功的人,但当他遇到挫折时,他会说:"事情已经发生了,计划下一步应该怎么走吧,我不会因失败而停止!"这正是米尔顿从他父亲身上学到的。1867 年,米尔顿 4 岁的妹妹在随同父亲亨利外出的时候死了。从此,亨利作为丈夫算是从芬妮的生活中消失了,芬妮乐意被别人当做孤儿寡妇一般看待。

米尔顿在兰开斯特当油漆学徒的时候,遇到了相当大的挫折,母亲芬妮便出面指点迷惘的儿子,她要求他去做一些力所能及而又有需求量的事——去做食品。米尔顿振作起来,他想起了自己的蛀牙,便对母亲说他对糖果有兴趣。当地的约瑟夫·罗耶是位甜品大师,他在国王西街开的冰淇淋店是附近富兰克林和马歇尔学院的学生们最向往的地方。米尔顿 14 岁那一年开始向罗耶学艺。

1876 年 6 月 1 日,18 岁的米尔顿在大城市费城开办了他的第一家糖果铺。本钱是从姨妈玛尔塔·斯奈弗里那里借来的 150 美元。玛尔塔姨妈大力支持米尔顿的事业,她不但资助他,而且还参与其中和他一起做生意,她用的全是自己的私房钱。这间新的糖果铺位于偏僻的春园街,有 80

平方英尺。米尔顿在这里经营了5年,他养成了辛勤工作的习惯,常常在实验室一呆就是十五六个小时,然后回家睡四五个小时,再回实验室继续开始一天的工作。与他父亲不同,他知道要想成功就得把所有的精力和心血都投入到这门生意中去。那时米尔顿做了一种他称之为"有点像太妃糖的硬糖",每一颗糖的包装纸上都有一句打油诗,如"红色玫瑰、蓝紫罗兰、甜甜的糖儿甜甜的你"之类。其中一种名叫"法兰西之秘密"的糖果获得了成功,米尔顿从中赚了一笔钱。

但到了1880年,费城的太妃糖生意每况愈下。玛尔塔姨妈不得不写信给吝啬的兄弟亚伯拉罕,为她的外甥米尔顿求助。亚伯拉罕极不情愿地寄来了一些仅够维持生意的钱。米尔顿的父亲亨利——老梦想家也来了,米尔顿支付给他一周4美元的薪水,但玛尔塔

18岁的米尔顿在偏僻的春园街
335号开办了他的第一家糖果铺

姨妈后来把他赶走了,因为糖果铺正面临破产的局面。

生意失败后,米尔顿前往丹佛去给一个糖果商打工。当时那个糖果商的产品是用新鲜牛奶制成的,而且追求使糖果可以在货架上放更长的时间。这对米尔顿有很大的影响,因为他原来只是将糖果在当地出售,并不考虑把它们保存更长的时间。接着米尔顿又先后到芝加哥、新奥尔良和纽约闯荡。米尔顿白天为一家糖果厂工作,晚上在他住所的厨房里辛辛苦苦地做自己的糖果,然后拿到街上去卖。他在纽约的第一家糖果店开在第六街742号。他的父亲亨利感到这里又有了机会,便又赶来帮忙。但就算所有的人都日夜不停地工作,米尔顿的生意还是不如人意,及至他的送货马车和工具被一帮顽童砸坏之后,他终于变得一无所有。

否极泰来

在纽约的糖果生意再次失败之后，米尔顿·赫尔希回到了兰开斯特，他发现老家的亲友们已对他不抱什么希望了。他们不但不掏钱支持他，而且还拒绝接纳他。到后来米尔顿发了财，他不能忘记曾受过的待遇，这些人也未能从他那里得到一点好处。这时一位名叫哈里·莱伯基切尔的人帮助了米尔顿。哈里身材高大，脾气古怪，曾参加过内战，是一家木材厂的职员。他在年轻的米尔顿身上看到了一般人所缺乏的气质，他不但收留了米尔顿，还替他支付了所有从纽约运来的制糖机械的费用。他这样做不是出于生意的目的，而是为了朋友。当米尔顿向他提出重建新厂时，他仍然支持米尔顿。米尔顿永远也忘不了哈里对他的帮助，哈里在他的心目中有着十分重要的位置。几年以后，哈里去世了。在葬礼上，泪流满面的米尔顿悲伤地说："我们刚刚埋葬了我一生中最好的朋友！"

在米尔顿的勉力支撑下，新建的糖果厂得以靠少量的借贷维持经营。他和母亲芬妮以及姨妈玛尔塔夜以继日地在教堂街的糖果厂里苦苦挣扎。米尔顿不怕做实验进行尝试，他的辛苦逐渐换来了成功，这完全是因为他具有屡败屡试的坚毅精神。人们开始喜欢米尔顿做的口感不错的新牛奶太妃糖，没过多久他便需要找资金扩充业务了。这次，命运终于向他展露了笑容。一个名叫德西斯的英国商人注意到了米尔顿的水晶太妃糖质量高、交货准时，因此下了很大的订单。可是几个月过去了，这个英国人却全无音讯。玛尔塔姨妈在兰开斯特国民银行以房子做抵押的为期3个月的700美元贷款，此时也到期了。米尔顿跑到银行去对那些人说："我没法还钱，相反我还要借更多的钱，因为我要买更多的原料。"接待他的人正好是这家银行的负责人布伦尼曼。米尔顿把布伦尼曼带到了他的工厂，工厂并没有什么看头，但布伦尼曼却对米尔顿十分钦佩，他相信他可以成功，所以把自己的钱投资给了米尔顿。就在第二笔贷款到期前5天，米尔顿收到了德西斯的付款，他终于有钱还债了。从这一刻起的4年内，他成了兰开斯特最成功的人。

兰开斯特太妃糖公司在1890年正式成立，米尔顿也由一贫如洗变成富甲一方，他说："给顾客质量，这就是全世界最好的广告。"在米尔顿的一生当中，他始终觉得高质量和糖果纸上他的名字就是他所要做的所有广告。他给自己的糖果起了"杰姆噼啪"、"麦精替丝"、"卷布丁"、"莲花糖"等名字，向全世界出口美味的糖果，可米尔顿最拿手的还是水晶太妃糖。

他的工厂迅速扩大,新厂房一栋栋地落成,分厂和分店甚至开到了兰开斯特以外的地区,他的员工人数很快增加到了1300人。

就在太妃糖公司事业腾飞之际,米尔顿以其远大的目光留意到了海外一种使他着迷的东西,那就是令人兴奋的长在可可树上的可可豆。把它烤、磨,再蒸煮成汁,这便是巧克力的基本成分。1893年米尔顿参观了在芝加哥的哥伦比亚博览会,这次博览会的所见所闻改变了他的事业和一生。他在展馆看到了德国巧克力制造机的示范,大为着迷,脑子里便涌现出无数新鲜的想法。他兴奋地对一位朋友说:"太妃糖只是应景的玩意,巧克力才是永恒的!我要生产巧克力。"但在当时巧克力是种奢侈品,只有最富有的人才买得起,米尔顿却想使它成为普通大众都能消费的商品。他要生产自己的巧克力,并把它推销到世界的每一个角落。

1894年,米尔顿购买了在哥伦比亚博览会上展出的巧克力制造机,拆散运回兰开斯特。随即赫尔希巧克力公司就全速运转了起来,这条生产线生产出了种类繁多的巧克力产品,如"古巴雪茄"、"马尼拉英雄"、"手指小姐"、"奥沙克棒"、"龙虾"等,多达114种。

金钱滚滚而来,米尔顿开始稍稍奢华起来,追求与门诺派朴素生活不同的东西。然而有一天早晨当他醒来,发现镜子里的自己已是一个满身钻石、衣着华丽的人时,他心头一震,想起自己朴素的出身,他对着镜子说:"米尔顿·赫尔希,你真是一个老糊涂!"从此,他再也没有戴过珠宝。

1898年,40岁的米尔顿给家人和朋友带回来一个姑娘,她名叫凯瑟

米尔顿(前中)和他的员工们

琳·斯威尼,25 岁。人们形容她是一个机灵又愉快的人,对生活充满喜悦。米尔顿半生的时间都花在了生意上,遇到对生活充满热情的人便会大为着迷。当这个来自纽约的天主教女孩衣着高贵、精神饱满地进入米尔顿的家庭、与赫尔希老太太分享她的儿子时,赫尔希老太太对这女孩下的评语是"骄傲和自负"。

米尔顿说:"第一个 100 万是最难赚的!"他的第一个 100 万是从出售利润丰厚的太妃糖中赚来的,那个厂给他带来了巨大的财富。但 1900 年米尔顿却以 100 万美元的价格把兰开斯特的太妃糖公司卖给了他最大的竞争对手。很多人都觉得他这一步冒了太大的风险,事实上米尔顿已全身心投入到了巧克力的生意。当时,他正要完成牛奶巧克力的配方,需要用这笔新资金在宾夕法尼亚的山区建造一座新的巧克力工厂。巧克力有幸被米尔顿的这双眼睛发现了,他盖工厂就像是在盖度假村,他要为自己和巧克力建造一个自然环抱中的家。米尔顿选择了在宾夕法尼亚德利教堂附近的草原建造他的巧克力工厂,人们把它叫做"玉米田中的工厂"。米尔顿的许多灵感都来自哥伦比亚博览会,他要建一个完美的城镇,给员工居住、玩乐和工作,以源源不绝地出产无人能及的巧克力。美国博物馆收藏有一张地图,从中可以知道他买地的经过,每一块地都按购买日期编了号码,它展示了米尔顿事业的扩展过程。

米尔顿在做计划时,特别叮嘱要把火车引进这个镇。同时,他要求向工厂提供高质量的洁净水源,然后就是大量的基本原料,包括一吨吨出自最优质奶牛的新鲜而卫生的牛奶。这种奶牛吃着全国最好的草,由全国最好的农夫饲养。为了方便工人上班,他还在计划中设计了一个庞大的公共交通系统,覆盖整个城镇和市郊。米尔顿很清楚地知道他要的是什么,一切不单是为了他的巧克力工厂,还要为工人们提供他们想要的生活环境,这是他富有远见的一面。从他所处的时代和他的年龄来说,这是很了不起的。

古道热肠

米尔顿·赫尔希的长处就是勇于尝试未知的事物,他的方式并不是以科学为基础,而是以经验为基础,他只需要尝试和观察后果,并不要知道是否可以。无论从哪个角度看,他所创建的都是一个现代化的城市。最新的机器取代了单调的人工包装巧克力的生产程序,节约了成本。米尔顿不辞劳苦地亲自制定每一道程序，他找到了滤去多余牛油的方法，消除了牛奶的不兼容性和巧克力的抗液体性特征，缩减了费力而昂贵的打磨时间。当巧克力成功产出的时候，米尔顿大声呼叫："我们成功了！"他的其他生产线开始减产，以求腾出空间来生产令人无法抗拒的牛奶巧克力。他的妻子凯瑟琳自豪地说："看我的爱人做出什么来了！"米尔顿喜欢大批量地生产。有一次，他听说一种名牌手表制造商的手工业来自祖传，他耸耸肩说："想想吧，我的家族三代之中只有一代能够赚钱！"米尔顿永远都是先驱者，他还是第一个在自己的市镇使用汽车的人。他的司机经常骄傲地说，他和米尔顿从没有担心过会发生意外。

米尔顿·赫尔希对工人住房的建造十分留意。他是第一个推行郊区分区编号的人。他还要求房子与房子之间、房子与道路之间都要保持一定的距离。街道的名字都与巧克力有关，或者与可可豆的出产地有关，结果不但有了"巧克力大道"，还有了"可可大街"、"卡拉卡斯大街"和"爪哇大街"等等。在为这个镇取名的比赛当中，提出参选的名字有"赫尔希可可"、"豆谷"、"比特索"、"圣米尔顿"等。幸好还有人头脑清醒，为市镇取了一个理所当然的名字——赫尔希。米尔顿向联邦政府力争要"赫尔希"成为镇上邮局的名字。他还大力游说，说服费城的一家火车公司建造新的赫尔希火车站。一个繁荣的市镇需要一家银行，他又组织建成了赫尔希信托银行。他还为这座首屈一指的市镇盖了一家首屈一指的百货公司，另外还捐出土地盖教堂。

1906年工厂和市镇都在建设中，米尔顿竟然还腾出时间为自己和妻子凯瑟琳修建被延误多时的私人住宅。但这所房子只有几个房间和一个大花园，没有酒吧，没有游泳池，仅有3个工人——一个管家和男女佣人各一个。米尔顿非常爱这个花园，而且老是喜欢把喷水池不停地搬来搬去。他现在总算有地方可以接待商业上的伙伴和朋友了。在这里，他们找到了安宁和乐趣。他们很希望有孩子，但是各种迹象都表明，米尔顿同身体每况愈下的凯瑟琳是永远不可能有孩子了。他们开始计划一件令他们步向人生成就最高峰的事——建造一所孤儿院。这与米尔顿的童年有关，小时候父母离异，他觉得自己像个孤儿似的。他想建立一个安定的环境，给和他一样有着不幸童年的孩子们居住。米尔顿说："如果我可以认养他们当中的任何一个做亲生儿子，什么代价我都愿意付出。"这所孤儿院被命名为赫尔希工业学校，是专为孤儿提供食宿的学校。因为没有继承人，米尔顿把在公司里的所有的股份都用来维持这所学校，在当时这可

赫尔希火车站

是令人震惊的 6000 万美元。而且这笔款项还在不停地增长，它给无数年轻人创造了他们连想都没想过的生活。大多数学生住在一楼舒适的宿舍中，还配有细心的看护员。每个学生除了学习关怀社会之外，还要学习工科项目。许多年以后，赫尔希学校的成长规模连它的创始人也未曾意想到，这是对米尔顿与凯瑟琳·赫尔希的最佳赞颂。

赫尔希镇仍在不停地扩展。1909 年米尔顿创办开张了赫尔希公园，仅仅那个夏天，公园就接待了 10 万游客。米尔顿的露天剧院 1911 年落成，他开玩笑说："这个露天剧院得到了上帝的认可！"因为整个夏季都没下雨。社会和人民都在不断地从米尔顿的财产中得到利益，这样的好人，上帝也要照顾的。1912 年春天，因为急于从国外赶回来，米尔顿取消了乘远洋邮轮"泰坦尼克号"的打算，所以侥幸没有跟它一起沉没海底。

不幸的是，凯瑟琳的神经系统疾病逐渐恶化，赫尔希夫妇只得以环游世界来忘记生病的痛苦。死神很快就光临凯瑟琳了，在去费城的途中，她的病情急剧恶化。1915 年 3 月 25 日，她的心脏停止了跳动。凯瑟琳去世之后，家庭的欢笑声也随她而去。米尔顿经常在书房和楼梯间徘徊，他无法接受妻子的死亡。为了逃避悲伤，米尔顿把个人和生意上的注意力转向了古巴这个阳光普照的小岛，这里不但治疗了他受伤的心灵，还把赫尔希王国带到了一个更高的境界。

中流砥柱

米尔顿来到了古巴这个亚热带岛屿，解决了一直困扰他公司的原材料供应问题，这就是稳定、廉价和源源不断的白糖供应。他在北圣克鲁斯附近建造了一家最好的提炼厂，开始提炼白糖，并用自己的火车在自己的铁路上运送。一如在本土，他在房屋、学校和医疗方面对员工非常优厚，为古巴也创建了一个乌托邦城镇。

20世纪20年代，米尔顿预见到白糖会短缺，他以差价买下了大批蔗糖的期货，以便使他的工厂有充足的糖源。然而糖的市场崩溃了，他必须为他的差价补仓，在当时损失了数以百万计的资金。米尔顿不得不从纽约市国民银行借了不少钱，为了保障银行利益，银行派了一位执行人来到他的公司进行监督。米尔顿对监督人的苛刻十分不满，在随后的两年当中，他把自己和自己控制下的公司置于这样一种境界，那就是在最短期内把借贷的钱还给纽约市国民银行，赶走那个监督人。在债务还清的那一天，米尔顿要求那个监督人立刻从厂里消失，他说："那是我一生中最痛快的时刻之一！"

1929年股票狂跌，引发了严重的大萧条，商业疲软，等着领面包的人龙越来越长。米尔顿不甘心让灾难入侵他的伊甸园，他不但没有解雇员工，反而聘用更多的员工；不但没有收缩业务，反而盖了更多的分厂。之所以敢冒天下之大不韪，米尔顿在大萧条时有他自己独特的看法。当国内别的地方正在经历极为严重的经济和财政危机时，他们却是当时一次大型建设计划的受惠者，其中一项便是建饭店。有意思的是灵感来自一张从埃及寄来的明信片，明信片上是一家只有30个房间的酒店。米尔顿把明信片交给一位建筑师，要求盖一家有200个房间的大饭店，后来规模缩小到170个房间。饭店坐落在米尔顿和凯瑟琳多年前选的山冈之上，成了赫尔希镇迷人的贵妇，俯视着整个巧克力工厂。它有大理石地板、皇室套房和长廊，餐厅是圆形的，任何一个顾客都不会有被安置在角落里的尴尬，建成时大萧条已经过去。早在饭店动工的时候，米尔顿看到一部蒸汽挖土机，工头对他说："这部机器可以代替40个工人。"米尔顿立刻说道："把它拿走，给我找40个工人来！"他就是如此地注重工人的福利。

1937年时一些工人在工厂进行静坐抗议，米尔顿受到了很大的刺激，他感到工人背叛了他。那时到处都有罢工，全国的情况十分不妙，这股浪潮终于侵袭到了赫尔希公司。但这是不可想像的,因为在赫尔希公司工作的人都有一份好工作,而且他们也热爱自己的工作。这使得忠心的员工组织在一起,还有一些农夫也加入到他们当中。他们到处驱赶静坐的罢工工人,真可说是一场混战。大罢工那一天刚巧是赫尔希80岁的生日,在一个大球场举行的大型生日派对中,很多人甚至包括那些罢工者都聚集在一起为他庆祝,他高兴地哭了。

米尔顿最后一次为国效力,是在第二次世界大战期间。他预见到发展高营养巧克力条的需要,因为巧克力可以让士兵在战场上随身携带作为干粮。士兵每天的配给包括3块巧克力条,每条大概有4盎司重,它们有600卡路里的热量。这些巧克力成了士兵们的至爱,在肚子饿的时候,它们是最好的恩赐。米尔顿的不易溶化的热带巧克力条被视为一个小小的神奇发明,使他获得了海军和陆军的4个奖章。

88岁的米尔顿在生命的最后一年里,还在试验新的糖果,而且要他的护士来品尝。他顽皮地创造了西芹、胡萝卜和马铃薯冰淇淋,他的甜菜雪糕出奇地成功。米尔顿一直撑到大战结束,他的88岁生日派对是在老家举行的,他无法活到90岁去访问古巴,看一看新厂的落成。米尔顿的心脏在1945年10月13日停止了跳动。他被葬在赫尔希墓园,就在他所创建的宁静而繁荣的市镇中心,享受着甜蜜而平凡的巧克力乐趣。

米尔顿·赫尔希去世了,而巧克力风行全球。据说巧克力还能促进爱情,所以常常被选为情人节的礼物。

　　我最大的期望是人类社会的苦难——战争，能永远地从地球上消失。

——乔治·华盛顿

美国"国父"：乔治·华盛顿

　　乔治·华盛顿：战争第一人，如果没有他，很难想像独立战争会这样结束；和平第一人，他曾是美国最著名、权力最大的人，然而他却放弃了官职；美国人民心中的第一人，他本可以通过选举成为国王，人们对此深信不疑，但他所追求的只是得到广大人民的尊敬并使自己永垂青史。作为美国的第一任总统，华盛顿的形象已经是半人半神了，他像一位威严的勇士，俯瞰着自己所创建的国家。他有着精明的头脑和过人的毅力，其一生的作为带给了美国人民永无止境的启示，两百年来，这已成为美国社会进步的无穷动力。没有华盛顿，就没有今天的美利坚合众国，他是美国的国父，没有人可以否认现代美国的好是从他开始的。

年轻勇士

　　1732 年 2 月，被称为美国"国父"的乔治·华盛顿，出生于弗吉尼亚北部的帕伯斯克里克地区附近。华盛顿的父亲奥古斯丁·华盛顿是一位颇为成功的种植园主，他一生所追求的就是土地和社会地位。在他的努力下，全家生活富裕，绝对不用为生计而担忧。华盛顿家族有一枚珍贵的祖传盾形纹章，它的历史可以追溯到中世纪的英格兰，尽管如此他们却不属于弗吉尼亚的上流社会。华盛顿从小就渴望成为一位高尚而正直的人，办事极为公道，这与他受到修养极好的父亲智力上和道德上的熏陶有关。他学会了骑马和跳舞，举止文雅，彬彬有礼。

　　1743 年，华盛顿的父亲去世了，时年不到 50 岁，这使华盛顿进入上流社会的努力变得更为艰难，只有十几岁年龄的他，一夜之间似乎已长大成人。他和母亲的关系不是很好，父亲去世后母亲指望他能把整个家撑起来，因此华盛顿成长得非常快。他从同父异母的哥哥劳伦斯·华盛顿那里，学会了如何做一个男人。劳伦斯与有权有势的费尔法克斯家族一位女子结了婚，他是伯杰西的议员，还是隶属英军的美国团的一名军人。华盛顿敬仰这位兄长，渴望成为像他那样的人。劳伦斯鼓励弟弟学习测量，于是华盛顿开始努力学习地理和数学知识。当他还只有十几岁时，就开始为弗吉尼亚富有的农场主丈量土地，从中也得到了金钱和荣誉，因为当时测量员享有与医生和律师一样的社会地位。

　　华盛顿在年轻时代曾迷恋于莎丽·费尔法克斯，她来自弗吉尼亚最富有的家族，见多识广，漂亮而又轻佻，遗憾的是她已经结婚了。华盛顿曾为对莎丽的爱得不到回报感到痛心，更令他痛心的是，几年后劳伦斯因肺结核而去世。华盛顿失去了一位兄长、挚友和自己的人生榜样，他几乎绝望了。后来，他继承了劳伦斯在波托马克的财产——弗农山庄，同时也继承了劳伦斯对军队和戎装的热爱。那时，华盛顿身高已是 6 英尺 3 英寸，体格健壮，外貌庄严，充满了个人魅力，他是一位天生的军人。华盛顿内心深藏着冒险的强烈愿望，职业使他得到了部分的满足，因为测量让他有机会深入弗吉尼亚西部荒芜的土地。然而，对一位年轻人而言最大的冒险莫过于战争。

　　18 世纪 50 年代，英法两国为争夺在北美的领地和利益而发生的冲突加剧，双方都宣布对位于今天匹兹堡附近的俄亥俄河谷地区拥有主权。弗吉尼亚总督罗伯特·迪威蒂感到不安，他写了一封措辞严厉的信，要求法国人放弃这块土地。但是递交这封最后通牒需要穿越一片人迹罕至的危险地带，这需要一个不卑不亢、机智勇敢的人去完成任务。时年21岁、雄心勃勃的华盛顿主动请缨，率队出征。在这次行动中，华盛顿表现得谨慎、精明、果敢而坚定，他经历了种种意想不到的危险，最终完成了使命。3个月之后华盛顿回到故乡，开始着手以日志的方式记述这次充满危险的旅程。1754年夏天，他的日志被刊登在报纸的头版，乔治·华盛顿得以首尝荣耀。他还向英国总督写过一份报告，美洲和欧洲都发表了这份报告，华盛顿立刻声名鹊起，因此在他还十分年轻的时候，大西洋两岸就已经风闻其人，并称他为"华盛顿上校"。这一时期华盛顿在书信当中表明了自己对宗主国英格兰的信任，他称英国国王是最好的国王，和当时大多数弗吉尼亚人一样，他自认是英国忠诚的臣民，当然他认为自己首先是一名战士。

英法两国矛盾不断上升，1754年，年仅22岁的华盛顿再次北征抗击法军，这时他已是弗吉尼亚军团的一名中校。他率众突袭了法国的一支正规军，法国和印第安战争由此爆发，这是华盛顿第一次亲历战斗。后来华盛顿又有两次回到俄亥俄河谷与法军作战，在一次行动当中，他隶属英军爱德华·布雷多克将军，战斗结果是包括布雷多克在内的900名英军将士阵亡。华盛顿从阵地上抢回了布雷多克的尸体，并率队撤退。这是英国历史上最尴尬的一次惨败，它给华盛顿留下了终身的烙印，也塑造了他作为未来军事领导人的性格，他认识到也永远不会忘记战争需要付出的惨痛代价。

自参军之日起，华盛顿就以勇气和作风激发起战士们对他的尊敬和忠诚。华盛顿梦寐以求的理想是成为英军的一名军官，并为之努力。然而，作为北美殖民地的一名军人，与英国正规军相比他们受到了歧视性的待遇，这深深地伤害了华盛顿，为此他于1758年辞去军职。当时，华盛顿认定自己的军旅生涯从此结束，取而代之的是弗吉尼亚种植园主的新生活。

爱国绅士

1758年，26岁的华盛顿已是九死一生，作为"最勇敢的人"他赫赫有名，但他却回到弗农山庄，过起了南方绅士的生活。他开始追求弗吉尼亚最富有的寡妇玛莎·卡斯蒂斯。玛莎聪明随和，他的第一任丈夫丹尼奥·帕克·卡斯蒂斯出身名门望族，去世之后给玛莎留下了一大笔财富和两个年幼的孩子。恋爱不久，华盛顿和玛莎于1759年1月结婚。玛莎和华盛顿在一起时虽然只有27岁，但她却再也没有怀孕，被后人称为"国父"的华盛顿没有自己的孩子。

1759年乔治·华盛顿和玛莎结婚

　　婚后华盛顿开始了一个农场主的生活，他种植了烟草、玉米和小麦，还养了猪，此外他还想出了按照节气种植不同庄稼的新方法。华盛顿没有正式学过设计，但他却把自己的寓所扩建成一幢颇具规模的宅第。弗农山庄是他的领地，华盛顿就像一位指挥官那样经营着这个山庄。

　　华盛顿的责任感和社会地位使他必然要去竞选公职，1758年他当选为伯杰西议员，和佩特里克·亨利这样的热血人士共事。华盛顿在这个职位上干了16年，这期间他虽没担任过议长，但他一直在参与政治，关注政治动态。

　　1763年，历时7年的英法战争结束，这场战争最终以英国的取胜而告终，但是战争也使英国国库空虚。为了弥补沉重的财政负担，英国对其在北美的属地课以重税，先后颁布了一系列法令，严重侵犯了殖民地人民的利益和主权，导致殖民地人民的强烈反抗。英属北美殖民地纷纷向英国政府递交陈情书，然而得到的却是严厉制裁，英国政府甚至还调动军队进行恫吓，这些做法更激起美国民众的反抗。在此期间，华盛顿一直在观察着事态的发展。在感情上他已经和人民完全连结在一起，他预感到将要面临一场艰苦的斗争，并且已经考虑该怎样应付这场战争。1769年4月5日，华盛顿在一封信中写道："当英国尊贵的先生们不剥夺美洲的自由就不满足的时候，看来有必要采取某种措施，避开这一打击，并维持我们祖先给我们的自由。但是，关键问题在于采取什么样的措施，才能有效达到这一目的。很显然，为了保卫与我们生命息息相关的宝贵自由，我认为，我们每个人都应毫不犹豫地拿起武器；但是拿起武器应该是最后迫不得已的手段。"

到了1774年，全面革命的爆发已迫在眉睫，来自13个殖民地的代表聚集在费城，举行第一次大陆会议。华盛顿当选为弗吉尼亚的代表，他愿与英国一战，但同时也为战争的代价而感到忧心忡忡。他预计这次战争中的流血将超过北美这块土地有史以来流淌的所有鲜血，也深知与世界上最强大的国家作战，将会是十分惨烈的。

临危受命

1775年，在波士顿附近打响了独立战争的第一枪，这时战争已不可避免，为此华盛顿参加了第二次大陆会议。当时他是惟一一位全身戎装的代表，也许他是想借此方式表明自己希望当选陆军总司令的愿望。结果代表们同意了，通过投票他们把自己的信任与未来交给了43岁的乔治·华盛顿。这是华盛顿人生旅途的重大转折点，是他作为伟大的英雄生活的开端，从此，他的命运就与整个北美人民的命运牢牢地连在了一起。

1775年7月，乔治·华盛顿就任大陆军总司令。当时由派别矛盾而引发的嫉妒现象很严重，新英格兰人看不起这位来自弗吉尼亚的总司令，华盛顿就任后，他们的态度就是"让我们瞧瞧你的能力"。因此，华盛顿在马萨诸塞州检阅部队的时候顶受着非常大的压力，部队的状况也让他不寒而栗。这些新英格兰士兵训练不足、装备匮乏、纪律涣散，华盛顿常常自问"这就是我赖以卫国的战士吗？"而他要面对的却是世界上最强大的军事力量。于是，华盛顿决定把这些抗英战士塑造成一支训练有素的文明之师。在他起初发布的命令当中，有一条要求战士们停止"愚昧、可恶和粗俗的咒骂",但事实上这是一条连指挥官自己也难以服从的命令。

华盛顿（右二）就像指挥官一样经营着自己的弗农山庄

　　1776 年 7 月，《独立宣言》传遍整个殖民地。在纽约市，愤怒的人们推倒了英国乔治三世国王的雕像，把它熔化之后铸成了子弹。乔治三世国王对此勃然大怒，他决定要坚决而迅速地扑灭美国的反叛势力，派遣了 3 万大军，下令不惜任何代价夺回反叛的殖民地。英军不费吹灰之力占领了纽约市，之后又在附近几次战斗中击溃了华盛顿的部队，他们到处追杀美国人。英国人估计美国人会马上投降，华盛顿却下令撤退，他率领 4000 名战士撤向西南方向穿过了新泽西，英国人在后面穷追不舍。在光荣的 7 月 4 日刚过了没几个月，这个新生的共和国就到了生死存亡的关键时刻。大陆军被击溃，华盛顿一败再败，人们的信念在动摇，可华盛顿的决心却始终如一，即使只剩下最后一名士兵，也要血战到底。他率众渡过特拉华河躲藏在宾夕法尼亚，当时他们似乎真的没有希望了。1776 年圣诞节前一周，他在给弟弟的信中写道："还没有人遇到过这么大的困难，却又丝毫无法解决"。不久他的"困难"就变得更为严重，许多志愿兵都快要服役期满了，他们将回到各自的故乡和农场。

240

战争第一人

  在战争危机的关键时刻，乔治·华盛顿采取了大胆的行动。1776 年圣诞夜，他率领自己认为"可怜"的部队渡过了冰冷的特拉华河进入新泽西，渡河后两个师向南前进 9 英里之后到达特雷顿，突袭驻守在当地的 1400 多名黑森人，他们是帮助英军作战的德国雇佣军。就这样，一群英国人眼里的乌合之众，蓬头垢面、赤着脚、尖叫着、疯狂地袭击了特雷顿，他们俘虏了 1000 名黑森人，缴获了敌人的枪炮、装备和补给。转眼间，这支衣衫褴褛、溃不成军的部队重又获得了战斗力，华盛顿改变了战争形势。

  圣诞节战役鼓舞了整个国家的士气，华盛顿把特雷顿的胜利看作一个开端，几天之后他又率队渡过特拉华河向东前进，再折向北到达普林斯顿村。1777 年 1 月 3 日，华盛顿率领的抗英部队遭遇上了英军的两个团。革命处在生死存亡的关键时刻，因此他们必须打赢普林斯顿这一仗，当时双方势均力敌，华盛顿骑马到两军阵前，向着自己的部队高呼"跟我上"，也许这就是美国革命中最闪亮一刻。在每次战斗中，华盛顿都骑着自己的白马冲锋陷阵，他是一个非常鲜明而又十分容易被射中的目标，手下的军官曾恳求他离开危险的地方，但他仍然骑着马，挥舞着长剑，希望亲自与英军一搏。他那神奇的勇气永远激励着手下的将士，以最勇猛的方式与敌人作战。普林斯顿战斗结束之后，美国人开始把华盛顿的名字写进诗里，以赞美他的功绩。一位年轻的妇女写道，"安详、威严，他在战场纵横驰骋，慈爱的心，刚强的意志。"整个殖民地的人们都在赞扬着乔治·华盛顿将军，他们有理由对未来充满希望，但是华盛顿知道美国革命仍然任重而道远。

  华盛顿用自己的作为征服了美国人民的心。在革命危机时刻，为确保战争的胜利，出于对华盛顿高尚人格与品德的极度信任，大陆会议决定授予他相当独断的军权，并在信中写道："把无限的权力交给我们国家军队的统帅是万无一失的，他绝不会因此而危及个人的安全、自由和财产，这实在是我国人民的一大幸事。"为了感激大陆会议对自己的信任，华盛顿在答谢信中也充分表现出他的高贵品质："承蒙大陆会议把军事职责最高的几乎无限的权力授予我，为此我深感荣幸。我绝不认为，由于大陆会议信任我，我就可以不履行一切公民义务。相反，我要时刻牢记：刀剑只是维护我们自由权利不得已的手段，一旦自由权利牢牢确立，首先丢在一边的就是刀剑。"

到 1777 年晚些时候，华盛顿仍感到有必要将自己松散的部队训练成具备良好军事素质的战斗队伍。他决定率领 1.1 万人到宾夕法尼亚的弗奇谷安营扎寨，那里天气寒冷，食品紧缺，大约有四分之一的人因为寒冷或疾病而丧身。在冬季扎营时，华盛顿本可以回家，但 8 年中他始终和部队在一起，从未休过假。总司令享有一项别人没有的特权，他把夫人从南方接来，和自己共同度过了冬天的部分时光。在弗奇谷安营扎寨期间，华盛顿和他的军官们继续严格训练坚持留下来的士兵，士兵们学习军事战术，纪律性也得到了很大的提高。华盛顿还让士兵们阅读托马斯·佩恩写的革命宣传手册，以激励他们的斗志，佩恩曾经写道"战斗越艰难，胜利越光荣"。后来，华盛顿感到自己的部队已经具备实力，可以平等地和英军作战了，他迫切希望有机会来证明这一点。1778 年 6 月，他在新泽西的蒙马斯实现了自己的夙愿。一个炙热的下午，华盛顿刚刚训练出来的部队和英军的一支大部队交上了火，美军首次以一支职业军队的姿态和英军作战，尽管战斗最后以平局结束，但通过这一战大陆军在士气上获得了胜利，他们已经有信心在辽阔的战场上与英军进行殊死搏斗，并夺取最终的胜利。

独立战争继续进行着，英美双方都想控制北部的哈得逊河，形势愈来愈显明华盛顿的部队将取得最后的胜利，在法国人参战帮助美军之后，这一点就变得更为明显。在长期的战争中，他除了明智英勇的抗击英军外，还积极有力的挫败了内部的反叛、分裂和其他无数困难。华盛顿的勇气、果敢以及耐心，使战场局势向着有利于大陆军的方向发展。

1781 年，华盛顿的战略考虑是与英军进行一次决战，他率队从位于纽约市北的营地出发向南行军 300 英里，抵达弗吉尼亚的约克镇。这是一个重要的港口，查尔斯·康沃利斯率英军在此驻防。战斗中华盛顿的部队在陆地战场取得了绝对优势，法国军舰又封锁了英军的海上通路，英国人别无选择，1781 年 10 月康沃利斯被迫投降。约克镇一役的胜利，奠定美国独立的基础。美国即将赢得独立的消息传遍了整个殖民地。

和平第一人

　　1782 年，华盛顿收到手下一位军官的来信，这位军官在信中写道：美国应建立帝制，华盛顿应成为国王。华盛顿立即以严厉的口吻答复道："我很难想像你为何提出这样的建议，今后再也不要向任何人提起此事！"由于在当时的世界上还没有共和制的先例，许多美国人对此心存疑虑，华盛顿手下的一些高级将领认为军队应该领导这个国家。华盛顿发现了他们的企图，作为历史上的精彩一笔，他在没有提前通知的情况下，突然出席了军事政变领导人主持的一次会议，然后明确地告诉军官们，任何想发动军变的人都不是他自己以及国家的朋友。就这样一次军事政变夭折了。

华盛顿的弗农山庄

　　独立战争结束时华盛顿 51 岁，他来到了马里兰的安那波利斯辞去军职并向部队道别。战争的 8 年对他而言是漫长而又艰难的，他现在无意再重新担任公职，他想回家，回到自己的农场，重新过上平静的生活。他的辞职给这个新生国家树立了一个影响深远的先例，在常人看来，人能主动放弃权力是不可思议的，而一个能够遂其心愿担任任何职务的人却要这样做，这就更令人称奇。连英国乔治三世国王听说华盛顿将辞职放弃军权、重返平民生活时，都感到十分诧异，他说："如果有谁这样做，他就是世上最伟大的人。"乔治·华盛顿的确那样做了，1783 年圣诞夜他回到了弗农山庄，并打算在此度过余生。

　　华盛顿和从前一样种植庄稼，照料日益扩大的地产，生活很有规律。他非常具有创造力，在所谓的"退休"生活中，又为弗农山庄设计、增建了不少东西，他发明了新的种植方法，甚至还繁殖牲畜。有一次西班牙国王送给他一头公驴，得到那头驴子后，华盛顿成功地繁殖出

243

骡子，为美国农业引进了一种更为强壮和耐劳的耕畜，这使他兴奋不已。在一封信中，华盛顿表达了对农业的热爱，他称务农是"最宜人的一件事"，特别是看到庄稼破土而出、苗壮生长时，更令人感到愉快。这种平静的半隐退生活没能像华盛顿计划那样持续下去，几乎每天都有人造访弗农山庄，有些是他邀请来的，而更多的是不请自来，每个人都想亲眼目睹一下这位美国最著名人士的风采。

正当人们对华盛顿顶礼膜拜之时，美利坚合众国却远还不是一个有机结合在一起的国家，关税和边界矛盾使这些前英属殖民地之间长期不和。独立战争期间通过的邦联条款，非常勉强地把它们联结在一起，被华盛顿称为"影子"的中央政府非常虚弱，名存实亡。政治领导人呼吁召开由全美知名人士参加的全国会议，以便制定一部新的更强有力的宪法。他们知道如果没有乔治·华盛顿的参加，制宪会议是不完整的。华盛顿曾担任总司令，拥有全美最大的权力，然而在拥有这份权力 8 年半后，他却主动放弃了，显然他不是一个为权力所驱使的人。如果华盛顿能出席并主持会议，人们就会相信整个制宪过程不是一次权力之争。

当时华盛顿 55 岁，过着悠然自得的平民生活，他内心并不愿意参加这次会议，但他知道制定一部宪法是必需的。抵达费城之后，他被委任主持制宪会议。1787 年的整个夏天，代表们都在费城冒着酷热进行激烈的争辩，所有的门窗都紧关着以防止代表们秘密的陈述被人偷听。托马斯·杰斐逊时任美国驻法大使，他称这次制宪会议是一群"神人"的聚会，而最伟大的"神人"无疑是会议的主席乔治·华盛顿。在会议上，华盛顿竭尽全力用自己的威望和影响力，为代表们之间的相互沟通创造气氛，起到了平衡和协调的作用。

当时，代表们都怕赋予一个人太多的权力，因此他们面临的问题是，是否建立三驾马车的体制，让三个享有同等权力的人共同治理美国。但他们也知道，世界上确实有人能够主动地放弃权力，那就是华盛顿。最后，所有代表都同意将行政权力集中赋予一个人——美利坚合众国的总统。而当时所有美国人都认为美国第一位总统非华盛顿莫属，同一天选举团的代表们在各州的州府投票，他们之间不可能进行通气，结果每个人都投了乔治·华盛顿的票。他成为美国历史上的第一位总统，第一位全票当选的总统，也是第一位没有任何党派身份的总统。

1789 年 4 月，华盛顿收到一封写给"华盛顿阁下"的信，得知了自己

华盛顿宣誓就职美利坚合众国第一届总统

当选为美利坚合众国总统的消息，他当时表示："我将下定决心，别无他顾，竭尽全力为民效力，以期能在适当的时机尽早解除这一职务，使我再次隐退，以便在惊涛骇浪之后，度过平静的晚年，以享天伦之乐。"两周后，这位首任总统从弗农山庄启程前往美国首都纽约市，这是历史上最精彩的旅程之一，在华盛顿所经过的每一个城镇和乡村，他都受到了热烈欢迎。人们欢呼着感谢华盛顿在独立战争期间的英雄伟绩，也期盼着新生共和国的美好未来。宣誓就职之后，华盛顿以惯有的谦恭回应了人民的盛情，"我从未像今天这样惶惶不安"，他号召每一位公民珍视新生的共和国，并称共和国为"赋予美国人民的一次实践"。

在就任总统的两个任期内，华盛顿面临着各种外敌威胁和纷杂的内政问题，但是合众国挺住了。在华盛顿的正确领导下，美国跨过了一次次危机，走向了稳定的正途，他为美国的稳定、繁荣、昌盛、长治久安打下了坚实的基础。华盛顿颁布了感恩节宣言，规定每年11月的第四个星期四为感恩节，他希望美国人借此机会感谢上帝赋予了他们这个新生的国家。事实上，绝大多数人也同样地感谢华盛顿，他在创建美利坚合众国的过程中发挥了不可替代的作用，没有乔治·华盛顿，就没有今天的美利坚合众国，取而代之的可能是另一个或几个国家，而不会是今天我们所看到的美国，是他把美利坚合众国从真正意义上联合了起来。

1799年华盛顿去世，整个国家沉浸在悲痛之中。美国第二任总统约翰·亚当斯称华盛顿为"美国最受热爱的人"，托马斯·杰斐逊引用《圣经》里的一句话"今天一位伟人在以色列倒下"。一生钟爱耕作的乔治·华盛顿播下了共和国的种子，人们最终获得的不只是地图上的一个国家，而是一种激进的民治思想。美国人有幸选对了它历史上的第一任总统，从华盛顿开始，民主体制诞生在这块最富饶的大地上。

任何人只要努力工作，并且恪守道德标准，就一定能把梦想变成现实！

——J.C. 佩尼

零售业巨人：J.C. 佩尼

他是一个富翁，却喜欢步行，为的只是省一些车费；他很严肃，也很腼腆，但同人握手的次数恐怕比总统候选人还要多；他是一个严厉的老板，恪守自己的道德标准，更热衷于宣扬商业的精神含义。1929年，他还是全美国最富有的人之一，但到了1930年，他却成了一名乞丐，然而短短几年之后，年过半百的他竟然重新创业成功，再次成为一名百万富翁。这位大起大落的传奇人物，一生跌宕坎坷，但他永不言败，勇往直前，终于使他的"J.C. 佩尼连锁店"成为世界零售业著名的品牌。在许多人眼里，他是一种象征：即使你当初一无所有，只要努力肯干，辉煌的成就一定会眷顾你！

穷孩子的成长经历

　　1875 年,詹姆斯·卡什·佩尼出生于密苏里州汉密尔顿的一个小农场里,他的母亲芬尼出身于肯塔基的一个名门望族,而他的父亲老詹姆斯·卡什·佩尼却是一个贫苦的农夫,同时也是一名专为人做洗礼的神甫。小杰米(佩尼的爱称)的父母都接受过高等教育,这在当时是很罕见的。为了让孩子们离学校更近一些,在杰米几岁大的时候,全家都搬到了镇上。

　　19 世纪 80 年代的汉密尔顿,是一个正在发展中的商业中心,但是由于美国出现的两次经济衰退,农民普遍受到了沉重打击,像老佩尼这样的农夫日子并不好过。幼年时家境的贫穷对杰米·佩尼的性格影响很大,使他终生都非常节俭。对他性格的另一个重大影响则来自于他所受到的道德教育,除了在学校上课,佩尼的父母每天都给孩子们念《圣经》,将其中的教诲深深地扎根于孩子们的心灵。佩尼那出身名门的母亲向他传授礼仪,通过让他向大街上的每一棵树行摘帽礼,来练习如何问候女士。而从他那严厉的神甫父亲那里,佩尼学会了自立,明白了人有义务做善事。在他的家里,喝酒、赌博和抽烟都是绝对禁止的。佩尼才 8 岁的时候,父亲就告诉他,从此以后他就得自己挣钱来买衣服和鞋子,于是佩尼决定自己在后院养猪,然后卖掉赚钱,但他的这项产业由于受到邻居的指责很快就终止了。佩尼的父亲总是想办法,抓住一切机会教育他,让他的行为符合《圣经》的规范,教他如何设身处地为别人想,这成了他性格的又一个重要特征。

　　佩尼在汉密尔顿高中念书时成绩很一般,业余时间还干一些零活。他很普通,几乎没有同学认为他将来能够成就一番事业,但是佩尼礼貌、正直、充满自信、宠辱不惊的形象还是给别人留下了深刻的印象。1893 年,佩尼高中毕业后回到父亲的农场做事,但他并不是一个好农夫。父亲觉得佩尼更适合在城里发展,便帮他在 J. M.海尔干货店找了一份销售员的工作,最初的薪水是每月 2.27 美元。当佩尼开始在海尔商店谋生时,老詹姆斯·卡什·佩尼去世了,终年 53 岁。他的临终遗言一直激励着佩尼,他说:"杰米会成功的,他的起步很成功!"

　　然而,19 岁的佩尼在海尔商店的起步并不顺利,那些年长的销售员经常抢走他的生意,饱受欺负的佩尼只能干一些整理货架和清扫店铺的活儿。后来,佩尼凭借自己的毅力和勤奋彻底击败了其他人,到年底,他已是海尔商店里最优秀的销售员了,他的年薪也被提高到了 200 美元,第二年又涨到了 300

美元。正当佩尼的事业在海尔商店蒸蒸日上的时候,医生说他劳累过度,有可能患上了结核病。那时候抗生素还没有问世,结核病是一种很可怕的疾病,治疗的办法只有一个,那就是搬到气候干燥的地方去生活。在医生做出诊断仅仅4天之后,佩尼登上了向西前往科罗拉多的列车。

1897年6月,佩尼来到了丹佛市,当时他21岁,刚从一个小镇来到一个大城市。他先在约瑟林公司找到了一份销售员的工作,这是一家市中心的大百货商店,他的周薪是6美元,但是在与一名同事发生口角之后,他决定换一个工作环境。佩尼进了拉里莫大街上的另一家商店,不久他就发现这家商店的货物上都没有明码标价。当一位顾客走进商店时,售货员就会根据他或她的模样判断其经济实力,然后开个价,接着双方再讨价还价,对于不同的人同一件商品的价格是不同的。佩尼觉得这样做不公平,当老板让他如法炮制时,他放弃了这份工作。

就在那时,丹佛市以北35英里处的科罗拉多州的隆马特,有一家肉店正要转让。佩尼发电报给母亲,让她把他总共300美金的积蓄全部寄来,他买下了这家肉店。佩尼很乐意出门接生意,或是去买活猪、活牛,回来之后就让大师傅屠宰分割。佩尼的姐姐珍珠和一名叫贝塔·海丝的女人在店里做佩尼的帮手。又一次,佩尼的道德标准同当时的生意经发生了冲突。肉店最大的主顾是帝国宾馆,佩尼的大师傅告诉他说,如果要保住这个大客户,在宾馆厨师每周订货的时候,他必须送给厨师一瓶威士忌。佩尼照办了一次,随后却产生了另一种想法,他说:"我问自己这样一个问题,假如我父亲还活着的话,他会怎么说,我很清楚问题的答案。我还问自己,我那神圣的母亲会怎么说,答案我同样清楚。从此以后,我发誓再也不会给那个人或任何人买威士忌。我从来没有破例过。"佩尼没有违背誓言,但他失去了帝国宾馆这个大客户,肉店最终倒闭,他所有的积蓄都赔光了。22岁的佩尼不得不又一次出去找工作。

在佩尼住处北面的一个街区有一家名为"金色尺度"的服装店。圣诞节临近了,正巧是商店最忙的时候,佩尼被雇佣顶替一名生病的员工。

"金色尺度"无法衡量的辉煌

当佩尼来到科罗拉多州隆马特的"金色尺度"服装店工作的时候,那里正在成为全国发展最快的地区之一。不断延伸的铁路带出了一批新兴的市镇,吸引了大量的农夫和矿工。为了满足他们的需求,"金色尺度"开了20家分店。这些店的物品价格便宜,但必须是现金交易,而且"金色尺度"拒绝双重价格体系,这种做法正是佩尼最欣赏的。

佩尼的勤奋给老板汤姆·卡拉翰留下了深刻印象,他交给佩尼在怀俄明州埃文斯顿分店的一份固定工作,那家店的经理是盖·约翰森。佩尼了解到约翰森最初也在隆马特做过售货员,后来卡拉翰让他做埃文斯顿分店的合伙人。卡拉翰告诉佩尼,只要他好好干,将来也会成为一家分店的合伙人。佩尼拼命地工作,他相信自己的生活会逐步好起来的。现在他的月薪是50美元,他觉得可以安心结婚了,新娘是贝塔·海丝,就是那个曾在隆马特的肉店里当过他帮手的姑娘,她比佩尼大8岁,不久以前才同虐待并遗弃她的丈夫离婚。

埃文斯顿的市长邀请佩尼管理他的一家店,薪水是"金色尺度"的2倍,但是佩尼拒绝了,他认为自己在"金色尺度"前途无量,事实证明他是对的。不久卡拉翰和约翰森要开一家新店,他们让佩尼做经理,分享新店1/3的利润。佩尼成了合伙人,他早就期盼着这一天了,这给了他无穷的动力,也将成为他一生的转折点。

佩尼冒险开设的第一家商店

新店设在怀俄明一个名叫凯马拉的小镇,小镇位于奥里根短途铁路的沿线,处于几个大煤矿的中间,前景十分看好。凯马拉的一位银行家告诉佩尼,他不可能成功。因为"金色尺度"只做现金交易,而那些矿工和铁路工人却习惯于每月付一次账，当地的其他公司都允许顾客赊账。佩尼没有动摇，他决定冒一次险，拿出了自己500美元的全部积蓄，又向汉密尔顿的银行借了1500美元。三位合伙人开始进货，包括来自马萨诸塞的皮鞋、来自堪萨斯城的衬衫，还有各种各样的服装，从紧身胸衣到鹿皮大衣，应有尽有，新店终于准备就绪。1902年4月14日，佩尼和妻子贝塔以及另外两名员工共同打开了店门。顾客们很快就发现"金色尺度"的商品比其他地方便宜，且品种多而全，最重要的是商店实行公平的明码标价。开张第一天，新店的营业额就达到了466.59美元，那时一双袜子才2美分，男式西服最便宜的只有2块9毛8，最贵的也不过9块9毛钱。尽管店里的生意一开始就非常好，但佩尼一家的生活仍然很俭朴。佩尼、贝塔和他们的孩子罗司威尔就住在阁楼上，把打包的行李当做家具，全家人都在店里过日子。

佩尼在凯马拉商店的生意获得了巨大成功。一年后，卡拉翰和约翰森又给了他另一家店1/3的股份，那家店在怀俄明的石泉镇，离凯马拉有50英里远。

在凯马拉佩尼和贝塔搬进了自己的新房，他们的第二个儿子出生了，佩尼给孩子取名为约翰森·卡拉翰·佩尼，为的是感谢他的两个合伙人。人们期待已久的兴盛终于在凯马拉出现了，小镇人口翻了一番达到2000人。商店搬到了一个地段更好的地方，佩尼和贝塔坚持周一到周六早上7点开门，午夜关门，而周日则8点开门。佩尼是个很严厉的老板，他希望手下的员工和自己一样努力，谁做不到就会被解雇。他还痛恨浪费，对每一分钱都精打细算，镇上的人都说他是守财奴，但佩尼真正在意的并不是钱，他只是一心向往成功，在骨子里总有一种要做就做到最好的强烈欲望。

佩尼和他的合伙人又在怀俄明的坎伯兰开了第三家分店。随后一个意想不到的机会突然出现在佩尼面前，卡拉翰和约翰森之间由于出现矛盾而关系破裂，他们借钱给佩尼要他买下他们的股份。1908年，佩尼完全拥有了这3家店铺，32岁的他开始梦想把自己的连锁店开遍整个洛基山脉。实现梦想的关键是沿用卡拉翰和约翰森的合伙人制度，正是这一制度使他自己获得了成功。他计划雇佣最好的人才，对他们进行培训，然后让他们去开一家新店，并拥有其中1/3的股份。佩尼懂得合伙人制度能带给人多大的诱惑。既然是寻找将来的合伙人，而不是一般的雇员，佩尼选人的标准就十分苛刻，他接受那些有个性、有理想、有抱负的人，同时他们必须有着与他相同的道德标准。

埃尔·山姆斯就是那些符合标准的人选之一。在凯马拉和坎伯兰试做了一段时间的经理之后，山姆斯在犹他州尤雷卡的新店获得了股份。不久，山姆斯和他下属的合伙人开始自己培训经理，然后把他们安排到新店中。这些经理们都沿袭了佩尼节省的习惯，有时去纽约出差，

佩尼与合伙人在怀俄明的第三家分店

在百老汇中心旅馆里他们通常 7 个人睡一间房，两三个人睡一张床。佩尼还坚持要手下的人步行赴约，为的只是省下 5 美分的车票钱，这种习惯一直延续了很多年。

1909 年，佩尼的西部连锁店已经初具规模。他决定离开凯马拉迁往盐湖城，在那里他可以获得银行贷款，而且贯通全国的铁路网经过那里，进货将更为方便。佩尼带着妻儿住进了盐湖城最好的一个街区，最初，他还是在家里经营他的销售帝国，一年之后，他们搬进了市中心的克恩斯办公楼。他又在犹他、爱达荷和内华达开了 8 家连锁店，生意一直很不错。到 1913 年底，佩尼在西部建立 50 家连锁店的梦想已经接近了现实。可他的梦想却在扩大，他认为把总部设在盐湖城妨碍了公司向全国发展，因为大多数的供应商和大银行都在纽约。公司的其他董事尽管反对把总部迁往纽约，但他们还是相信佩尼的判断。

1914 年，J.C. 佩尼公司的总部搬到了纽约，佩尼和他的两个儿子住进了河边的一幢公寓。现在他不必千里迢迢来纽约进货了，相反每年夏天他都要到西部去看一看他的商店。1917 年公司已经拥有 117 家连锁店。在当年的年会上，董事会决定所有佩尼名下的"金色尺度"连锁店都必须更名为"J.C.佩尼连锁店"，以免同卡拉翰和约翰森创建的连锁网络混淆。在这次年会上，佩尼还做出了一个惊人的决定，在为公司创业奋斗了 15 年之后，他决定把总经理的职位让给最早的合伙人之一——埃尔·山姆斯，而他则成为董事会主席。佩尼解释："同山姆斯先生相比，我更像一个赌徒。公司将发展成为一家大公司，我担心在公司发展过程中，我的赌徒心理会伤害到公司，所以我

想把公司交给更加沉稳、谨慎的山姆斯先生来管理。"

佩尼公司在 20 世纪 20 年代迅速地壮大起来,连锁店从 200 家增加到 1400 家,营业额突破了 2 亿美元。现在佩尼被人称作"拥有 1000 个合伙人的老板",他很为这个称呼感到自豪,他认为佩尼公司并不仅仅是一个连锁网络,而是一个人才的链条,他们都被同一理念串到了一起。

他不是上帝的宠儿

在 1910 年末,佩尼计划带上全家一起去欧洲度假,起程前他去西北部太平洋沿岸地区出了趟短差。在佩尼出差期间,他的妻子贝塔接受医生的建议切除了扁桃体。由于长年养成的节俭习惯,做完手术后她步行回家,没想到路上一阵暴雨将她全身淋透。更糟糕的是,她得了肺炎。1910 年圣诞节刚过,贝塔就去世了。佩尼 11 年来的好帮手离他而去了,35 岁的他成了鳏夫,身边只有两个年幼的孩子,这对他的打击实在太大了。"那一刻,我的世界完全崩溃了。"佩尼这样写道。妻子的死使佩尼陷入深深的绝望中,这个神甫的儿子觉得上帝抛弃了他。在过了几十年清苦的生活之后,他开始喜欢上了喝酒,他甚至想到过自杀。

一次,佩尼去纽约进货,他漫无目的地在街上闲逛,突然注意到眼前有一座小教堂,里面传出了唱诗班的歌声。他走了进去,在那里一名成功的商人说他也有过类似的经历,但最终还是从绝望的边缘将自己拯救了回来。受这名商人的鼓励,佩尼终于从绝望中走了出来。

几年后,通过一个朋友的介绍他认识了玛丽·霍坦斯·金巴,一位来自犹他州名门望族的大家闺秀。1919 年,他们结婚了,婚后,佩尼在纽约买下了一栋名叫"白色天堂"的别墅,占地 50 公顷。第二年,玛丽生下了一个男孩,取名金巴。1921 年,佩尼又买下了占地 720 公顷的艾玛丁农场,在那里圈养着名的格恩西乳牛。同一年,他在迈阿密海滩附近的贝勒岛还买下了一处房产。当 20 世纪 20 年代开始的时候,J.C. 佩尼翻开了人生中新的一章,那是一段充满欢乐和信心的日子。佩尼每年 12 月到下一年 4 月呆在佛罗里达贝勒岛上的别墅里休息调整,玛丽在别墅里布置了三角钢琴和铜管乐器,着名的演奏家如鲁宾斯坦都在那里开过演奏会。佩尼还买了一艘小游艇,他的儿子罗斯威尔和 J.C 一放假就回来陪他一起坐游艇去海上钓鱼。世事难料,1923 年 2 月玛丽突然感觉肚子痛,在贝

佩尼选择在他最初工作的海尔
商店地点开设第 500 家连锁店

勒岛的别墅里卧床休息了一个星期。最初，没有人把这病当回事，后来她的病情突然恶化。2 月 15 日，玛丽因内脏大出血去世，佩尼的第二次婚姻也只延续了 3 年半的时间。玛丽的死对佩尼又是一次沉重的打击，可他没有像贝塔去世时那样陷入绝望，和过去一样，他又全身心地投入到工作和新的项目当中。

1924 年他回到了家乡汉密尔顿，开了佩尼公司的第 500 家连锁店，地方就选在他最初工作的海尔商店。除了经营连锁店之外，佩尼的投资重点在佛罗里达。1925 年，他在佛罗里达北部买下了 12 万公顷的土地。在那里，他兴建了佩尼农场。

1926 年底，51 岁的佩尼同卡萝琳·奥腾里斯结婚了。卡萝琳当时 31 岁，比佩尼小 20 岁。她喜欢音乐，热衷于教会工作。1927 年，她生下了佩尼的第一个女儿玛丽·弗朗西丝，1930 年又生下了佩尼的第二个女儿卡萝尔。佩尼的家庭生活又有了新的快乐，事业也在蒸蒸日上。到 1929 年时，J.C. 佩尼已经拥有公司的大量股份，他的财产达到了 4000 万美元。整个 20 年代晚期，佩尼一直不间断在佛罗里达州的投资，主要集中在房地产和金融业上。他用自己在佩尼公司的股份做抵押，向银行贷款来投资企业和慈善机构。

1929 年 10 月 23 日，佩尼公司公开上市了，可仅仅 6 天之后，股市就崩溃了，大萧条到来了。佩尼公司以其价格优势挺了过来，但对于佩尼本人，大萧条带来的却是灭顶之灾。他几乎所有的净资产都在公司的股票里，其中大部分都用在了银行贷款的抵押上。当大萧条到来时，佩尼公司的股价从每股 120 美元跌到了每股 13 美元，佩尼的资产总额已经抵不过银行债务，他被迫卖掉了贝勒岛上的别墅，关闭了佩尼农场，并且缩减 J.

C.佩尼基金会的规模。更大的打击还在后面，1930 年 12 月迈阿密的城市国家银行发生挤兑，佩尼是这家银行的主席，也是银行的老板之一，但他却没有多余的资金去挽救这家银行，银行只能关闭。报纸批评佩尼没有给予这家银行足够的支持，储户向法院起诉他并且获胜，佩尼失去了所有的财产，还毁掉了自己的名声。

接踵而来的灾难击垮了佩尼，到 1931 年 12 月，他已经彻底丧失了信心，神经处于崩溃的边缘。他住进了密歇根州的一家精神病院，一天晚上入睡前，佩尼觉得再也熬不过这晚了。黎明时分，他醒过来了，在大厅里漫无目的地闲逛，突然听到了一首非常熟悉的圣歌《上帝会照顾你》，随着歌声他走进一座教堂里。他请求上帝照顾他，然后突然觉得沉重的负担离他而去，宗教信仰又一次让他恢复了力量。佩尼回到了位于"白色天堂"的家，他解雇了所有的员工，把汽车锁了起来，然后关闭了大部分房间。他花更多的时间来陪伴妻子和孩子，埋头干农活。

精神偶像的复苏

1931 年，佩尼从情感和精神的创伤中恢复了过来，但是经济上的复苏绝不会来得那么简单。56 岁的佩尼开始重新创业，他取出了自己的养老保险金。曾经的合伙人则投票同意给他一份薪水，这是从 1909 年以来他第一次拿薪水。3 个朋友给了他私人贷款，让他买回自己的股份。尽管佩尼再也不能像大萧条之前那么富有，但是不管怎样，到了 30 年代末他又重新振作了起来，重新成为人们的精神偶像。

1946 年，70 岁的佩尼成为公司董事会的名誉主席，埃尔·山姆斯则成为董事会主席。佩尼依然像过去一样活跃，多年来他一直是公司的形象大使，出席各地新店的开张仪式。对此，佩尼连锁销售公司前主席威廉·特顿说："他一个人就是一个公关公司，每当我们要开一家新店，只要登出广告说佩尼将会出席开张庆典就行了，到时候一定会有成群的人想见他。"

在 20 世纪 50 年代末，人们开始涌向郊外的大型购物中心，不再光顾闹市区的商店。买东西的时候，他们大都用信用卡，这对佩尼公司来讲是一个严峻的挑战，因为它从 1902 年起就实行现金交易的策略，而且从来没动摇过。1957 年，佩尼公司董事会投票决定是否接受信用卡购物，所有人都同意了，只有佩尼例外，他说："你们提出的有些看法我同意，你们说这将增加我们的销售额，我同意；你们说这将提高我们的利润，我也同意。但从道德上讲这是错误的，因为你们无意中会让顾客们多买东西，从而最终给他们造成经济上的拮据，我认为这样做不对。"尽管佩尼投了反对票，佩尼公司最终还是放弃了现金交易的原则。

佩尼永远是公司最活跃的形象大使

佩尼到了 80 岁时还四处走访各地连锁店，给员工们讲课。他经常会出现在电视节目当中，媒体一而再、再而三地让他讲述早年创业时的那些神奇故事，而佩尼也很乐意这么做，佩尼公司还根据他的经历制作了娱乐剧。直到今天，他的"穷孩子发家"的故事仍然吸引着很多人。尽管佩尼喜欢和公众打交道，但他并非一个很随便的人。事实上，他是一个很严肃的人，习惯于用正式的称呼，即使对那些多年的老朋友和老同事也不例外，比如"山姆斯先生"。他还很腼腆，但当出席新店的开张仪式时他却会说个没完，因此很多人都不知道他有很腼腆的一面。

佩尼很喜欢和家人，尤其是孙辈们呆在一起。他依然恪守着父亲的理想，向孩子们讲述的故事总是有关道德标准的，每个故事都有它的教育目的。他还喜欢同孙辈们玩字母游戏，这可不是一种寻常的字母游戏，所有的形容词和名词都必须有含义，"A"不能代表"苹果"，必须代表"抱负"，"B"代表"仁慈"，而"C"则代表"个性"，所有的一切都和做人的原则有关。

佩尼庆祝了自己 95 岁的生日，他一直希望能活到 100 岁，但没有遂愿。95 岁生日后几个月，1971 年 2 月 12 日，他因突发心脏病去世了，有 1500 多人参加了他的葬礼，全国所有的 J.C. 佩尼连锁店当天早上都停业了。佩尼走了，但他创建的公司仍在继续向前发展着，它已经从怀俄明的一家小店铺发展成拥有 1600 家连锁店的大集团，年销售额超过了 200 亿美元。

　　我的信条是：向过去学习，着眼现在，梦想未来。我坚信人应当从不幸中学习，因为人生中最大的不幸可能会转化成你的有利条件。我的生活就是这样。

——唐纳德·特朗普

❧ 地产大亨：唐纳德·特朗普 ❧

　　唐纳德·特朗普——地产业的大亨，敢说敢做、敢做敢当的作风加上奢靡的私人生活，使他成为美国媒体炙手可热的大红人。他曾是美国《商业周刊》的封面人物，亦曾出现在全美最畅销的八卦杂志《国家询问报》的头条当中，而《间谍》杂志却宣称"特朗普是一个浅薄、庸俗的暴发户"。有人说他傲慢、自大、招摇，也有人说他其实更喜欢把时间消磨在高尔夫球场上，喜欢独自静处。他自己则说："我的生活并不像人们想像的那样丰富多彩。"

驯服中的成长

近 20 年来，唐纳德·特朗普的名字几乎成了纽约高楼大厦的象征。到了 20 世纪末，唐纳德的战利品当中又增添了新的成员，这就是特朗普国际大厦。特朗普国际大厦是美国最成功的综合大楼，没有一幢综合大楼有过这样的规模，这是唐纳德最新的杰作，他对到手的"海湾西岸"大楼进行改建，耀眼的玻璃幕墙使它晶莹剔透、金碧辉煌。他甚至把顶层留给了自己和家人，从那里，他可以看到被他征服的城市。

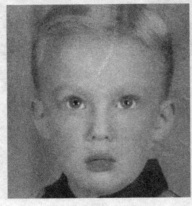

童年时代的唐纳德

唐纳德生于昆新区的伊斯特河边的一个中产阶级家庭。他的父亲弗雷德是个勤奋努力的建筑工人，从来没有机会接受大学教育，他一直忙于养家糊口，要养活寡母和弟弟、妹妹。19 岁的时候，弗雷德·特朗普建起了自己的第一座房子，也成立了自己的建筑公司。由于大萧条的来临，建筑业一蹶不振，他把公司搬到了布鲁克林，开始为低收入的家庭盖建结实的砖房。1936 年 30 岁那年，他结识了来自苏格兰的漂亮姑娘玛丽·里欧德，他们相爱结婚了。他们在杰梅卡山庄安了家，孩子们陆续出世。

1945 年二战结束后，弗雷德的事业开始起步，家庭也扩大了。特朗普家的第 4 个孩子出生了，他就是唐纳德，比别的孩子都爱惹事，是个淘气精。从 4 岁起唐纳德就开始学玩积木，同时听着父亲给承包工程的人打电话。他喜欢到工地去，跟着驾驶员坐上推土车，在那个时候学会了建筑中最基本的东西。

到了初中的时候，父亲不得不送他去一个能学会收敛的地方——纽约军事学院。在那里，他遇上了泰德·杜比亚斯少校。泰德少校非常严格，而且爱发脾气，只要学员说错了话，他就会一顿臭骂，直到学员纠正错误为止，这对于唐纳德来说可不是闹着玩的，唐纳德只能去适应少校，小心地和他相处。泰德少校也知道唐纳德是个需要注意的对象，他花了许多精力去惩罚他，让他遵守规矩。更重要的是泰德少校还发展了唐纳德的运动天赋。唐纳德变成了运动健将和优等生，被提拔为班长，入选了仪仗队。就这样，5年里泰德少校把这个捣蛋鬼塑造成了有责任心的军校学员和运动健将，所有这些在他日后的创业中起到了非凡的作用。

1964年，唐纳德从纽约军事学院毕业，此时很多机会都在向他招手，包括职业棒球。他曾是棒球队队

小学时的唐纳德(后排右一)和他的同学

长，打得非常出色，那时他的棒球数曾经超过四百分。费城棒球队来找他，希望他参加职业棒球队，但唐纳德回答说："不，我要上大学。"唐纳德要做他父亲没能做到的事——上大学。起先他就读于纽约的福德汉姆大学，两年之后，他又到隶属宾夕法尼亚大学的著名华盛顿学院念工商管理。从华盛顿学院毕业之后，他想继承父亲的事业。在早先，他就仿造了父亲当年在杰梅卡的那幢房子，并称之为"苏格兰高地"。他仿造的程度令人难以置信，每个细节部分竟然跟父亲造的一模一样。现在他要投身这项事业，而且要比父亲更进一步，他父亲在布鲁克林和昆斯为中等收入家庭造房子，他要做父亲从来没有想过的事情。唐纳德首先向黄金大道出击，越过河对岸向着纽约曼哈顿的高租金房进军。

进军曼哈顿

起先，唐纳德在曼哈顿住在一间没有卧室的公寓，只有一间工作室，床就安在起居室中间，这是他的第一间公寓。他很自信，知道自己该做什么，正如他对大学好友所说："我要改变曼哈顿的高楼景观！"他相信自己很快就会成为伟大的唐纳德。可曼哈顿不是轻易就能成功的地方，首要的是必须建立各种联系，这对于唐纳德来说并非难事，在纽约军事学院的时候他就已经深谙此道了。他开始出入那些大人物们常去的地方，后来和一位有权势的知名律师罗伊·科恩交上了朋友。罗伊·科恩在晚餐会上为他牵了线，由此唐纳德这样一个没有人知道的小人物开始被人们认识，并且罗伊·科恩还夸奖他说"有一天他会拥有纽约"。

到了 1974 年，一切都好像为唐纳德准备就绪了，只等他开始一展身手。唐纳德在 1974 年和 1975 年之间看到了机会，虽然那时地产正处于低迷状态，但他还是在曼哈顿购置了地产。他首先购得了曼哈顿城中心的日渐衰落的海军上将酒店。唐纳德开始实施自己的计划。他到银行借钱，但是没有人接待他，银行认为他资历不够。这个挫折并没有使唐纳德气馁，相反，他时刻保持充分的自信。

1975 年 5 月 4 日，可以说是唐纳德人生决策的一个里程碑，他和凯悦连锁集团达成了协议，联手重建原来的海军上将酒店，然而这只是他惊人计划的一部分。这位既无名气又没经验的决策人，获得了纽约市 40 年的减税优惠；然后以他和凯悦的名义，从银行和著名的私人投资公司那里得到了巨额的贷款。除此之外，他还让政府接受他的计划，将海军上将酒店原来的混凝土外墙改为闪光玻璃，酒店名字也改为凯悦酒店。他的首个计划简直是一个成功交易的大旋风，形成了他以后的人生模式。

唐纳德的旋风行动甚至注入到了他的爱情生活中。他当年是环球小姐选美会的理事，和许多选美小姐都打过交道，但最后都和她们分了手。后来在加拿大他认识了金发女郎伊凡娜·泽妮科娃·温克迈尔，她是奥林匹克滑雪选手，从捷克来到加拿大，在加拿大她是超级时装模特儿。遇见唐纳德之后，她就搬到了纽约，10 个月之后他们在教堂结了婚，搬进了一幢现代公寓。

唐纳德对伊凡娜在装饰上的品位有高度的评价，所以让她负责凯悦酒店的内部设计。时过两年，1980 年 9 月凯悦大酒店要开业迎客了，唐纳德人生中的这一桩大交易成了永久的商机。凯悦大酒店的修建导致了整个中心区的重建，那里旧的东西非常的乱，拆去正是时候。

在酒店开张之际唐纳德已经在进行另一宗交易了，他开始了创业以来的最大买卖，买下了繁华的纽约市第五街蒂芬尼珠宝店旁边的地产。除此之外，他还取得了这家著名的珠宝店向上扩建的特权，这样的举动在其他地方可能算不了什么，但在拥挤的曼哈顿，向高空发展的权利简直太可贵了。唐纳德为这座还未动工的大楼取名为特朗普大楼，他将把这座大厦建成 68 层高，是曼哈顿混凝土建筑之最。竣工后，连傲慢的市长艾德·科克也前往特朗普大楼表示他的敬意和祝愿，特朗普大楼的名声因此大增。

特朗普大楼不是一幢普通的摩天大楼，它采用的是黄铜、反射玻璃和罕见的桃色大理石，这让纽约人大开眼界，而所有这些材料都是唐纳德和伊凡娜在多次访欧途中觅来的。除此之外，特朗普大楼中心还有 80 英尺高的人工瀑布,简直像是另一个世界,进入酒店的时候,先是一阵寂静,然后是瀑布,会让人忘记自己身在何处,甚至会忘记自己是在纽约。弗雷德也参加了特朗普大楼的竣工典礼,他很欣赏自己的儿子能够建造出这样美的建筑。可当时纽约人却认为,这只是一些不实用的花哨之物,然而不久他们却完全接受了这样的建筑风格。

特朗普大楼是最成功的建筑之一。唐纳德知道怎样造、造什么,他是个建筑的完美主义者,从特朗普大楼到昂贵的特朗普柏斯楼,再到特朗普广场无一不体现了这一点。在工程方面,他要求极其严格,一次他看到500码开外的正在建筑的大楼有一个阳台向外倾斜了一寸半,随后他让工程人员将阳台切割掉,重新安装并浇注水泥。

那时候,唐纳德和伊凡娜已有3个孩子,他们有时在康涅狄格的别墅度周末,但是平时他们住在特朗普大楼的顶3层,从那个高度眺望可以看到新泽西海岸和下一个挑战目标——大西洋城的赌场。纽约的地产市场极其多变,但是赌博世界的金钱来源就稳定得多,唐纳德瞄准了赌博市场,他想买下大西洋城最好的地块来建赌场。为了促成这一桩交易,他找来跟他一样精明的律师尼古拉斯·雷比斯,雷比斯不但让唐纳德得到了想要的地块,而且还帮他取得了经营赌场的执照。唐纳德要到大西洋城大显身手了。

辉煌在大西洋城

20世纪80年代初,唐纳德·特朗普准备向大西洋城出击,尽管他不懂赌博这门行当,但很快他以自己的品牌和一家精通赌博业的假日酒店做成了一笔交易,使得假日酒店属于大西洋城的哈勒集团。据说唐纳德为了达成这个协议,还特意安排假日酒店的总裁看了一场好戏,他弄来各种推土机和建筑设备集合在东岸,举行一个建筑表演,那时所有的机器全部开动,配合作业,就像在建筑罗马竞技场似的。在开工两年之后,唐纳德在特朗普广场公布了他与哈勒集团的最后交易成果。现在他开始在大西洋城的海滨大道从事赌博业,最豪华的开张庆典在这一条最豪华的大街上举行,当然同样豪华的还有庆典的主人。开张大典上,唐纳德说:"那时我们就看到了今天的景象,我们造了这幢楼,它是一流的,不仅在大西洋城,甚至在国内或者全世界都是最棒的!"特朗普本人从此成了大名鼎鼎的人物。

唐纳德成了明星,人们都向他跑来,让他签名。现在他已经掌握了哈勒集团的所有股权,但大西洋城还没有完全见识到他的力量。此时,他又找到了另一个可供发展的连锁业，这就是著名的希尔顿酒店。这个综合赌场酒店在建设时就已经耗费了数百万美元，但是在准备开张前的3个月却还没有拿到大西洋城最重要的东西——赌博营业执照，希尔顿连锁集团把这一幢空荡荡的楼称为"一座城堡"。唐纳德甚至连看都没有看就以3亿2千万美元的价钱收购了这座城堡，协议达成后它就成了"特朗普城堡"，在大西洋城开始张灯结彩。

"特朗普公主"号

唐纳德决心要取得最大的成功，他在大西洋城建造了最大的赌场，他还要在全世界建立最大的综合性赌场酒店，就取名为"印度宫殿赌场"。投资者得知后筹集了7亿5千万的资金让他来实现计划。皇牌豪华赌场的旁边是大西洋城的会议中心，唐纳德在那里吸引了来自拉斯维加斯的大赌徒，而且举办拳击赛，拳击手麦克尔·泰森坐搔，使大西洋城充斥着大比赛和大名人。唐纳德请年轻的投资银行家们看拳击赛，看重量级拳手麦克尔·泰森的比赛，就是为了让他们投资给他。唐纳德让那些投资者相信，他是这里最强的开发商，有本事、有诀窍、有生意头脑。

这位建筑界的亿万富翁一掷千金，挥霍无度，现在没有他买不起的东西，就像很多超级富翁那样，他开始为自己收集所谓的"战利品"。唐纳德首先瞄准的目标是游艇，当然，它绝对不是一般的游艇，而是世界上最大的游艇。这艘最大的游艇的先前主人是世界上最有钱的人——文莱国王，现在却改名成了"特朗普公主"号。除了游艇，他还要买房子，当然房子也是美国最豪华的，但不是他自己造的，这座房子有108个房间，上个世纪20年代建于繁华的棕榈滩。然后是航空公司，纽约人某一天醒来之后发现，以前往返于拉加迪亚机场和华盛顿的东方快航现在成了特朗普快航。

唐纳德享受了一切物质之后，开始进入文化圈，他开始出书，他要通过书告诉全世界他是怎样取得今天的成就的。他找来一位作家合作写了《交易的艺术》,很快这本书就被列入畅销书的行列。此时,人人都以为他已经出尽了风头,应该歇歇了,可唐纳德却又来一招,他买下了历史悠久、格调高雅的广场酒店,这座雄踞在曼哈顿第五街的广场上80多年的酒店在全美的声誉是无可匹敌的,他还说服伊凡娜放弃了大西洋城的城堡赌场,搬回纽约经营这一座体面的酒店。

荣耀后的灾难

然而,荣耀巅峰后,唐纳德迎来了一连串的打击,首先是耗资数亿美元的印度宫殿赌场的建造误了期,开支日益增多,因为他要分别处理曼哈顿和大西洋城的事务,所以他只好依靠几位高层经理来推动这项计划的实施。不幸的是,1989年10月,3位赌场高层经理包了一架直升机到大西洋城,途中螺旋桨失控坠毁,机上所有人罹难。悲剧之后,唐纳德非常伤心,印度宫殿赌场的施工不断出现麻烦。

唐纳德·特朗普购买了位于繁华的棕榈滩的美国最豪华的住宅

真是祸不单行,正当唐纳德下定决心挽回印度宫殿赌场酒店的时候,第二个灾难又来了,伊凡娜发现他不是想像中的忠实丈夫,唐纳德与他的情妇玛拉·梅普尔斯的关系最终在一次滑雪时在伊凡娜面前暴露了真相,爆出了轰动全世界的"阿斯彭丑闻"。媒体开始张扬此事,伦敦的报纸,无论是英文版还是法文版,头条尽是特朗普、特朗普、特朗普!然而,媒体对特朗普婚变的狂热炒作正好迎合了唐纳德想上头版的愿望。唐纳德幽默地说:"有谁能把自己的照片在《纽约时报》一连刊登5天,而且名字传到了亚洲,传遍全国、全世界?"但是伊凡娜痛恨媒体把家事张扬了,她无法像欧洲的女人那样看开这样的事情,她绝不姑息,所以决定离婚。伊凡娜提出了离婚,并且坚持履行婚前协议,她确信唐纳德已是亿万富翁,所以要取得一半的财产,不管那个时候唐纳德的资产到底值多少。

　　事实上,随着经济的衰退,唐纳德的财产价值早已发生了变化,房地产市场下挫,而且还欠了债权人巨额的抵押金。幸好,这时印度宫殿赌场开张了,这是特朗普王国又一次精彩纷呈的开张庆典,印度宫殿赌场耗资近10亿美元,是世界上最大的、耗资最多的赌场。但是这些赌场业主的运气不佳,在印度宫殿赌场开业的第一周,政府关闭了许多角子机,虽然问题只花了几天时间就解决了,可其中赢利的损失,加上不景气的房地产市场,把唐纳德推到了破产的悬崖边上。"印度宫殿"这个代表皇宫的冠冕的名字要被抵押了,唐纳德被迫把大西洋城的酒店和赌场作为破产抵押,因为他无力偿还债务。唐纳德的债权人要拿他的赌场作抵押,他们找了一个财务总监来接管他的债务。从上个世纪70年代到80年代一直旗开得胜、稳操胜券的唐纳德现在变得异常沮丧。幸运的是,债主们没有进一步把他逼向破产,因为他们知道惟一让唐纳德还债的方法就是让他继续经营下去。唐纳德有了转机,新财务顾问让他卖去大多数的物业来偿还赌场欠下的债款,他们清理了资产负债表,发现唐纳德拥有以往的一切,甚至更多,当市场复苏时他就可以东山再起了。唐纳德也解决了离婚的财产分割问题,伊凡娜同意得到1400万美元以及康涅狄格的家产。

　　如今,唐纳德的帝国瓦解了,婚姻也破裂了,他要设法进行弥补。到了90年代初,唐纳德开始让他的情妇玛拉帮助恢复这一切,玛拉是一个有抱负的演员,比他小17岁,在唐纳德最为艰难的时候总是守护在他身边。不久他们结婚了,玛拉为他生了一个女儿。唐纳德的事业逐渐开始恢复,其公司在纽约股票交易所上市,他从股票中获得了大笔的资金,足足有10亿美元。唐纳德是纽约最大的房地产商,拥有大西洋城最大的赌场酒店,这个赌场酒店占据着大量的市场和市场份额,他重新掌握了赌场的控制权,这给他带来了滚滚财源。有人说,唐纳德还没有开始,人们还没有看到他即将在世界上创造的东西。唐纳德也说,要把他的名字提高到一个让人意想不到的高度。

世界上任何东西都不能代替恒心："才华"不能，才华横溢却一事无成的人大有人在；"天才"不能，是天才却得不到赏识者屡见不鲜；"教育"不能，受过教育而没有饭碗的人随处可见。只有恒心加上决心才是攻无不克、战无不胜的。

——雷·克罗克

麦当劳之父：雷·克罗克

　　麦当劳的金色圆弧代表着一个日不落帝国，最近一项调查显示，现在麦当劳金色圆弧比基督十字架更广为人知。从美国到澳大利亚再到北京，麦当劳是全世界最为家喻户晓的品牌，取得了史诗般的辉煌成就。而这一切都离不开雷·克罗克的一双慧眼，他向整个世界推销"快餐"这一概念，创造了令世人震惊的麦当劳奇迹，从而也成为麦当劳富翁。这个出身并不高贵的移民的儿子，凭着他无比的勇气和运气缔造了这个全球闻名、拥有数十亿美元资产的超级公司，他比任何人想像的都要成功。有人这样评价："他是饮食业的巨人，可以与任何地方、任何人的伟大创举相比肩，如亨利·福特、莱特兄弟等。他正稳固地统治着快餐世界！"

天生的推销员

1902 年 10 月 5 日，雷蒙德·艾伯特·克罗克出生于芝加哥。他的父亲刘易斯为西联公司工作，薪水并不高。他的母亲罗斯通过教授钢琴课，获得一些额外收入。没过多久，雷又有了弟弟罗伯特和妹妹洛兰。1905 年，克罗克一家搬到了一栋位于芝加哥西区市郊奥克公园的房屋里。罗斯持家有方，她在孩子们的帮助下把房子收拾得一尘不染。雷总是非常乐意帮助母亲做家务，扫地是他的特长。虽然只是个孩子，但雷看上去比其他同龄的孩子更雄心勃勃，因此父母都对他的未来寄予厚望。

在雷 4 岁时，父亲带他去看一名颅相学家。颅相学家声称，他可以通过研读一个人的颅骨隆起线条，来预测此人的未来。雷的颅相表明他的未来与餐饮业有关。预言真是灵验，还在上小学时，富有开拓精神的雷就在家门口摆过一个卖柠檬水的小摊子；他也在杂货店工作过；还在他叔叔的便餐店里卖过一个夏天的苏打水。雷开始觉得整个世界都是他推销的舞台。他十几岁时，就再也没有耐心上学了。他不读书，而是用大多数时间来思索赚钱的新方案。他从不把"不"作为问题的答案。如果有了好点子，他总是有办法让这个点子成为现实。

雷是学校棒球队中的一员，特别喜欢棒球运动，里格利体育场一直让他魂牵梦绕，他还经常梦想着自己能成为棒球大联盟的球员。但是不久，雷就意识到打棒球并不能致富，在学校读书也不能。高二刚结束，他开始找理由退学。那一年，美国参加了第一次世界大战。当时他年龄太小，不能参军。不过，他还是说服父母，让他参加红十字救护队。雷来到康涅狄格州，参加红十字 A 连队的训练，可当他们正要坐船去法国时，战争结束了。

雷不得不回到家，在父母的极力要求下重拾书本，然而在坚持了一个学期之后，他于 1919 年永久性地退学了。那年夏天，他在密歇根州波波湖的度假区找了一份工作。在那儿，他结识了一位名叫埃塞尔·弗莱明的女孩。他俩挺有感觉，并开始约会。3 年后，雷考虑结婚。但他的父亲不同意，因为他和埃塞尔都还未成年。除非他能找到一份稳定的工作，否则父亲不会批准他的请求。为了让父亲宽心，没几天雷就找了一份工作，推销"利利牌"纸杯。从第一天起，雷就表现出推销的天赋。"雷是天生的推销员，是那种巧舌如簧、左右逢源的人，特别是当他想要推销的时候。"弟弟罗伯特·克罗克这样说。雷不仅能说会道，而且心怀壮志，甘愿长时间辛苦地工作。他懂得第一印象的重要性，极其注意个人形象。他总是一副光鲜、利索的派头，头上抹着发油，衬衫笔挺，领带饱满，指甲也修得整整齐齐。雷的整洁形象使他能把纸杯卖给许多人，从街上卖意大利冰激凌的小贩，到他所喜爱的里格利体育场的营业员。

接着雷发现了能使他成为公司顶尖推销员的推销对象——便餐店的苏打水柜台。便餐店是个吃点心而非正餐的地方，早在 19 世纪末就出现了。到了 20 世纪 30 年代，美国城市到处都能看到这些卖苏打水的地方。在这里用餐很快、很方便，人们可以随便吃点什么充充饥，或者喝点什么提提神，随进随出。雷让便餐店的老板相信，使用纸杯可以让顾客流动得更快；并向他们展示，通过外卖饮料可以增加多大的利润。当他与中西部最大的沃尔格林连锁便餐店签订合同后，他就成了公司的推销员之星。雷卖了 16 年的纸杯。他的收入使妻子埃塞尔和生于 1924 年的女儿玛丽琳，过着优越的生活，但他却不怎么顾家。雷是个天生的工作狂，他在客户那里花费无数的时间，学习一切能学到的餐饮业的成功秘诀。那时，他已经知道如何找到财富。

1939 年，雷在一个客户制作的机器上发现了财富，那是一个有 5 个转轴、被称为"多转轴搅拌机"的奶昔机。雷立刻觉得这台一次能做 5 杯奶昔的机器比当时便餐店采用的单转轴奶昔机强得多。37 岁时，雷放弃了颇为成功的纸杯业务，成为这种搅拌机的独家批发商。通过出售多转轴搅拌机，雷赚了一大笔钱。但到了 20 世纪 50 年代，由于城郊住宅区席卷美国各地，很多家庭都离开市中心去郊外定居，导致不少便餐店停业。雷少了一大批客户，业务量逐渐下滑，然而一家位于加州圣伯纳迪诺市的小餐厅却不断订购他的机器。这让雷好奇心大增，他不得不亲自去看一下这家需要一次搅拌 40 杯奶昔的餐厅。1954 年，他飞往加利福尼亚州，见到了改变他命运的两兄弟——麦克唐纳兄弟。

慧眼识财源

20世纪20年代末，当雷·克罗克正在芝加哥推销纸杯时，新汉普郡的两兄弟也去西部的加利福尼亚州寻找财富。他们是麦克唐纳家的理查德和莫利斯，朋友和家人都叫他们迪克和麦克。兄弟俩曾经在好莱坞电影制片厂里当过布景员，一直干到30年代初，才开办了他们自己的电影院。但很快他们就明白，光靠放电影不可能发财。后来，他们观察到影院街角的热狗店铺是这一地区惟一的旺铺。1937年，麦克唐纳兄弟参照邻居的成功经验，在不远的镇子上开出了他们的热狗店。3年后，他们搬往加利福尼亚州的圣伯纳迪诺市开设了规模更大、由侍应生提供服务的汽车餐馆，取名"麦当劳餐厅"。正如西海岸其他兴起的汽车餐馆一样，麦当劳餐厅一炮而红。加州人很高兴，能坐在他们心爱的汽车上，享受全套的餐厅服务。8年里，迪克和麦克一直经营着市里最成功的汽车餐厅。

二战后，美国人的世界观发生了彻底的改变，人们开始享受生活，在他们看来，这原本就是欠他们的。当时，人类文明正进入喷气时代，喷气技术开辟了航空和航天技术的新纪元，使得人们对生活中的各种速度有了更强烈的需求，而原先餐饮业的操作却像马车一样缓慢，麦当劳兄弟感觉必须做点什么来让它变得快起来。麦当劳兄弟结束了他们成功的汽车餐厅，转而发明新式的餐饮业务。他们要创造的就是拥有亨利·福特汽车装配线操作效率的厨房。他们缩减菜单控制成本，将菜单品种从25种减少到9种，分别是牛肉汉堡、干酪汉堡、奶昔、法式炸薯条和各式饮料；采用生产线般的食品生产方式，设计新型设备来提高服务速度；降低食品价格，用一次性的餐具替代原有餐具；最重要的是他们将餐厅从汽车服务模式转变到自助服务模式。

当人们发现他们所做的一切时不禁困惑不解，认为他们准是疯了，因为他们曾经有着市里最棒的汽车餐厅。但他们没疯，而是正在领导美国餐厅史上最大的变革，那就是快餐。麦当劳兄弟的天才创意带来了收入的节节攀升，头3年销售额上升了40％。1952年，他们在圣伯纳迪诺市的汉堡包小店，登上了《美国餐厅》杂志的封面，很多人都开始想知道他们是如何成功的。几年后，从事餐饮业的人从全国各地蜂拥而至，来调查麦当劳的运营情况，其中有位来访者一生都在为这样一个机会做准备，他就是雷·克罗克。

多转轴搅拌机

当雷看到麦当劳金色拱门下如水的人流时，他惊呆了。麦当劳兄弟的汉堡包餐厅效率至上，服务快捷，没有浪费，干净整齐，不用碗盘，只需付上15美分，便可买到一份已经配好调味料的标准汉堡包。便宜，简单，质量不变。雷看到了餐厅的消费潜力，他计算了一下，要是全国有上千家这样的麦当劳餐厅，每家都装备 8 部多转轴搅拌机，会给自己带来多大的利润。雷和麦当劳兄弟签了一份合同，获得了独家出售麦当劳餐厅生产方式的权利，但当他回到芝加哥郊区准备开第一家分店时，却大吃一惊。麦当劳兄弟忘了告诉他，他们已经把伊利诺依州的经营权授予另一家公司了。于是雷在开张前，不得不再花上 25000 美元买断这一合约，已经为开店而深陷债务的克罗克几乎付不出这笔钱，这是他与麦当劳兄弟诸多纠纷中的第一个。但不管怎么说雷以企业家特有的眼光、敏捷和魄力，寻觅并捕捉到了一个难得的机遇。他的人生从此也翻开了新的一页。

金色圆弧的奇迹

20 世纪 50 年代中期，美国人都开始搬迁到郊区，雷很乐意跟随潮流。1955 年 4 月，他在芝加哥郊区的德斯普兰斯镇开设了第一家属于自己的麦当劳快餐厅。两道闪闪发光的金色圆弧，以及周围闪烁的五彩霓虹吸引了所有的人。这栋贴着红白色瓷砖的建筑内外都一尘不染，雷一直确保它的清洁。如果雷对哪件事狂热执著的话，那就是绝对的清洁。尽管那时已经五十几岁了，但每个周六他都要擦洗餐厅外的人行道，有时还会用小刷子剔除粘在人行道上的口香糖。

在雷看来，德斯普兰斯的麦当劳餐厅必须是完美的，因为他要通过

麦当劳的金色圆弧标志

这个橱窗向美国其他地方推销麦当劳餐厅的特许经营权。每卖出一份特许经营权，他就能得到那个经营者销售总收入的1.9%，他再拿出其中的0.5%支付给麦当劳兄弟。第一年雷卖出了18份特许经营权，到头来他却惊讶地发现，这笔收入刚够支付他一年的经营费用。雷对与麦当劳兄弟做生意感到担忧，他给了两兄弟一笔他们不可能拒绝的买卖，然而自己却捞不到什么好处。这一切直到他遇见哈里·索恩本才发生了变化。

索恩本是麦当劳早期的幕后财务天才，他告诉雷靠卖汉堡包赚不了钱，只有通过房地产才行。在他的计划下雷开办了另一家独立的公司，专门购买或者租赁可能的麦当劳店址。然后，特许经营人每月就得向雷缴纳房租或是基于销售额的提成，这使雷的获利与特许经营人的收益完全挂钩起来，经营人卖的汉堡越多，雷赚得也就越多，远远高出了原来的特许经营费。所以，将房地产租赁给特许经营人这一概念，对于麦当劳的成功来说是至关重要的。有了正确的房地产策略，雷开始实现新的目标，从西海岸到东海岸开设1000家餐厅。雷不停地搜罗新的店址，和以往相比，他花更多的时间在外出差，这对他的婚姻可是致命一击。

雷和埃塞尔的不和谐婚姻关系已经持续很多年了，1957年，他爱上了另一个女人琼·史密斯。雷对琼是一见钟情。1961年，他结束了与埃塞尔长达39年的婚姻，全力以赴去赢得琼的芳心，但琼打定主意不离开她的丈夫。这段爱情让雷身心交瘁，他当时非常伤心。一年后，雷搬到了加利福尼亚。在那儿，他遇到了简·多宾斯·德里姆，才约会了两个星期，雷就娶了她。但后来他承认当时娶简是出于方便，其实他心里一直惦记着琼。

雷的最爱一直都是麦当劳餐厅。从1958年到1961年他又开设了200多家餐厅，而且开店速度还在加快。雷和员工们乘坐公司的飞机，一个个社区地通过寻找教堂尖顶来搜索新的店址。雷相信哪儿有教堂，哪儿就有温馨的美国家庭，而他们就是麦当劳的顾客，这就是雷寻找新店址的方法，他不需要那些科学的量化研究，而是仅仅凭直觉。一旦他决定了新店址，就会告诉特许经营人该如何运营。

雷和公司制定了 75 页的手册，里面概括了经营麦当劳餐厅的每一个要点，定义严格，没有自我发挥的余地：牛肉汉堡饼要有 1.6 盎司重，加上 1/4 盎司的洋葱、一茶匙芥末、一餐匙番茄酱；每根薯条都应切成 9/32 英寸厚……手册中甚至规定多久清洁一次餐厅。雷要求完美，不能容忍各地的经营偏离标准，甚至苛刻到不允许有一丝一毫的偏差。雷的成功正是得益于他的那套公式，如果有谁想挑战这套公式，那就像对福特汽车流水线说"哦，我想把这辆车子上的反光镜装得与众不同"。在雷看来，组织不能信任个人，而个人必须信任组织，不这样做的话，整个组织的根基就会松散，随时都会垮掉。

1961 年，雷和他的员工想出个办法，能更严格地控制特许经营。他们在芝加哥麦当劳餐厅的地下室开设了一个培训中心，也就是后来的汉堡包大学，学员们可以主修汉堡包学，辅修薯条学，并获得学位。《流行文化百科全书》作者之一简·斯特恩指出："汉堡包大学的主要意义在于，它确保了人们以雷的方式经营麦当劳餐厅，就像一个人参军得到了一本教科书，教你如何清洁步枪，如何叠床铺。麦当劳公司并不是一个鼓励创新和发明的地方。"

雷坚持要操作员严格遵守规定，可自己却要打破规定。他想改动两兄弟原有的公式，因此与迪克和麦克发生分歧。但由于合同规定没有麦当劳兄弟的书面批准，他不能做任何改动，这成为雷与麦当劳兄弟 7 年合作中挥之不去的烦恼。

1961 年，雷决定将麦当劳餐厅变为自己的财产。他问迪克和麦克买下麦当劳要多少钱。兄弟俩告诉雷他们每人都要 100 万美元，而且是税后所得，这大概一共需要 270 万美元现金。雷觉得这简直就是敲诈，而麦当劳兄弟也认为他根本就拿不出这笔钱。没想到，雷却咆哮着喊道"拿去吧"，把钱给了他们，当律师和会计师都在说"你疯啦"时，他却说"我早就想这么做了"。但这笔交易还有最后一个障碍，雷认为 270 万美元的买断费已经包括了麦当劳兄弟在圣伯纳迪诺市的餐厅，但迪克和麦克却不这么认为。这个分歧使得雷再也无法克制多年来对麦当劳兄弟的抱怨，他向公司的一位老员工袒露心声说："我不是什么报复心很重的人，但这次我要好好教训那帮混蛋。"而雷的报复恰恰是以兄弟俩的姓氏进行的。由于不再有权使用自己的姓氏，迪克和麦克不得不把他们在圣伯纳迪诺市的餐厅更名为"大 M 餐厅"。克罗克便在一街之隔开了一家全新的麦当劳餐厅，把"大 M 餐厅"挤出了快餐市场。

他要赢遍天下

没了麦克唐纳兄弟的管制，雷开始制定自己的麦当劳菜单。在开发新产品时，他总觉得自己很有想像力，但这恰恰不是他的长处。他只是抓住了美国人的钱包，而不是美国人的胃。所以雷很早就认识到，应该把开发食品的任务交给特许经营人去做。

辛辛那提的特许经营人通过发明鱼肉汉堡包解决了斋期问题，麦当劳现在每年都要售出 5000 万磅的鱼肉。匹兹堡的吉姆·德拉格提发明了巨无霸汉堡，它后来成了麦当劳的旗舰汉堡包。圣巴巴拉市的特许经营人赫布·彼得森发明的新产品——麦当劳鸡蛋松饼，使麦当劳一举进入早餐市场。由于有了鸡蛋松饼，目前早餐占了美国麦当劳销售额的20％。

麦当劳旗舰汉堡包

只要有助于麦当劳，雷不在乎谁获得了荣誉。在广告方面尤其如此。尽管他是一个超级推销员，但他认为应该让别人来担任麦当劳的公众形象大使，因为他似乎不是那种善于融入家庭的慈祥的父亲或祖父形象。麦当劳公司明白，如果全家人出来吃饭，孩子们最有发言权。1963 年，华盛顿特区的特许经营人雇佣了在当地电视节目上扮过丑角的演员，来扮演麦当劳小丑这个角色，最初人们都叫他"唐纳德·麦克唐纳"。扮演小丑唐纳德的演员叫威拉德·斯科特，他把麦当劳的杯子套在鼻子上，将外卖用的四孔托盘做成帽子，穿着麦当劳标志色的小丑服，嘴上调皮地说着："孩子们，你们好！看电视是不是很有意思啊？要是你们尝过麦当劳可口的汉堡包，就更会这么觉得了。"小丑不久就改名为罗纳德，在华盛顿特区的孩子们中间风靡一时。

3年后，经过化妆和服装方面的改动，罗纳德·麦克唐纳初次登场，作为麦当劳快餐连锁店的全国代言人。麦当劳公司在做出这个决定后，就为此全力以赴。他们开展了大规模的广告攻势，经过媒体的强势宣传，一个月内将罗纳德的形象深入到了460万儿童的心中。借助广告的力量，麦当劳的金色圆弧成为了风行全美的标志。

1965年，雷已经在44个州开出了近700家餐厅。同年4月，麦当劳成了历史上第一家上市的快餐公司。公司股票上市价为每股22.5美元，几周内就攀升到49美元一股，这使得雷迅速成为了亿万富翁。

1968年，在麦当劳公司的一次宴会上，雷做了一次餐后演讲。他告诉客人们除了一件事情，他已经实现了所有的人生梦想。这一次雷没有谈论生意，而是向坐在他身旁的来自明尼苏达州的钢琴女乐手琼·史密斯传达了一个信号。她的丈夫当时也是麦当劳的特许经营人。许多年来，雷对琼一直念念不忘。这次，他成了大赢家，一年不到他们就分别离了婚。1969年3月8日，雷和琼正式结婚。当雷年逾古稀时，他拥有了生命中的一切，他的事业比预期要成功得多。麦当劳功成名就、羽翼丰满后，便开始进军国外市场，在20世纪60年代末和70年代初已发展到加拿大、哥斯达黎加和波多黎各等地，从1971年开始又发展到荷兰、德国、澳大利亚和新西兰等国。麦当劳汉堡包大学还为外籍公司培训了大量的人才。此时麦当劳正式成为美国最大的食品供应商，雷也跻身于世界富翁的行列。

雷70多岁时开始享受富有带来的权力，他用钱实现了自己毕生的夙愿——拥有一支棒球队。在1974年，雷买下了举步维艰的圣地亚哥牧师队。他是圣地亚哥牧师队的救星，但一开始球队里没有人知道这个买家是谁。雷给球员们的印象是虽然个子不大，但精神饱满。他对球员们说："我们要做的第一件事，就是要赢遍天下！"雷把他标志性的热情，都注入到了棒球比赛中。

但是，他在牧师队1974年主场揭幕战上的热情，似乎有点过头了。当时比赛进行到了第三局，牧师队以0:8落后。雷快步走到播音台前，拿起麦克风，向观众致歉："这是我这辈子看到过的最糟糕的一支球队，我向你们致以歉意，我保证我们不久就能取得胜利。我想这帮球员在场上的表现，真是糟透了，我保证这再也不会发生了……"雷手持麦克风，就像船长在斥骂船员一样，痛斥着那些球员。而那些球员们则目瞪口呆，球队管理人员也惊呆了，雷的朋友们也目不转睛地看着他。他们面前的就是雷·克罗克，这就是典型的克罗克腔调。而他对此是这样解释的，"我一直教育自己要服务于社会。如果人们来到我的球场——其实球场并不是我的——来观看我的球队的比赛，我就想让他们能得到某种价值，这也是我想要人们在麦当劳餐厅能得到的。只要我能给他们这种价值，他们就会来看比赛。如果我给不了他们这种价值，我就要去痛骂球员。"圣地亚哥牧师队播音员杰里·科尔曼说："那次发作之后，球迷们都无比热爱雷，因为他虽然拥有上亿财富，但还是像常人一样平易近人。"

比起经营麦当劳快餐厅，雷对牧师队的运作得到了更多的社会关注。他想方设法让球队有些起色，但牧师队在随后的6年里只赢得了一个赛季的胜利。雷为此深受打击，开始感到岁月不饶人，并逐渐退出了具体的工作。尽管他不再每天投身于俱乐部事务，但还是深受圣地亚哥球迷的爱戴。1982年10月2日，牧师队球员和球迷们为老板雷举行了一次盛大的80岁生辰会。这是雷最后的辉煌时刻，一年后他得了中风，一直住院治疗。

1984年1月14日，雷因心力衰竭而去世，享年81岁。在雷去世10个月后，麦当劳快餐卖出了第500亿个汉堡包。他的遗孀琼继承了大笔遗产，同时也继承了雷的慈善事业。琼乐善好施，却自甘淡泊，在她于2004年1月病逝后，国际性慈善组织"救世军"收到了来自她高达15亿美元的巨额捐款。至此，琼已先后将自己现值20亿美元的财产捐赠殆尽。

今天，麦当劳快餐仍在继续着它的传奇，进军国外市场都无一例外地取得了胜利。它在全世界的餐厅数量叫人瞠目，坚定地占据着快餐业的霸主地位。麦克唐纳兄弟绝对不会想到这些，他们尽管有一个很好的概念，但是这概念需要人去实施。正是雷·克罗克的远见卓识，使麦当劳快餐有了如此规模的发展，但他留给世界的不仅仅是麦当劳，还有不向命运屈服、一往无前、顽强拼搏的坚强精神！

　　最震撼人心的消息莫过于早上一觉醒来，发现互联网的使用量正以每年2300%的速度在增长。

——杰夫·贝索斯

电子商务领军人：杰夫·贝索斯

　　以前为了能买到礼物或日用品，人们常常不得不在拥挤的人群中排着长队。如今这种状况已经大为改观，一切业务只需要坐在家中轻点鼠标就能办成了。最近10年来，个人电脑已经成为通向全球市场的门户，有了它你几乎可以买到任何商品，而杰夫·贝索斯就是这场革命的领军人物之一。他具有超人的聪明才智，敏锐地捕捉到了电脑科技的发展动态；他成功地缔造了亚马逊公司，成为全球最大网络超市的掌门人。于是，电子商务时代开始了。

科技天才

　　1963 年 1 月 12 日，杰夫·贝索斯出生于新墨西哥州。杰夫是一个快乐而精力充沛的孩子，很小的时候就表现出了非凡的智力。他还是一个很有主见的孩子，3 岁的时候就拿着螺丝刀要把他的摇篮拆掉，因为他想睡在大床上。小杰夫这种有主见的行为完全遗传于他的母亲，因为他的母亲杰姬·贝索斯就是一个性格倔强的人。她还在读中学的时候就结婚了，但 18 个月之后又离婚了，刚出生的小杰夫和母亲生活在一起。不久杰姬开始和麦克·贝索斯约会。麦克·贝索斯是古巴移民，非常勤奋，后来做了工程师。1968 年 4 月，杰姬和麦克举行了婚礼，从那以后杰夫一直和继父麦克生活在一起，并且把他当做真正的父亲，即使到后来杰夫对自己的亲生父亲也没有任何兴趣，只有在医院当医生问起他父亲的病史时，他才会想起亲生父亲，而他只能说对此一无所知。

童年时的杰夫·贝索斯

　　杰夫最美好的童年生活是在外公那里度过的夏天。外公在得克萨斯州的科图拉，拥有一个 2.5 万亩的牧牛场。杰夫的外公劳伦斯·盖司以前担任国家原子能委员会的经理，他培养并鼓励杰夫对科学和机械的兴趣，是杰夫的启蒙老师。他们一起做了许多事情：修风车、修篱笆、放牛、给牛接种等，这些经历对杰夫来说是非常宝贵的，他不仅学到很多东西，最为重要的是学会了自力更生。

　　在牧牛场度过的夏天，杰夫对运动比较感兴趣，但只要一离开牧牛场，他就开始对科技展、科幻小说和数学这一类东西感兴趣，和在牧牛场的表现完全不同。杰夫成了 20 世纪 60 年代科幻电视剧的大影迷，他和他的朋友们都是早期《星球旅行》的狂热追捧者。杰夫对计算机也非常痴迷，10 岁的时候他和朋友们在学校里找到了一台计算机，实际上，那只是一台与主机相连的电传打字机，因为 1974 年那会儿还没有个人电脑。他们发现主机上有一个按照预定程序工作的《星球旅行》游戏，所以当时这台计算机对他们惟一的用处是玩《星球旅行》游戏。不玩游戏的时候，杰夫大多数时间都在家中的车库里搞科学试验。他制作各种各样的东西，比如小巧的检查装置、太阳能炒锅，还有气垫船以及连在卧室门上的报警器，甚至还有机器人、车库里的激光装置等。杰夫不停地研究各种各样的新鲜玩意，进行各种各样的新奇活动，这些充分展现了他的聪明和智慧。

　　1976 年，贝索斯全家搬到佛罗里达州的迈阿密，杰夫开始在那里上中学。在学校里，杰夫经常参加各类比赛，还选修了所有的高级课程。他的考试成绩没有一次成绩低于"A"。杰夫还当选为学校里优等生联合会的会员，并且是大多数联合会的骨干。他手上总有各种各样的项目在进行之中。他几乎从不逃课，惟一一次逃课也是因为他在忙着制作他所举办的校科技展的展品。

杰夫·贝索斯（右三）与他的老师和同学们

　　杰夫在校时的表现非常突出，以至于 20 年后他的中学老师还会经常提到他是如何的聪明。老师们对杰夫这样的超优等生倍加喜爱，同学们也非常喜欢他，都觉得他很友善、很乐观，老是笑个不停。杰夫自然、乐观、积极向上的个性为他赢得了不少的朋友，但是他从来都没有"女孩缘"。在中学时他曾和几个女孩子约过会，但都没有维持长久，他从来不会因此影响自己的学业，因为他要在班上拿第一名，要当毕业生代表。

1982 年，杰夫以班级第一名的成绩从中学毕业。他的平均积分点很高。普林斯顿大学录取了他。在大学里他起初计划学物理专业，但是二年级的时候决定改学电子工程及计算机科学专业。那时计算机是许多雄心勃勃的大学生们梦寐以求的热门领域，杰夫对这个专业的向往比任何人都要强烈，在这个专业的学习成绩也比任何人都突出，不仅表现出了常人不具有的聪明，也显示了他在计算机应用领域具有的超凡领悟力。后来，杰夫以优异的成绩从普林斯顿大学毕业，并成为美国大学优秀毕业生荣誉组织成员。

毕业后的杰夫迫不及待地投入到了工作当中，他要尽全力开发崭新的计算机高科技领域。当时美国的计算机工业蓬勃发展，几乎每时每刻都有运算速度更快、价格更低、功率更大的计算机问世，但互联网的发展却处在初级阶段。1986 年时每 10 户美国人就有一户拥有家用电脑，对杰夫而言此时踏进高科技行业是最好的时机。开始他在纽约一家国际金融贸易公司工作，4 年后辞职，然后就职于纽约的一家投资公司。他负责寻求与计算机行业相关的新的投资机遇，很快就成为了这家公司的新星。两年后，杰夫升任为公司的高级副董事长，此时他只有 28 岁。

工作稳定以后，杰夫觉得自己该找女朋友了。为了能有机会接触到更多的女孩子，他报名参加了交谊舞学习班。他的交谊舞是学会了，但女朋友并没有找到，杰夫对此感到很困惑，并产生了挫败感。就在他苦苦寻求女朋友的时候，一个名叫麦肯茜·塔特尔的普林斯顿大学毕业生来到他所在的公司，和他成了同事。麦肯茜是杰夫的助理，在公司里表现很优秀。随着时间的推移，杰夫开始认真地考虑与麦肯茜的关系问题。在道德上他左右为难，一方面理智告诉他不应该和自己的助理谈恋爱；另一方面情感又告诉他，他爱上了她，可他又担心会引起性骚扰一类的问题，所以决定按兵不动。后来还是麦肯茜主动和杰夫谈起了这个话题，大约 9 个月后他们就决定结婚了。1993 年 9 月 4 日，杰夫和麦肯茜举行了婚礼。杰夫几乎拥有了一切，一个可爱的妻子和一份理想的工作，但作为超级优等生的他却梦想着去开辟新的领域。

开创第一家网上书店

1994 年 4 月，杰夫从电脑上了解到互联网正以每年 2300％的速度在发展，他震惊了，没有什么行业会有这么快的增长速度。当时杰夫预见到，网民的数量很快就会越来越大，在不久的将来互联网会用于购物。他的这个想法真是过于大胆，因为在当时网上零售还只是一个崭新的概念，互联网技术还很粗糙，而且个人电脑连接到互联网上的为数不多，它的市场无法估计，媒体对它的报道规模也非常小，可以说互联网购物的概念正处在最原始的发展阶段。杰夫觉得这是商机，他认为自己可以成为网上零售业的先锋。经过调查，他决定把产品先定位在书籍销售上，因为书很容易分类，运输也比较方便，是惟——种可以有成百上千万个种类的产品，而且网上零售书还有一大优点就是有无限的空间来充当书架。为了打败所有还没有上网售书的大型连锁书店，杰夫清楚地意识到他的动作一定要快。于是他给父母打了电话，阐述了他的创业设计，当父母明白了互联网究竟是怎么回事后给了杰夫 30 万美元作为启动资金。

贝索斯与书有不解之缘

1994 年 7 月 4 日，杰夫辞掉了投资公司的工作，和麦肯茜整理好行装向西部进发、创业。他俩谁也不知道最后的目的地在何方。一路上麦肯茜开车，而杰夫则在他的手提电脑上拟定公司的计划。他决定把他的新公司命名为亚马逊，这个名字会使人觉得这肯定是家大书店，选择的余地一定很大；同时他还决定了到西雅图去发展，在那里能很轻松地招到计算机专业人才。

到了西雅图之后，杰夫和麦肯茜租了一幢有两个卧室的房子，亚马逊公司在这套房子的车库里正式启动了，杰夫要在车库里运营一家高科技公司。开始不是很顺利，首先公司的地址选择不够理想，不是因为车库地方太小，而是因为那里经常断电，只要功率过大，保险丝就会烧断。杰夫担心车库这样的办公环境会把一些潜在的员工吓跑，为了克服这个缺陷，他决定每次面试都在市中心的巴恩斯－诺伯书店进行。当时这家大型书店只是看到有一位躲在角落里的年轻人常常大笑不已，却怎么也没想到他日后竟会成为自己最强有力的竞争对手。

1995 年 6 月，亚马逊网站准备进行第一次试运行，杰夫和他的员工们想方设法要把它建成尽可能方便用户的网站，一个非常简单的网站。现在看来他们当时的想法非常高明，因为他们在后来不管加了多少东西上去，他们的主页都会一直保持简洁的风格。试运行期间，杰夫和他的同事们都邀请自己的家人和朋友来使用这个网站，当时出于好玩他们还设计了一个程序，就是每当有订单进来的时候，计算机就会发出"叮"的一声，一开始大家都觉得很有趣，但是 7 天之后铃声就已经太频繁了，甚至影响了他们的正常工作，于是只好把铃声程序解除了。

1995 年 7 月 16 日，亚马逊网站正式对外开放，除了口头宣传外，公司没有做任何的广告，30 天以后他们已经接到了来自各地的订单。亚马逊网站的运营情况好得出乎他们所有人的预料，而杰夫则是这个世界上感到最为惊讶的一个人，他在制定最初的公司计划时是做好了没有任何订单的准备的。事实上，公司的运营情况好也是正常的，因为杰夫没有想到 1995 年的早期网民更愿意接受新事物，更愿意尝试新鲜玩意儿。

急速腾飞的亚马逊

为了满足客户日益增长的需求，1996 年初亚马逊公司搬到了更大的总部，并开始在西雅图、特拉华及内华达地区建立配送中心，公司的销售额从 1995 年的大约 50 万美元激增到 1996 年的 1570 万美元。这时商界才突然注意到这家公司。亚马逊公司的竞争对手如巴恩斯－诺伯等大型书店也注意到了他的成功。紧接着，1997 年初巴恩斯－诺伯书店宣布将开拓上网售书的业务。几乎一夜之间，亚马逊书店就有了许多竞争对手。很多评论家发表文章说，亚马逊书店度过了美好蜜月期，好日子就要结束了，它很快就会被打败的。然而，他们所说的这种情况并没有发生，虽然媒体大肆宣传巴恩斯－诺伯网站的销售额，但它从没有超过亚马逊网站。

1997 年，亚马逊以每股 18 美元的价格在美国上市，股票走势显出了它巨大的潜力：到了该交易日收盘的时候，亚马逊股票已经进行了 3 次拆股，每股价格更是飙升到 94 美元。当时对开办网上零售业务的网站进行统计时发现一个现象，就是老资格的公司不管是巴恩斯－诺伯这样的书店，还是时代华纳这样的传媒企业，能在网上获得全胜主要是因为他们同时还要兼顾传统企业，这些企业在开拓网上业务方面有一个很大的品牌优势，可是他们并没有把自己的品牌成功地运用到网络上。而亚马逊是没有品牌优势的零售业务网站，即使这样到 1998 年底，亚马逊公司还是顶住了主要竞争对手的攻击，并且销售额进一步上升。同时杰夫开始了新的追求，他计划将亚马逊创建成世界上最大的网上商店。亚马逊公司又新添了 1800 万种商品供顾客选择，这些商品从 CD 到玩具应有尽有，除此之外，公司对其他类型的网站如宠物网站和药店网站也进行了投资。1998 年 11 月，亚马逊在网上又开通了录像带和礼品店。不仅如此，亚马逊的业务还将迅速拓展，进入从软件到时装、从鲜花到旅行包的广大市场中，并与包括微软在内的各大公司进行竞争。

1999 年亚马逊迈开了向国外扩张的步伐，出资 5500 万美元收购了英国和德国两家网上书籍销售公司，另外还并购了英国一家网上电影公司。这一年似乎是电子商务独步天下的开始，它的举手投足都为人类社会的理念带来了强烈的冲击。因此，《时代》周刊把年度风云人物的桂冠加冕给杰夫——他作为全球最大虚拟超市的"掌门人"也是理所当然。

到 2000 年的时候，亚马逊公司气势如虹的进程引来无数疯狂的投资者。上市以来它的股票价格不断上涨，升为原有价格的 5571%。每股突破 400 美元大关，股票市价总值达 210 亿美元，比拥有 1000 余家分店的美国最大的庞诺书店的市值高出 8 倍多。到这年的第四季度，行业分析家估计亚马逊公司的销售额可能达到 5.692 亿美元，比上一季度增长了一倍。而且这一数字在 2001 年又增长 68%。人们惊诧于亚马逊的庞大，并赞誉其为"网上沃尔玛"。短短几年，亚马逊几乎挤进了所有阵地，并取得了像微软一样的垄断地位，而同一时代的其他同行，像网络售书公司 B&N，则完全笼罩在它的阴影之下，每天简直都像在噩梦中过活。

由于消费者对网上购物日益接受，互联网零售公司的销售额直线上升，2003 年假日期间网上零售公司销售额增长了 30％，达到 125 亿美元。而亚马逊当年的销售则达到了 62.5 亿美元，2004 年的销售预期将提高至 67 亿美元，这意味着亚马逊公司的收入增幅在 18％至 27％之间。

有争议的经营策略

美国股市对亚马逊公司的高速增长极为满意，它的市值曾一度达到250 亿美元。商界里的一部分专家觉得这个价格高得实在荒唐，因为到目前为止亚马逊公司还没有盈利，无论用证券分析理论的哪一种标准来判断，人们对亚马逊公司的估价都是过高的。当然在没有盈利的条件下，专家们很难说这个估价比它的实际价格究竟要高出多少，他们只能说人们对它的估价真的实在是太高了。对此杰夫提出了自己的看法，他认为公司经营策略是先把品牌树立起来，把顾客吸引过来，然后再考虑盈利问题，因此目前的亏损是很正常的。亚马逊公司不赚钱是出了名的，但这却是公司有意采取的策略。因为每天都有新的客户上网，有的人甚至还只是在摸索电子商务究竟是怎么回事。在这样一个关键时期，公司只顾眼前盈利而不做长期投资的行为是短视行为。早在亚马逊公司创办的初期，杰夫就已经下好了赌注，那就是靠亏损来获取客户的欢心。

从公司上网的第一天起，杰夫就强调一定要为客户提供一流的服务，在他看来，高质量的服务不仅是公司最终盈利的关键，而且也是他试图改变零售业现有模式的宏伟计划的组成部分。他们的首要目的就是要建成以客户为中心的公司，为客户着想，多听客户的意见，尽量把客户的注意力吸引过来。亚马逊公司的客户服务在同行业中可以说是最好的，他们最注重的就是为客户提供服务的质量。他们希望大多数的客户都能对他们公司的运作方式留下深刻印象，这样其他的企业或多或少都会以他们为榜样。假如这个目的能达到的话，那他们所取得的成就比一家普通公司所能取得的成就要大得多。杰夫的经营理论渗透到了公司的每一个角落，和亚马逊公司的任何一个员工交谈之后，就会很清楚地意识到他们已经接受了杰夫的理念。如果有哪位员工不信奉这种理念，那他在公司是工作不长久的。

有些专家认为杰夫所说的以客户为中心的理念只是他的一个策略，是为了转移人们的注意力，使他们不易发现公司经营策略本身的漏洞，这其实并不是什么新奇的经营手法。毋庸置疑，杰夫的经营模式风险很大。在网上零售业方面，客户手中的鼠标只是随意点击几下，竞争的格局马上就会发生变化。他们的经营模式在很大的程度上倚仗客户对公司的忠诚。互联网最大的一个特点就是很容易培养客户，同时也很容易流失客户。事实上，不管客户是否会变化无常，亚马逊公司的销售额一直在持续增长着。

成功后个性依然

杰夫现在是网络界的超级明星，成了整个行业的象征、各个媒体的宠儿，他开始接受各个电视台的采访。即使在聚光灯下，这位计算机才子也能应对自如，他似乎很喜欢这种感觉。媒体需要谈谈和互联网有关的话题时，他们总是打电话给杰夫，这不仅因为他具有专业知识，而且还因为他是个很风趣的人。和其他的许多人比较起来，杰夫会更多地运用自己的外在形象，他滑稽可爱、幽默风趣、独具个人魅力。在公司总部，杰夫喜欢在员工面前表现出自己常人的一面。他总是乐观向上，对生活充满了无限的热情，到处都能听到他欢呼喝彩的声音，每个人都特别愿意和他一起共事。不论是出现在记者招待会上，还是公司的夜餐会上，杰夫总是在享受着美好的生活。虽然他的个人财富每周都在不断地变化，但是成为亿万富翁之后他本人并没有什么变化。

杰夫之所以能成功不只是因为他风趣，最主要的是他具有远大的抱负。在亚马逊公司成立半年后，他本来可以百万富翁的身价退休的。很多人提出要买他的公司，第一个买主就出价 500 万美元，几个月后又有人出价约 3 亿美元，他当时就可以把公司卖掉，但这并不是他所追求的目标，他的目标是创造历史。现在杰夫致力于创建全球最大的网上商店，当然想干这件事的并不只是他一个人。近几年来好些知名的零售商都纷纷创建了网站，开起了网上商店，但杰夫总是略胜一筹。

杰夫生性活跃，是个连电梯都不情愿乘的人，所以放慢脚步对他来说是很难做到的。如果一定要说他现在和以前有什么区别的话，那就是亚马逊公司在网上面临的竞争更为激烈了。然而对于很多传统零售商来说，要在网上成功地开展零售业务并不简单。他们必须有大量的库存，而且全国各地都要有配送中心，这一点杰夫是用不着担心的。另外还有定价问题：沃尔玛连锁店一般都根据各地市场销售的实际情况来进行定价，因此同样一把锤子在长岛可能卖 15 美元，而在堪萨斯也许只卖 12 美元。这样就存在一个统一定价的技术问题，在互联网上究竟该以哪个定价为准？现实情况就是沃尔玛所擅长的东西和亚马逊所擅长的东西完全不同。对于沃尔玛网站是否会影响到亚马逊网站的销售情况这一问题，杰夫说他并不担心，他认为互联网很大，比大多数人想像的还要大得多，因此会有很多赢家，不可能只有少数几家公司才能成功地开展网上零售业务，会有成千上万家公司盈利的。杰夫对于亚马逊公司的未来极为乐观，不过有些分析家指出公司成功与否还有待时间的证明。

杰夫才 36 岁就已经取得了巨大的成功，这位曾经梦想着要开拓新领域的男孩如今已经建成了庞大的商业王国，并由此使零售业发生了革命性的变化。人们也许会想，他现在是否该放慢脚步稍事休息了？但是了解他的人都知道这位年轻的百万富哥是永远都不会停歇的。在目前这个新经济时代，杰夫想要做的就是建立一个划时代的完美的企业模式。到一定的时候，他会宣布胜利并退出互联网行业，然后将自己的后半生投入到更伟大的事业上去。他的脑子里已经有了做慈善事业的宏伟计划，思考着如何解决全球的饥饿问题以及如何消除婴儿死亡率的问题……

格调高雅的设计造就杰出的事业。

——查尔斯·路易斯·第凡尼

第凡尼家族：登峰造极的标志

"第凡尼"，它捕捉了好莱坞的审美眼光，俘虏了全世界消费者的心。查尔斯·路易斯·第凡尼是这家以他的名字命名的商店的主人，在纽约历史上声名显著，因为第凡尼家族拥有大量昂贵的珠宝和金银。他曾以无比巨大的代价购买了欧洲的珠宝，此举使他成为"珠宝之王"。他向纽约社会名流、欧洲的国王皇后销售珠宝赚取了千万资产。而他的儿子路易·康弗特·第凡尼则在艺术界享有盛名，是全球最顶尖的玻璃制造商，被誉为玻璃艺术世界的巨人。他的玻璃台灯、玻璃花瓶是收藏家的至爱。但是这对父子的性格却迥然不同，父亲喜欢赚钱，儿子却喜欢花钱。父子俩共同创造了一种真正美国式的品质和风格。

如今，"第凡尼"已不仅仅是一家珠宝商店，更是一种时尚文化的代表。

非同凡响的零售商

　　查尔斯·路易斯·第凡尼，这位代表着大都市优雅风尚的人物却出生在新英格兰的一个小村庄里。与大多数美国人一样，第凡尼家族的几代人都以种田为生，直至查尔斯的父亲康弗特才打破了这种传统。他在康涅狄格州的西克林里投资了一家棉花厂。1812 年的 2 月 15 日，查尔斯·路易斯·第凡尼就在这里出生了。查尔斯 11 岁的时候，他父亲在基内堡和"五里河"的边上建造了真正属于自己的棉花厂，康弗特也因此成为当地最成功的制造商。这种改变使他们一家跃然而成当地的绅士。

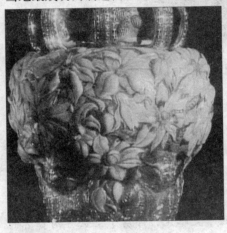

第凡尼设计的作品

　　查尔斯就是在这样的环境下长大的，父亲是社区的名人，人人都指望从他这儿找个工作来养家糊口。康弗特希望作为长子的查尔斯将来有一天继承势头良好的家族事业。当时他们还开了一家零售店，查尔斯 15 岁时辍学开始管理家族商店，正是在这儿他开始学习零售这门让他终身受益的学业。他学到了推销的原则，那种能俘获消费者情趣、吸引他们走进店门的诀窍。查尔斯的经营卓有成效，一年后他甚至有钱请来替他经营的人，而自己回到学校学习，并在两年之后毕业。接下来的 6 年时间里他继续经营着商店，期间他曾前往纽约采购一些在当地找不到的商品。查尔斯的父亲对儿子的业绩非常满意，他把棉花厂改名为"第凡尼父子公司"。但是 22 岁的查尔斯却想放弃他父亲的梦想，因为他有了属于自己的梦想。

　　查尔斯喜欢冒险，对把握自己的命运充满自信，他认为自己不仅能做小池塘里的大鱼，还能成为大池塘里的大鱼，他想到更广阔的世界里一试身手。康弗特对于儿子不愿意跟随他的脚步而感到失望，但他又意识到查尔斯对梦想的追逐与当年的自己太相似，做父亲的妥协了。1837

年，怀揣着父亲的祝福，查尔斯来到了纽约。当时的纽约还没有从两年前的一场大火灾中恢复过来，而那些失业的移民则在到处恐吓当地的居民，成群的猪流窜街头以垃圾为食，纽约正处在美国历史上最糟糕的经济恐慌中。但查尔斯却并没有被吓倒，他和童年伙伴约翰·扬决定开设一家时髦货品店。他们两个认为即使是在最糟糕的环境下富人总还是有钱要花的。

查尔斯一到纽约就四处调查，这个聪明人很快就发现全纽约还没有一家店是定位在专为富人阶层提供服务的，所以他决定朝这个方向发展。1837年的时候，那些富人们都认为美国货是次等货，他们只对舶来品感兴趣，第凡尼提供的正是这一类东西。纽约是个沿海城市，当那些船只驶进曼哈顿的码头时，第凡尼就去跟船长们聊天，如果这些船长带来了巴黎、伦敦的时髦货，他当即就会买下来。

"第凡尼和扬"商店开张

1837年9月14日，名为"第凡尼和扬"的商店开张了。查尔斯在店里摆满了各式各样的时髦商品，包括中国的瓷器、日本的漆器和青铜雕饰等等。第一天营业结束，收银箱里只有4.98美元的利润，但是到

287

了月底，商店的生意就不同凡响了。他们的生意非常顺利，1841年，查尔斯和扬不得不吸收一位新的合伙人埃利斯入伙，店名也随之改为"第凡尼、扬和埃利斯"。新合伙人的投资使查尔斯有能力派出采购员到欧洲，而他的店也成为全纽约第一家拥有境外代表的商店。当时他们的商品包括铜雕、绘画、瓷器和玻璃等等，有位评论家去参观，他的评论是如果某天下午到查尔斯的店里逛上3个小时，就等于在欧洲生活了3个月。查尔斯终于在纽约站稳了脚跟。

同年，查尔斯与他儿时的心上人，合伙人约翰·扬的妹妹哈丽特·扬结婚。关于哈丽特世人了解不多，只知道她出生于富庶人家。当时媒体对她的惟一报道是"她有令人尊崇的个性"，还说她"表现得体"。她背景资料的稀缺反倒证明她很好地完成了自己的职责，始终躲在幕后默默支持查尔斯。

查尔斯·第凡尼与心上人哈丽特·扬

媒体和大众的关注焦点，积聚在查尔斯的公司上。1861年，桑普特开火，那些富人们几乎不再购买奢侈品了。查尔斯面对这一变故对经营项目做了调整，他购置了一些装饰性的制服和长剑，卖给那些因战争而群情激昂的人们。同时，他在默默地收购战争期间流失的铜雕和花瓶之余，转向珠宝行业，这被称为"第凡尼"经营方向的变革。查尔斯分派各地的采购员为他收集了价值几千美元的珠宝，在纽约为自己赢得了"钻石国王"的美誉。美国人对这些东西着迷了，他赢得了越来越高的声誉，顾客们通过横跨的海底电缆蜂拥而至。查尔斯的推广意识和商业才能是过人的，他总是能干出一些非同凡响的事情。

然而政治形势让查尔斯感到不安，他经常设想这样的结局——"取而代之的是军帽"。查尔斯是非常爱国的，他原本希望军校的训练使他的儿子路易·康弗特·第凡尼在必要时能去作战。可是路易憎恨那些严格的训练，只有学校开设的绘画课让他痴迷不已。17岁的路易想成为画家，日后他痴迷的仍是欧洲如诗如画的乡村生活，每次去欧洲的路上就画个不停。他画了卖花人、画了风景，有人称之为"美丽的宗教"。

战后，美国重新纳入奢侈品帝国的轨迹，一种为国货骄傲的情绪主宰着市场。第凡尼公司成为第一家为美国人设计产品的商店，他们想方设法选用美国的宝石，装饰甚至是美国土著的象形文字，美国需要一种以自然为本的艺术品。1867年，查尔斯参加巴黎展览会，为美国夺得首次颁予法国以外国家的银器制造冠军。许多报纸都在头版报道了查尔斯。他的客户都是非富即贵的家族，他自己则成为领先美国帝国消费的主人。查尔斯对自己取得的成绩很满意，也继续着他精妙的营销术。

这时的美国开始流行欧洲风尚，富人们希望能够按欧洲的皇族标准安排自己的生活，譬如晚餐包括12到18道菜，餐桌上有精致的银器。美国处于辉煌的银器时代，这要求第凡尼公司制造出最精致的银器。他们用重达919磅的白银打造出一套银器，这套银器多达1200件，一开始就是要注定使它成为独一无二的珍品。

19世纪中期，查尔斯购入和售出法国皇后玛丽·安东尼著名的"钻石腰带"及皇室珠宝。1850年，当第一条横越大西洋电缆铺设完成后，查尔斯又发售多段4英寸长的电缆作为纪念品，以庆祝新世界的来临。1886年，自由女神像运抵纽约港时，查尔斯特别为此设计请柬，纪念当时克里夫兰总统主持揭幕礼盛事。

1878年，在南非甘巴利矿石场采得了全世界最大、最完美的黄钻石。查尔斯以18000美元购入这颗重287克拉的钻石后，经过加工切割，使之成为罕见的重128克、90刻面钻石。

1887年，查尔斯购入了部分法国皇室珠宝，轰动一时。每件珠宝的价格都高达50万美金，这是个天文数字。查尔斯把这些珠宝带回了美国，为他的商店赢得了巨大的声誉，并成为世界"钻石之王"。

美国大亨为了炫耀自己的财富，出现在晚宴或歌剧院里，他们的贵夫人戴上了巨大的钻石。人人都想把别人比下去。而贵妇们要打败竞争对手的途径之一就是购买本来属于欧洲皇室的珠宝，查尔斯热衷于为这种游戏提供"弹药"。在这个流金岁月里，查尔斯每年都要售出价值600万的钻石，绿宝石、红宝石和蓝宝石的销售还不止这个数字。但这个宝石王国却还不足以吸引他的长子路易来接管家族事业。几年来路易一直在纽约的画廊里展出他的绘画。这些绘画大多表现了他在世界各地旅行时所迷恋上的异域文化，大部分画作的售价高达1000美元。37岁时，年轻的路易开始从他那位名人父亲的阴影里走了出来。

另一个第凡尼的成长

　　路易·康弗特·第凡尼与他的童年朋友梅·哥尔达结婚,并生下了3个子女。虽然小家庭在扩大,但他还是不愿意沿袭老第凡尼的事业轨迹。路易立志要让自己成为艺术领域的名流。本来他想成为一名大画家,他的画画得确实不错,但他意识到自己成不了又一个莫奈,而他又想在历史上留下自己的一页,所以必须做一些与众不同的尝试。

　　路易放弃了绘画行业,1878 年他和两名合伙人一起成立了一家室内设计公司。在随后的 4 年里,他依靠父亲的财力和关系获得了一些有钱客户的合同,其中包括科尼勒斯·范德比尔特和马克·吐温。1880年,路易受雇为纽约第七兵团军械库的老兵纪念馆进行设计。这是至

查尔斯·路易斯·第凡尼（左）
和他和儿子路易·康弗特·第凡尼

今能看到的路易的两个室内设计作品之一。正如路易的所有作品一样,从中可以看到他在各地旅行时所迷恋上的异域风情的影子。但是路易的工作并不止于室内设计,他还创造一些轻型家具、装饰性的书桌等等,为他的富人客户锦上添花。但是跟他的父亲一样,社会大众对路易的作品没有丝毫兴趣。他做的都是奢侈品,毫无疑问只有那些所谓的真正有钱人才买得起。

　　路易在艺术领域的成功,令他的父亲颇为自豪,老第凡尼甚至已经在自己的店里售出了儿子的几件作品。但是路易在这个领域所花的时间很有限,他把自己的大部分精力投入到了一种新的载体:玻璃。作为一名年轻的艺术家,路易在参观了法国的文献学院和巴黎圣母院之后就爱上了彩绘玻璃。在对这种材料进行了几年的试验之后,1886 年他决定开

设自己的玻璃公司。恰逢其时，19世纪80年代，美国人的宗教信仰开始复活，全国各地新建了几百家教堂，牧师们希望他们的教堂也能拥有欧洲教堂的那种彩绘玻璃。在短短4年里，路易设计制作了100多扇教堂窗。他的推广才能和父亲不相上下，很快他的公司就成为全国最大的彩绘玻璃制造商。每次他设计的玻璃窗揭幕，消息总会出现在当地的各家报纸上，因此他的名字也很快为公众耳熟能详。

路易的教堂窗户非常流行。不久那些富裕的美国人希望在自己的家里也用上彩绘玻璃装饰，这使路易有机会表现他最热爱的自然主题。他在许多窗户当中展示了自然风景、瀑布和异域鸟。路易还为玻璃找到了另一个用武之地，也就是手吹花瓶和照明台灯，这种台灯现在几乎成了他的代名词。他设计的独创性在于把灯光作为一种主要的元素，运用在玻璃灯罩上。没有一位画家在画布上的成就，能与他在彩绘玻璃领域获得的成就媲美。到了19世纪90年代，路易的玻璃工作室每年能售出价值几十万美元的玻璃器皿。路易不是真正的商人，他对价格底线并不关注，尽管他的作品广为流行，但是他的公司还是亏本。可这丝毫没有让路易担心，作为艺术家他关注更多的是作品的外形，而不是它能卖多少钱。他不断寻找最好的材料，一直在试验，这些方面他从不吝啬，这不可避免地造成巨额成本。据说他父亲和他经常用自己的钱为公司填补亏损。

路易是个喜欢炫耀的人，他喜欢身穿礼服参加优雅的宴会。不过为了不冒犯相对保守的父亲，他经常抑制自己在这方面的爱好。这时已经70高龄的查尔斯仍然过着低调的生活。他每个星期天都去教堂，却拒绝他的客户请他参加各种晚会的邀请。虽然彼此的个性不同，但第凡尼是一个非常密切的家庭。1883年，查尔斯决定要造一幢大房子让现在已经拥有11口人的大家庭都住进去。路易为这幢精美的大别墅提供了最初的设计，它拥有50间房间和一个宽敞的工作室。随着麦迪逊大道上这幢别墅的日渐落成，查尔斯意识到那其实更像路易的风格，而并不像自己的风格。房子越来越高、越来越大、越来越雄伟，查尔斯说："像我这么一个乡村孩子，怎么能住进这么大的房子呢？"所以他并没有住，但路易带着他的第二任妻子和6个孩子住了进去。正如他父亲所期望的这幢别墅的确成了第凡尼一家团聚的场所。1902年，路易计划要在那里为他父亲庆祝90岁大寿，但是查尔斯突然病了，寿宴被迫取消。3天后在家人的簇拥下查尔斯因肺炎而辞世。这位全世界最有名的商人被埋在位于布鲁克林绿林公墓的第凡尼家族区。正如他在世时一样，这位富裕的商人和他的妻子一起躺在一块不起眼的墓碑之下。查尔斯去世之后，查尔斯.T.库克这位40年来一直担任第凡尼公司顾问的老朋友开始管理公司。从此这家最知名的珠宝店再也没有第凡尼家族人来管理过。

走出父亲阴影的路易·第凡尼

1902年查尔斯·第凡尼去世时留下了价值1200万美元的财产，相当于今天的1亿2千万美元。他的长子路易·康弗特·第凡尼继承了450万美元，正是这笔遗产从许多方面真正解放了路易，他的生活变得更丰富多彩。以前他还生活在父亲的阴影下，还必须考虑父亲对他的期望。现在路易乘坐头等舱周游世界，在四星级酒店里用餐，还用遗产建造了一幢房子，也就是桂冠屋，这将成为他的杰作。

为了设计好桂冠屋，路易奉献了自己所有的创作才情。这幢房子坐落在纽约牡蛎湾580英亩的土地上。到处可见他对自然的热爱，包括修剪精致的花园、异域风情的喷泉、令人屏息静气的长岛风光。桂冠屋的中央竖立着4根巨大的大理石柱，路易在上面精心雕刻了各种鲜花，如今这些柱子都是纽约大都会艺术博物馆的永久收藏品。路易建造桂冠屋的目的是为了展示他广泛的收藏品，其中有不少出于他自己的设计。

20世纪初，路易已经被公认为全球最顶尖的玻璃制造商。他的工厂每个月要生产上千件商品。当然并不是每一件作品都出自路易之手，但是作为公司的最高领导者，他负责监制设计的各个方面。路易设计的每件作品都是以他名字命名的，他一般早上来工厂在黑板上画个轮廓，工人们就照此制作，下班前他再回来看，说"是的，就是这样"，而如果他不喜欢，他就用手杖把玻璃品击碎。

路易是个完美主义者，这种品质体现在他生活的各个方面，就连他与孩子们的关系也不例外。1904年，路易的第二任妻子去世之后，他就成了6个孩子惟一的监护人。冬季他们一家住在麦迪逊大街的大房子里，夏天全家就搬到桂冠屋居住。但与路易生活在一起并不是一件容易的事。他要求孩子们准时到达晚餐桌边，而且绝对不允许他们在自己的花园附近玩。他认为自己已经为家人提供了无与伦比的居住环境，而孩

路易·第凡尼的设计作品

子们却觉得自己是住在博物馆里，就连上帝都不会允许他们去采一枝鲜花或移动一下花瓶的位置。尽管路易很爱孩子们，但在家里他是暴君。孩子们不得不严格服从。如果说他对孩子们的期望过高的话，他对自己的要求也不低。他的头发和胡子永远修剪整齐，他的西装也剪裁精致。夏天他只穿白色的亚麻西服，要是弄脏或是弄皱的话，他会在一天里换上好几次。他对自己的外表和周围的环境都很在意，他关心房间的陈设，关心环境是否迷人。而且在举行宴会时路易也是心细如丝。1913年，他邀请朋友们来参加化妆舞会，晚会的主题是古埃及。被邀请的客人全部是纽约上流社会的名人。路易把自己打扮成埃及王子主持晚会，而他为一些客人亲自动手制作的服装也堪称完美。出席晚会的人都要穿上"克莉奥佩特拉"时代的服装，不论扮演希腊人、罗马人，还是埃及人，大家都穿上那时的服装，而且还要经过以路易为首的晚会小组的认可。在被获准参加晚会前，每个人的服装首先要获得通过。1916年，路易又举办了一个晚会，这次是为了庆祝他68岁生日。在下午举行的聚会展示了他所有的作品，纽约所有的记者都应邀前来。路易本来想借此机会展示自己一辈子的艺术收藏，但是他却受到了媒体的批评，这说明他的艺术作品已经不能反映时代了。

风采依旧

动感十足的20世纪20年代，年轻时髦的女子、喜欢玩枪的小伙子、轻松俏皮的交谈、爵士俱乐部，美国开始走出流金时代的辉煌，崇尚轻柔、俏皮和现代的风格，装饰艺术正当潮流。而曾经风靡一时的路易·康弗特·第凡尼的设计渐渐失去了人们的宠爱。但路易却对社会批评从不在意，他相信他的艺术终究会成为一种传奇。几年时间他向世界各地的博物馆捐赠了好几件作品，希望确保这些作品被永久地保存下去。

路易希望后继的艺术家能够继承他独特的艺术风格，因此在1918年他专门设立了基金会用来培养年轻的画家和设计师。1933年84岁的路易病逝于麦迪逊大街上的豪宅，这位当时著名的艺术家被埋葬在布鲁克林的绿林公墓里，躺在他父亲的身边。此时曾经以他名字命名的玻璃作品走进了美国的千家万户。时光流逝，20世纪70年代，他的风格重又流行，大批的收藏家们兴冲冲地四处寻找那些玻璃砖、玻璃灯和玻璃花瓶。今天一件路易的作品价值几十万美元，他作品中的精细工艺和惊人的美丽使他成为美国设计师的典范。"仔细研究他，你就会发现他是个巨人，他作品中优美的内涵至今仍然吸引着我们。"著名珠宝历史学家珍妮特·赞帕达如此评价路易的艺术成就。

路易的父亲查尔斯·第凡尼是他那个时代最伟大的商人。在欧洲人贬低美国艺术家作品的时代，他让美国设计师登上了世界舞台，现在他的名字成为高质量的同名词。现在"第凡尼"这个名字有一种神秘意义，如果有人说某件东西有第凡尼质量，那就是说它是最好的、最优秀的。那家在开业第一天只赚了4.98美元的时髦小店现在成为全球最繁忙的奢侈品商店，而查尔斯·第凡尼的传奇也正通过这些商品的质量和精美的设计世代相传下去。

如今的"第凡尼"仍然被视为美国最大的奢侈品王国、最大的珠宝商。他们鼓励美国式的设计，并在作品中完美地融合美国人特有的简洁、活力和想像力。"第凡尼"并不仅仅只是珠宝店，它已经成为了流行文化的一部分。还记得电影《第凡尼的早餐》中的那段经典对白吗？清纯的奥黛丽·赫本一袭红衣，和乔治·比柏走进第凡尼商店，她抬头问：

"难道你不会爱上它吗？"

"爱上什么？"

"第凡尼！"

　　我从来不知道她们想把自己打扮成什么样，但我知道我能把她们打扮成什么样。

——乔治·阿玛尼

时装天才：乔治·阿玛尼

　　乔治·阿玛尼，一个宽容、认真、谨慎而野心勃勃的时装设计天才。他对男女服饰进行了革命性的改造，创造出简洁舒适、典雅高贵的时装风格，成为20世纪后期最有影响力的设计师。他对时尚天生敏感而富有激情，他曾经是时装业的一股风暴，他的时装帝国在时装史上是一个屹立不倒的神话。

　　乔治·阿玛尼从一个饱受战争创伤的少年成长为世界一流的时装设计大师。战争年代铸就的坚韧不拔的品格让他一次次走出人生低谷，最终从米兰附近的小城皮亚琴查走上好莱坞的辉煌舞台。他意识到自己有着得天独厚的资本，并把它转换成自己的优势，这不是每个人都能做到的，但阿玛尼做到了。

战争阴云下的童年

20 世纪 30 年代的意大利阴云密布，席卷全球的经济危机给了它沉重的打击，意大利人还不得不忍受纳粹独裁者墨索里尼的高压统治。乔治·阿玛尼出生于 1934 年 7 月 11 日，他的父母乌格和玛丽亚是演员，在米兰附近的小城皮亚琴查的一个剧团工作。婚后，他们靠着乌格在一家运输公司做会计的微薄薪水度日。玛丽亚在家里照顾孩子，乔治是他们的第 8 个孩子。在那些岁月里，尽管生活很艰难，乔治的父母还是营造出了一个很温馨的家。这种关爱源于家庭稳定，父亲工作认真负责，母亲则一直和孩子们在一起，并向他们传授她的价值观念。

阿玛尼一家对戏剧有一种特别的偏爱，玛丽亚借此让年幼的乔治接触艺术。乔治和他的哥哥塞尔吉奥经常在家里演木偶戏，木偶的服装都是他们自己动手做的。有一次，乔治别出心裁地认为应该给木偶加上头发，而把地毯剪成一丝一丝的，玛丽亚知道后却没有责备他。

年幼的乔治还喜欢画画，和他制作木偶时一样，他很注意人物的形象。他儿时的作品都以服装见长。他不画恐龙，不画连环画，他在画服装。据乔治的妹妹罗珊娜·阿玛尼回忆说："乔治曾经帮我做过洋娃娃的衣服，这是我记忆中最美好的事。他还为我的一个怪模怪样的洋娃娃做过一双皮鞋，它们太漂亮了，我的朋友们一下子注意起我来了。因为在那时，洋娃娃是从来不穿靴子的。"

乔治沉湎于创造中，但他周围的世界开始有点失控了。1939 年 9 月第二次世界大战爆发，乔治正好 5 岁。德国人侵入了意大利北部，战争中的意大利和意大利人苦难深重。乔治的童年是典型的战争阴云下的童年。他听着隆隆的炮声，看着人们四处逃窜，心里充满了恐惧。不知道是否还有明天，不知道屋顶会不会被掀翻，不知道能不能有食物，他亲身体验到了战争的恐怖。

1945 年，那时阿玛尼差不多 11 岁。战争终于结束了，但他们家的麻烦并没有结束。墨索里尼当权时乌格曾为法西斯做过事。战后，这段从政经历给乌格谋生增添了不少困难。阿玛尼一家在米兰的一个穷苦街区安了家，他们希望能够重建自己的生活。乌格什么活儿都干，而玛丽亚则在家里照顾孩子们。玛丽亚用一种少有的刚毅和关爱操持着这个

少年阿玛尼

家，这种精神一直伴随着阿玛尼。尽管生活很困难，玛丽亚还是十分注意全家人的外在形象。

到了 20 世纪 40 年代末，阿玛尼已经长成了一个十几岁的年轻人，经过多年战争，他渴望过正常的生活。阿玛尼很喜欢踢足球，还喜欢和朋友们一起随着留声机里的音乐跳舞，但是他最喜欢的还是看电影。阿玛尼的银幕偶像是颇具反叛色彩的詹姆斯·迪恩，当时他还不知道这对他的一生会产生什么影响。他还在梦想成为一个演员，但他的父母却另有打算。一直以来谋生对乌格和玛丽亚来说就像一场战斗，他们觉得他们的孩子只有获得好的职业才能拥有稳定的经济状况。哥哥塞尔吉奥会去学法律，而阿玛尼将去做一名医生，在经历了一个饱受战争折磨的童年之后，阿玛尼认为这是一个不错的计划。

1954 年，20 岁的阿玛尼信心十足，打算去学医。他去学医还有个很浪漫的原因，他看过很多电影，那些电影如此这般那般地描绘那些教会医生和护士的故事，深深打动了他。他想做一名乡村医生，四处去帮助那些没钱的穷人，这使他对学医充满了兴趣。随着阿玛尼学医的深入，这项工作也就越来越显得普通了，所以，两年之后他就离开了学校。那时阿玛尼差不多到了 22 岁，已经到了服役的年龄。他进了意大利陆军，同样他也期待着浪漫的生活，然而等待他的却是长达一年半乏味的军旅生活，所以他又离开了军队。

退役后，阿玛尼的朋友建议他到意大利最有名的百货商店去闯闯天地，那家店就是米兰的拉瑞那斯堪特百货商店。当时阿玛尼 23 岁，他从来没有想过在时装行业中谋职，但他还是决定好好试一试。

时装屋里初试锋芒

拉瑞那斯堪特百货商店是意大利最大的百货商店。大概这个从小就做木偶剧衣服的年轻人对时装的天生的敏感和激情打动了商店老板。他们让阿玛尼承包了一个很小的实验性柜台。当时的伦敦正处于顶峰时期，那里的一切都令人兴奋。阿玛尼为了观察时尚经常去伦敦到处看看，他仔细观察着卡纳比街上的一切变化。

在伦敦，阿玛尼见识到了令人惊奇的服饰革新，比如引领潮流的迷你裙。当时阿玛尼的妹妹罗珊娜是意大利一名正在走红的时装模特，通过她，阿玛尼结识了意大利的一些顶尖的设计师。他开始接触那些从不墨守成规的极具艺术天分的人物。他们向阿玛尼展示了一个新的世界，最终他也成了那个世界的常客。

此时，阿玛尼决心做一名时装设计师，他相信自己能够为男装世界带去新的亮点。经过 7 年的积累之后，阿玛尼准备要大干一番了。1964年 30 岁的阿玛尼开始为著名设计师尼诺·切瑞蒂工作。当时切瑞蒂是意大利男装顶尖品牌的设计师，他为男士设计花呢上装以及高档西服套装。切瑞蒂男装感觉上像英式服装，同时融合了意大利所特有的柔和风格。正是在那里阿玛尼第一次亲身感受了简约含蓄的时装设计风格。切瑞蒂把阿玛尼安排在一家下属工厂，阿玛尼得以有机会看到服装是怎样裁剪缝制的。他开始画一些设计草图，切瑞蒂注意到了他的设计并采用了一些，这对阿玛尼是一种极大的鼓舞。这时，一个重要人物出现在他的生活中。

1966 年阿玛尼 32 岁，他在意大利西海岸度假，在那里遇到了塞尔吉奥·加里奥蒂，一位建筑设计师。阿玛尼曾经和一名年轻女子订了婚，但是后来发现那名女子太过娇纵，因此与她中断了往来。现在，他被加里奥蒂，一名男子吸引住了。加里奥蒂十分外向，是个很有趣的人，他并不英俊，但有着让人亲近的特殊魅力；而阿玛尼则比较内向，寡言少语，所以在某些方面两人是互补的。加里奥蒂很快就离开了他的家乡，搬到米兰和阿玛尼一起住。他成了阿玛尼的情人和精神伙伴。

加里奥蒂对阿玛尼的事业有着很宏伟的计划，他劝说阿玛尼辞去切瑞蒂公司里的工作，自己搞设计。和加里奥蒂之间的关系彻底改变了阿玛尼的生活，因为现在有个人经常会对他说："这一切你自己都能干。

你能干得更多。你应该自己去发明创造。你很了不起。"

1970 年，36 岁的阿玛尼听取了加里奥蒂的劝告，他离开了切瑞蒂成为自由设计师，为意大利的几家时装屋搞设计。5 年以后，阿玛尼和加里奥蒂拿出所有的积蓄，甚至还卖掉了他们的大众汽车，建立了自己的时装屋。时装屋刚开张时规模很小，只在米兰一条偏僻的街道上，租用了一间地下室。阿玛尼负责设计，而加里奥蒂则负责打点生意，当然他也给予阿玛尼精神上的支持。他们这样做风险很大，但加里奥蒂对阿玛尼的信心从来没有动摇过。

阿玛尼认为 20 世纪 50 年代的男装太古板、太制服化了，这些衣服穿在身上都很不舒服，袖管很紧、翻领很大，整体感觉很僵硬。而 60 年代的男装又走向了另一种极端，太随意、太不注重形式美。他感觉到时尚之轮又轮回了。当时的人们已经准备好重拾一种正统的着装方式，但这种正统与以前相比有着极大的不同。他必须既体现正统，又有新意。无论是外表还是感觉，阿玛尼的服装都要显出更高一筹的设计才行，所以他开始利用自己的技巧对西服的样式进行系统的改造。他去掉了一些多余的零碎，改形状，变感觉，创造新面貌。阿玛尼改变了一切。

随后阿玛尼的时装很快在意大利风行起来，当初对失败的担忧已经荡然无存了。这已经不再是尝试，而成了现实。他们需要更多的人，从两个人变成 4 个人又变成 6 个人。更好的事情还在后头，阿玛尼开设时装屋仅一年，纽约著名的巴尼斯男装商店的总裁就准备与阿玛尼合作了。还有几家纽约时装精品店也找到了阿玛尼，这样阿玛尼的时装便成功地进入了美国市场。正是在美国这片土地上，使阿玛尼真正成为时装巨星。

好莱坞的时装明星

1976 年，42 岁的阿玛尼已经成为一流的时装设计师。他革命似的男装设计博得一致好评，几乎所有的服装店里都有阿玛尼那既优雅又轻松随意的男装。阿玛尼的时代到了，他的品牌迅速崛起。当一位设计师为自己的男装奠定品牌基础之后，他一般都会进军女装市场，阿玛尼也不例外。因为女装市场更广阔，而且女装的创造空间也更大。

到了 70 年代大批美国妇女开始参加工作。阿玛尼觉得夏奈尔和圣罗兰的女装已经无法适应这股潮流。圣罗兰的那些盛装晚会上穿最适合。整个市场上没什么服装真正适合那些刚从大学毕业的新女性。阿玛尼希望能设计出更实在，让妇女穿起来更舒适的服装。比如，能让职业女性在会谈中显得更可依赖。阿玛尼的女装设计目标是优雅和简洁，这是他很小的时候母亲就教给他的时装理念。他认为只要在男装的基础上进行一些改变和创造就成了女性职业装，美不需要任何装饰、不需要任何点缀、不需要任何做作，这很具审美价值。阿玛尼想对了。

1976 年，阿玛尼推出了他的第一批新款女装，这时距他完成男装系列只有几个月的时间。客户大都来自精品店，现在他们都蜂拥到了米兰。阿玛尼则向他们展示了不带任何花边点缀的新款女装。当时客户们是在宾馆的一个房间里欣赏阿玛尼新作的，房间布置很简单。他们在看时装展示，而阿玛尼则躲在隔壁的房间里偷看大家的反应。结果反应很好，人人都喜欢。阿玛尼的新款女装就像他的男装一样重点着墨于轻快简洁但又不失性感。穿了阿玛尼的时装，女性可以轻松地把双臂抱在胸前，可以交叉起双腿，感觉从未有过的舒适，这种创造是革命性的。

阿玛尼对时装有着本能的敏感，女装市场很快做出了积极而强烈的反应。整个行业都激动不已，这些人总能看到最出色的货品，他们明白这是新生事物，值得另眼相看。纽约所有的服装店都开始出售阿玛尼的女装。但阿玛尼的公司才刚起步，那些商店如果想卖阿玛尼的时装，就得先帮阿玛尼一把。事实上精品店客户会先付款，这样他们才有足够的资金进行生产。这对阿玛尼和加里奥蒂来说，是一段充满挑战的岁月。他们靠着坚定的信念获得了成功。随着订单雪片般的飞来，他们的信心越来越强，并从原来的地下室搬到了一幢 17 世纪的古典建筑里。

阿玛尼和加里奥蒂成为一对实力超群的组合。他们是完完全全的伙伴，不管是生活中还是事业上，他们工作起来毫无负担。尽管他们工作繁忙，但其中乐趣不暇。然而他们依然要面对激烈的竞争，就在阿玛尼建立自己品牌的几年当中，同时在米兰有一大批新兴的时装品牌涌现了出来，如范思哲、克里奇亚、费雷等。

这时，米兰进入了一个辉煌的时期，而在此之前，统治时装世界的一直是巴黎。

尽管米兰的时装设计师各有不同的风格，但他们都在追求同一件

事，那就是在美国市场占据一席之地。阿玛尼最强劲的对手范思哲开始
在美国大张旗鼓地宣传他的时装和他自己。他已经将美国作为自己的第
二故乡，在第五大街和迈阿密海滩各买下一所住宅。相比之下阿玛尼更
多的时候是待在米兰，他更愿意让别人尤其是他从小就熟悉的好莱坞替
他在美国进行宣传。

阿玛尼很早就在好莱坞建立了广泛的联系。他开始为一些年轻的明
星设计服装，他们需要穿着更有现代感的服装出席奥斯卡以及其他颁奖
典礼。1978 年戴安·基顿因为在《安妮·霍尔》中的出色表演获得了奥斯
卡奖，领奖的时候她穿的就是阿玛尼设计的时装，这无疑是阿玛尼最好
的广告。在洛杉矶有家叫做迈克斯菲尔德的特殊时装店，它是最早引进
阿玛尼时装的商店之一，现在这里成了好莱坞的时尚中心。所有演员、
所有的音乐人甚至所有的业内人士都去迈克斯菲尔德购买阿玛尼的时
装。

1980 年阿玛尼到了一个新的高度，这个从小就受电影服饰熏陶的设
计师，被邀请为电影《美国舞男》设计服装。那种轰动效应和宣传效果
是无与伦比的。在《美国舞男》中红星理查·基尔扮演一名在好莱坞很
有市场的男妓。导演保罗·施拉德让阿玛尼设计所有的服装。理查·基尔
认为自己能真正进入那个角色，首先要感谢阿玛尼设计的服装。它们为
角色定了位。这部电影让阿玛尼掌握了大量的观众，所有的男人都希望
自己能穿上阿玛尼的时装，像理查·基尔那样帅。这部电影就像一个活
的时装广告，阿玛尼利用这种特殊的广告提升了自己的人气。

1980 年 9 月阿玛尼顺利出访美国，在伯格道夫·古德曼百货公司举
行了纽约时装发布会，这也是在洛克菲勒中心举行的第一次时装发布
会。他站在普罗米修斯像前，整个纽约都在他的面前。这是一个很动人
的地方，这是一个对阿玛尼来说无比重要的时刻。在时装业摸爬滚打了
5 年之后，阿玛尼已经是一位炙手可热的设计师了，而且他的光彩还会
继续扩大，他精心培育的好莱坞电影人市场将给他带来可观的回报。

同时，阿玛尼的时装屋有了新的发展。1981 年，阿玛尼开了一家新
的专卖店——爱姆普里奥。那里的服装并不便宜，但是同阿玛尼时装系
列中的顶尖品牌相比，更多的人能够买的起。和所有阿玛尼品牌的服装
一样，这些衣服也是阿玛尼亲手设计的。阿玛尼是时装设计师中的一个
特例，其他的设计师总要依靠不同的助手来全权负责设计流程中的某些

工艺，而阿玛尼则是事必躬亲。他就像只工蜂在外面辛勤地劳作，他从不说："我现在要做设计了，请帮我做一下那件衣服吧。"他什么都自己做、自己裁剪。他手脚并用，一天要工作20个小时。

阿玛尼成为《时代周刊》的封面人物

阿玛尼不仅是个工作狂，还是个完美主义者，每个为他工作的人都知道，他们的每项工作都必须做到完美无缺。在时装发布会的后台，假如有件衣服看上去不太对劲，或是某个模特化妆有问题，或是某个模特忽略了他说过的某句话，他就会很生气，并且很严厉。正是这种谨慎负责的敬业精神，使阿玛尼的时装事业渐行渐远。到了20世纪80年代早期，阿玛尼时装的年销售额已经达到了1400万美元。阿玛尼的名声越来越响，甚至成了《时代周刊》的封面人物。这是35年来，《时代周刊》第一次让一位时装设计师上封面。

阿玛尼事业的规模再次超过他的店面。1982年阿玛尼的时装店搬到了米兰著名的伯格诺沃大街上，紧邻着阿玛尼和加里奥蒂的公寓。生意越来越好。虽然工作非常辛苦，可是对阿玛尼和加里奥蒂来说生活分外甜蜜。他们经常互相开玩笑，阿玛尼叫加里奥蒂"贝哥"，这在意大利语中代表鸟嘴，是因为加里奥蒂的鼻子很突出。事业的成功已经超越了他们最初的梦想，他们的欢乐实在太令人羡慕，因此注定了无法长久。1984年加里奥蒂的身体状况突然恶化，他很快就卧床不起，身体虚弱、痛苦不堪。他得了艾滋病。

阿玛尼一直认为自己的事业是又顺利又光明，突然之间他的前景阴暗下来。假如说有一段时间，阿玛尼的信心开始动摇的话，那就是在加里奥蒂卧床不起、濒临死亡的时候。那段日子非常艰难，阿玛尼不得不给加里奥蒂一种一切都很顺利的印象，但他却要靠服药来支撑自己。尽管阿玛尼做了最大的努力还是没能挽留住爱人远去的脚步。加里奥蒂于 1985 年去世，享年 40 岁，阿玛尼顿时感到精神极度空虚。加里奥蒂是他成年后生活中最重要的人物，同时也是他事业成功的关键因素。而现在，阿玛尼不得不独自面对这一切。当时很多人都担心阿玛尼的公司能否维持下去，也很担心阿玛尼本人。当阿玛尼在加里奥蒂死后仅仅几个月就推出他的时装新品时，时装界给予了他极高的评价，那个系列获得了成功。尽管心里悲痛万分，阿玛尼还是向世人证明他可以坚持下去。同时，他还展现了非凡的营销才能。

不倒的帝国神话

　　阿玛尼持续获得成功的秘诀在于他那简洁明快的设计风格远没有过时。许多设计师都是在顾客身上做试验，但阿玛尼是在尽力打扮顾客，他希望他们都能穿得很得体，不希望他们很快就把上一季买的衣服扔掉。

　　1991 年，阿玛尼服装的年销售额据说达到了 1 亿美元。阿玛尼在好莱坞的影响力也日益扩大，在他的各种活动中，你能听到索非亚·罗兰、理查·基尔、米切尔·菲佛的名字，阿玛尼包装着一位又一位明星。

　　当然其他的设计师也在积极地与明星接洽，其中就包括阿玛尼的主要竞争对手——来自米兰的范思哲。他设计中的大胆和阿玛尼设计中的含蓄一样引人关注。他们两人之间激烈的竞争引发了媒体一场空前的大笔仗。支持范思哲的人觉得阿玛尼只是为食古不化的妇人设计服装，支持阿玛尼的则认为范思哲的时装轻浮媚俗。这种激烈的竞争还延伸到了两人的私人生活。《纽约时报》时尚评论专栏作者凯西·荷琳回忆道："当时写那些东西真的很有乐趣。我记得，20 世纪 90 年代初我在《华盛顿邮报》，当时我曾写过他们两人为谁的住所更大而进行争论。"

　　阿玛尼和范思哲在公共关系方面的较量持续了好几年。但是在现实生活中，两人之间并没有很浓的火药味。他们是在携手促进消费，竞争对时装行业及销售经营都很有好处。他们相互需要，需要对方来激励自己。然而 1997 年 7 月的一天，范思哲被人谋杀了，这对阿玛尼来说是个巨大的损失。一名狙击手在范思哲迈阿密的住所门前开枪打死了他。阿玛尼和其他人一起参加了范思哲隆重的葬礼。范思哲去世时阿玛尼已经 63 岁了，对有些人来说在时装界到了这个年龄就该告老还乡了，也确实有一些征兆预示着阿玛尼的辉煌已经一去不复返了。

时装业在继续发展，有些东西的确已经过时了。有趣的是女装过时的速度不如男装快，现在自由松散的男装已经属于过去。但是激励阿玛尼前进的动力以及渴望表达自己的冲劲丝毫没有减弱，他一如1982年在百货公司上班时那样努力工作着。阿玛尼的创造力得到了很多人的赞赏，2000年10月在阿玛尼的时装屋开张25周年店庆期间，纽约的古根海姆博物馆展出了阿玛尼的许多杰作。能想到的电影明星都来了，他们向阿玛尼表示自己的敬意，就像是阿玛尼的生日聚会。这次庆祝活动肯定了阿玛尼在时装设计上所取得的成就，他从一个饱受战争创伤的少年成长为世界一流的时装设计大师。其实很多人都生逢其时，却很少能够意识到自己有着得天独厚的资本，并把这转换成自己的优势，但是阿玛尼做到了。

在今后的时装发展史上，一定会有人去研究阿玛尼获得成功的秘诀，也很难有人再达到阿玛尼那样的知名度和卓越成就。他将会被人们认为是时装世界的一股风暴。他的力量也许会留存很久。阿玛尼神话会不断加强，越来越神奇，永远屹立不倒。

　　人人生而平等，造物主赋予他们若干不可剥夺的权利，其中包括生存权、自由权和追求幸福的权利。

—— 托马斯·杰斐逊

自由斗士：托马斯·杰斐逊

　　《独立宣言》是人类所能书写的最庄严的文字，它分开了两个截然不同的时代。人们第一次听见它是在 1776 年，美国 13 个州对英国说他们要独立了。

　　在美国所有的建国先辈中，有一个人的声音盖过了其他的人。他确定了一些原则，并且开创了美国的民主体制。他就是《独立宣言》的起草者托马斯·杰斐逊。杰斐逊的重大成就具有令人难以置信的深远影响，他既是农夫、律师、科学家、音乐家、哲学家、建筑师，也是美国的第三任总统，并且获得两届连任。然而在这些众所周知的成就背后，他却是一个腼腆而感情极丰富的人。他认为他最快乐的时光，是在家里读书和拉小提琴。他一生追求智慧真理，他心思缜密、处事不惊，而且积极乐观、胸襟开阔。杰斐逊是激进的思想家和革命党人，"人人生而平等"的至理名言，激发了世世代代人们的希望和行动。

从皮德蒙特向威廉斯堡迈进

1943 年 4 月，彼得·杰斐逊的长子托马斯·杰斐逊出生在弗吉尼亚的一个种植场。彼得在蓝岭以东的皮德蒙特拥有近 3 千英亩的土地，那里景色宜人、土地肥沃、群山起伏、河流清澈。虽然他们居住在被欧裔美国人视为边疆的地方，但是当杰斐逊出生的时候，这个家族已属于富裕的弗吉尼亚烟草种植者阶层，这个阶层已存在了一百多年。

杰斐逊自幼生长于皮德蒙特的田野风光之中，这培育了他对大自然的诗人情怀，并且对大自然的奇观怀有科学化的迷恋。在 10 个兄弟姐妹当中他排行第三，但是只有 6 个兄弟姐妹活了下来。他的父亲是个能干的人，拥有一段美好的婚姻，也是弗吉尼亚州殖民地边疆最早的一批居民，他的儿子后来写道："我的父亲没有受过多少教育，他是个很有主见、判断力强、渴求知识的人，他通过阅读很多书籍来充实自己。"人们对杰斐逊的母亲了解得并不多，但是她的女儿简，也就是托马斯的姐姐，是兄弟姐妹当中与托马斯最亲近的一位。简一直没有结婚，年轻时的简已经是一位小有名气的音乐家，是一个拥有甜美嗓音的歌手。她还是一个爱好阅读、说话风趣、善于辞令的人。毫无疑问她对托马斯少年时期的学习有很大的帮助。

彼得认为他所有的孩子从小都应该在家庭教师的指导下学习，课余时间彼得会教他的儿子骑马和射击。但是孩子快乐的童年生活十分短暂，1757 年，彼得不明原因地死去，年仅 14 岁的杰斐逊继承了大片的土地和一个可以自给自足的种植场。正如父亲所希望的杰斐逊并没有停止他的学业，他向一位当校长的牧师学习拉丁文，还学了一点希腊文。年轻的杰斐逊成了一位精通古典学的学者，除了语文和科学之外，他热爱音乐，是皮德蒙特山麓高原一带聚会当中最受欢迎的人。

无论种植场的生活多么优裕，杰斐逊仍以学业为先。有一位朋友这样说起他，"他能与最亲密的朋友断绝来往，奔向他的学业"。16岁那一年，他成功地得到了他父亲遗嘱执行人的批准，前往威廉斯堡的威廉和玛丽学院读书。一个偶然的机会他认识了一个小提琴家，这个未来的革命者帕特里克·亨利，在前往威廉斯堡的路上和大学期间，给年轻的杰斐逊留下了深刻的印象。亨利的个性热情、开朗，杰斐逊则比较孤傲冷漠。他们曾是知心朋友，在革命中结成联盟，但后来却发生了重大的个人和政治分歧。

威廉斯堡是当时弗吉尼亚州的首府，但对杰斐逊来说它已经是一个大都市了。在那里有3位年长的朋友，对杰斐逊来说比这个学校甚至城市更重要。他们对杰斐逊的影响深远，在共同相处的日子里他们起到了替代杰斐逊父亲的作用，杰斐逊称之为"威廉斯堡三哲"：拥有科学头脑的威廉·斯莫尔博士、法律导师乔治·威思、英国总督弗朗西斯·福基尔。杰斐逊对威廉和玛丽学院的教授斯莫尔博士有这样的描述："他为我的生命定下了目标，我初步理解了科学的发展，以及处身其中的这个世界万物规律。"斯莫尔博士向杰斐逊介绍了启蒙运动时期的哲学，包括弗朗西斯·培根、艾萨克·牛顿以及约翰·洛克的理论。约翰·洛克在他所写的关于政府的第二篇论文当中说，"没有人应当伤害其他的性命、健康、自由及财富"，他的理论对杰斐逊产生了最初的影响。杰斐逊购买大量的书本，整日忙于阅读。

在离开威廉和玛丽学院两年之后，杰斐逊开始自修一门关于法律的课程，这门课程由他在威廉斯堡的第二个朋友，一位极为出色的法律顾问乔治·威思指导。杰斐逊决定要成为一位律师，为了做好准备，他每天读书15个小时。斯莫尔博士非常欣赏杰斐逊，并且设法让他受邀拜访福基尔总督的官邸。杰斐逊成了总督府晚宴的常客，有时他会在每星期的音乐会上演奏小提琴。政治、哲学及艺术，经常是总督府晚宴的话题，对一个来自皮德蒙特山麓高原的19岁的小伙子来说，这段经历显然给他留下了深刻印象。

18世纪60年代，有识之士及实事求是的人士正在讨论与母国的关系、与政府和社会的关系，所以杰斐逊也参与了这一理论探讨。杰斐逊在24岁的时候取得了律师资格，并且开始执业。他以公正及满腔热诚而渐渐地为人所认识，声誉日增。这时杰斐逊也开始为居所描绘蓝图，

杰斐逊称之为"蒙蒂塞洛"的家

他想亲手建一座自己梦寐以求的房子。他选取了山顶附近一处特别的地方，那里的景色在杰斐逊童年时已深印脑海。那是一处平静安宁、可供沉思的地方。他把他的家命名为"蒙蒂塞洛"，就是小山峰的意思。蒙蒂塞洛的建筑、装潢以及其后的扩建，让杰斐逊为之一生忙个不停。

1769 年，杰斐逊在阿尔比马尔县的地主朋友们选举他为下议院议员，之前他的父亲也曾担任此职。除了帕特里克·亨利之外，其他的成员还包括乔治·威思，以及来自费尔法克斯县的绅士农人乔治·华盛顿。杰斐逊与这些高呼反对英国国会控制的人们组成同盟，他的第一份立法提案就涉及一个较具争议的话题——奴隶制度。杰斐逊是一位充满理想主义色彩的年轻律师，他认为所有的人天生自由，然而弗吉尼亚的经济仰仗着奴隶的劳动才能发展。尽管彻底废除奴隶制的希望甚为渺茫，可是他仍然想至少可以减少奴隶的数目。他的首项法案是要求给予奴隶有限的权利，甚至释放个别奴隶。然而当一位甚有权威的资深成员提呈杰斐逊这一法案时，立即遭到下议院其他议员的反对，并且称他为国家公敌。

终其一生，杰斐逊一直坚定不移地提倡逐步解放奴隶，他着手策划一个逐步解放行动：于美国革命在弗吉尼亚发生之时，所有奴隶将会在他们成年的那一年获得自由。尽管有一些争议认为杰斐逊的普通人权中并没有把黑人奴隶包括在内，但是他从未放弃过他认为的人生来皆平等这一信念。他说奴隶买卖是人类天性的一场战役，关于奴隶的整个概念非常清晰，虽然不同种族，但都是同一物种，都是人类的一部分。

1770 年 6 月，蒙蒂塞洛的第一间小房间落成了，杰斐逊独自搬了进去，书架上放满了他还在不断增加的藏书。27 岁的杰斐逊依然独身，但在这一年他开始了与昔日大学校友的遗孀玛莎·韦利斯·斯凯尔顿的约会。22 岁的玛莎聪颖博学，同辈都对她倾慕有加。她有一双淡褐色的明眸，肌肤柔滑、体形标致，但是站在身高6英尺半的杰斐逊身旁，则显得颇为娇小。她在古钢琴方面有一定的造诣，她和杰斐逊曾跟随同一位意大利音乐老师学习。杰斐逊和玛莎经常合奏小提琴，或者一起合唱。据说有一次当杰斐逊在玛莎父亲的家中与玛莎二重唱的时候，来了另外两位追求者。他们在隔壁的房间里等候，当他们听完一首深情蜜意的合唱曲之后，相信杰斐逊与玛莎是真诚相爱，便怅然离去。

杰斐逊与玛莎于1772年元旦结为夫妇。托马斯带着新娘到山顶上那一幢还未落成的蒙蒂塞洛住下。10个月之后玛莎生下了一名女婴。到春天时杰斐逊夫妇无忧的生活先因杰斐逊姐夫的逝世而发生变化。不到一个月之后，玛莎的父亲约翰·韦利斯也死去了，致命的疾病令人猝不及防。杰斐逊把寡姐接过来同住，玛莎继承了她父亲留下来的奴隶、土地以及数目不少的债务。不少奴隶儿童是玛莎父亲所生，所以是玛莎的同父异母手足。杰斐逊担起了家庭的责任，并且将很快同蒙蒂塞洛外面世界当中任重道远的政治责任激起回响。

独立先声

当南部的殖民地收到关于波士顿倾茶事件的消息，并且对英国关闭波士顿港口做出反击时，杰斐逊正出席下议院会议。其时的立法机关对参加抗争的波士顿群众表示热烈的支持。当时弗吉尼亚的英皇总督一怒之下解散了下议院，于是一位众议员毫不犹豫地召集其他殖民地人民聚集在费城举行大陆会议，商讨对策。人们对英皇的不满情绪愈加高涨。

作为弗吉尼亚的代表团成员，杰斐逊就殖民地的权利起草了一系列的议案。虽然杰斐逊的草案备受赞赏，但是仍被大多数人视为过于激进。那时候议会当中仍有人相信可以走中间道路。

春天爆发的莱克星顿及康科德战事成了革命战争的头炮，帕特里克·亨利宣称"不自由，毋宁死"。杰斐逊亲自出席了1775年6月召开的第二次大陆会议。在费城他首次见到了过去他只能在书本上读到的久仰大名的杰出人物，会议当中有美国最著名的哲人及政治家如本杰明·富兰克林，还有享有盛名的激进分子约翰·亚当斯。亚当斯有关自由的见解与杰斐逊的观点不谋而合，当高个子、面形瘦削、年轻的杰斐逊与来自马萨诸塞的这一位矮胖的律师握手时，他们成了一对外形颇不协调的朋友。这两人的性格、体形和性情等等可说是截然不同，但事实上，命运使他们在其后的50年里走到了一起。先是革命和建国年代的亲密战友，中期则因政见不同和个人原则而分道扬镳，到了垂暮之年重又和好如初。杰斐逊在大陆会议上的首要任务是向新获授权的殖民地军队清楚地说明动武的原则及必要性。当华盛顿向军队高声宣读杰斐逊所写的文字之后，军队向华盛顿欢呼喝彩。自此以后每当国会需要向公众发布消息时，杰斐逊必为首选执笔者。

杰斐逊乘国会休会期间重返蒙蒂塞洛，战事日趋惨烈，杰斐逊的母亲于1776年去世，享年57岁。他漂亮年轻的妻子也备受一连串慢性疾病的煎熬，杰斐逊5月返回费城的时候十分担忧。

当《独立宣言》起草委员会召开会议时，年长的成员将起草重任托付于他们中最年轻的年仅33岁的杰斐逊。杰斐逊也曾要求亚当斯撰写初稿，但是遭到亚当斯断然的拒绝。亚当斯说："首先你是弗吉尼亚人；其次我惹人反感、不受欢迎；而你却很受欢迎；再者你的文笔比我漂亮十倍"。最后杰斐逊勉为其难，默然接受该项任务。杰斐逊认识到哲学家与政治家多年来一直将自由理论化，但是却未写任何的宣言，把人民与主权划分开来。在提出美国独立的建议时，他带去了一份草稿，大家对草稿的内容争议不休。就和所有的作家一样，每一次的修改对他都有如切肤之痛，最终是杰斐逊的基本观点取得了胜利。投票过后，宣言的定稿在国会成员面前高声宣读："我们认为下面这些真理是不言而喻的，人人生而平等，造物者赋予他们若干不可剥夺的权利，其中包括生命权、自由权和追求幸福的权利，为了保障这些权利人类才在他们之间建立政府，而政府之正当权力是经被治理者的同意而产生的……"

杰斐逊留下了极丰富的遗产，单"人人生而平等"这一句便非同凡响。在那个年代少数富人控制着一切，并非所有人都享有投票权，.就在这种情况下建立了政府的基础，一个建立于被统治者同意之上的基础；而那时还是一个君主制年代。11年的独立战争，杰斐逊一直在重建的弗吉尼亚立法会工作，其后出任两届总督。当时战争仍在激烈进行，他锐意改革从英国继承过来的法律。为了争取政教分离，他开始了长达10

年的斗争。

虽然弗吉尼亚人习惯包容不同的宗教，但英国的教会仍然普遍受到支持，而信奉异端则是一种可被起诉的罪行。杰斐逊写道："如果我的邻居说有 20 个神，甚至没有神存在，对我来说都没有影响。"杰斐逊认为在弗吉尼亚为争取政教分离而进行的斗争是他一生中最艰苦的斗争。事实上那是必然的，因为无论在经济还是在政治上，统治弗吉尼亚的贵族都是英国教会的既得利益者。杰斐逊并不公开他的信仰，他承认冥冥当中有一位善良的创造者，但是他对基督被视为神的儿子有所保留，而对基督作为道德哲学家则深信不疑。对他来说相比战士、政治家或帝王，哲学家才是促进文明的真正英雄。

即使杰斐逊公务缠身，但他总是在百忙之中抽空陪伴玛莎和他的两个女儿。1782 年，战争结束前不久，玛莎又生下一个女婴。可惜玛莎的身体自怀孕起就一蹶不振，两个月后美丽的玛莎悄然逝世，享年 33 岁，这让杰斐逊悲痛不已。

重返蒙蒂塞洛

战争结束了，独立成功了，但玛莎永远离去了。杰斐逊于 1784 年因为外交事务远赴法国，他是继本杰明·富兰克林之后第一名美国外交使节。仍然处于悲痛之中的杰斐逊得到暂时歇息的空间，法国的美食、博物馆、建筑物、书店及花园，无一不令杰斐逊感到宽慰，使他重新恢复了过去的平静。心神安逸的杰斐逊在那里结识了才华横溢的艺术家、音乐家玛丽亚·科斯维。科斯维已婚，但婚姻生活不大和谐，她成为杰斐逊的良友、知己。杰斐逊好像又再度坠入年轻人的那种热恋中，他迷恋这位红颜知己，希望博取她的欢心。然而与科斯维并没有什么进展，杰斐逊极想避开繁琐世事回到蒙蒂塞洛。

5 年之后，他离开法国回到美国的时候，发现自己已被提名为乔治·华盛顿的国务卿。杰斐逊很不情愿地接受了任命，可他在内阁当中与年轻的财务部长亚历山大·汉密尔顿相处得并不融洽。杰斐逊主张政府越少管治越好，但是汉密尔顿却对杰斐逊信赖民众的理念不愿苟同。

他偏向于一个较强大的中央政府，适量增加政府的责任和控制权。他们两个人的争议于建立两个政党时保留了下来，并且遭媒体大肆渲染，那就是民主共和党和联邦党，标志了美国两党制的开始。但是令杰斐逊大失所望的是他的老朋友约翰·亚当斯竟与联邦党人站在同一阵线。杰斐逊发现他理想中的民主，由于政党争议而分崩离析。

公众辩论使杰斐逊筋疲力尽，爱情失意，再加上与家人分离令他万分苦恼，他于1794年返回蒙蒂塞洛。因多年来疏于管理种植园导致负债累累，但是当他再一次在园中漫步时却犹如重获新生。他在法国所学的农业及建筑知识使他振奋不已，他计划扩建房屋，使种植园恢复繁荣。

约翰·亚当斯竟逐继华盛顿之后接任总统一职，杰斐逊在民主共和党人恳求之下勉为其难地参选，但是他实际上并没有展开竞选活动。原来的宪法并没有顾及各个政党的不同意见，使选举中得票率排行第二的杰斐逊成为副总统。在亚当斯的执政底下他们经常意见相左，而这期间通过的敌对外侨法和镇压煽动叛乱法更是严重地限制了言论自由。这激怒了杰斐逊，使他下定决心于4年之后正式参加亚当斯的连任竞选。当时的负面宣传非常之多，杰斐逊对宗教、教育、民主以及文化的观点成了被攻击的目标。一名部长这样写道："如果杰斐逊当选，我们的教堂必定成为空谈理性的神庙，《圣经》会如垃圾一般遭到烧毁，我们的后辈将成为伏尔泰的信徒。"但这一次杰斐逊获胜了。

1801年3月4日星期三早上，杰斐逊穿得十分普通，他徒步走向首都参加为他成为美国第三任总统而举行的就职典礼。在竞选活动当中他言辞尖锐，但是他的就职演讲却以和解为主调："虽然少数须服从多数，惟多数之意愿应合乎情理方为正义之举。少数人也应享有同等权利，少数人的权利必须同样受到法律保护，遭侵犯便是受压迫。让我们全体公民同心同德，团结一致，我们都是共和党人，我们都是联邦党人。"

杰斐逊的首个任期空前成功，充满了合作与谅解气氛。杰斐逊在任期间不喜欢铺张以及所有的繁文缛节，他为人随和，从不粗鲁无礼。当一名官方人士登门的时候，杰斐逊正和孙子趴在地上玩耍，杰斐逊说："如果你也是为人父的话，那我就无需道歉了。"

杰斐逊虽然是一个理想主义者，但是在履行职务时却十分务实。他虽然希望限制联邦政府的规模，并且维持低税率，但是他在 1803 年从法国手中购得辽阔的路易斯安那的土地，却与他原先的理想背道而驰。杰斐逊此举令联盟的土地增加了一倍，事实证明这是高瞻远瞩。

杰斐逊在任期间，因为坚持无神论而一直备受攻击，他决定以华盛顿为榜样，自觉把总统任期限于两届之内。他所选定的继承人詹姆斯·麦迪逊，在 1808 年的选举中获胜。杰斐逊随后便退休，重新回到了蒙蒂塞洛。

此时，不少 1776 年时的精英分子已经随着岁月而消逝，有些人如富兰克林、华盛顿已然死去。但杰斐逊此时却开始了他最后、也是最热衷的公共事业，那就是建立弗吉尼亚大学。弗吉尼亚大学于 1817 年奠基兴建。杰斐逊设计了校舍以及其他的建筑物，他监督施工、聘请教员、筹划课程，甚至为部分课程选订书目清单。杰斐逊为这所大学劳心劳力了 12 年，那是他人生中最后的 12 年，而他的目的不止是要建立一所大学。杰斐逊认定除非所有的选民均受过良好的教育，否则民主就无法存在。弗吉尼亚大学是杰斐逊于教育方面的先进实验。

杰斐逊创建的弗吉尼亚大学

1826 年，杰斐逊 83 岁，他作为荣誉嘉宾被邀参加签署《独立宣言》50 周年国家庆典，仪式于 7 月 4 日在首都华盛顿举行。他自知无法去出席该典礼，于是寄去了他的告别演讲稿，其中说道：

"我坚信《独立宣言》对全世界的意义，它标志着人们挣脱愚昧、无知、迷信的枷锁，联合在一起为建立一个自主的政府而共同奋斗。"

当杰斐逊的演讲词于典礼中传述的时候，他已经垂危了。他坚持到生命的最后一刻，等待举行庆典这一天的来临。当日下午一点左右，杰斐逊溘然辞世。杰斐逊要求在他自己的墓碑上这样刻下："长眠于此的是托马斯·杰斐逊，《独立宣言》的作者，弗吉尼亚州宗教自由运动的支持者，弗吉尼亚大学的创建人。"

这位来自弗吉尼亚边远地区的腼腆少年，最终成为当代最伟大的思想家之一。他"人人生而平等"的真理之言，迎来马丁·路德·金"让自由之声响彻每一处山岗"的回响，就在蒙蒂塞洛寂静的山峰上飘荡。

享受减肥的惟一方法是与别人分享，那是你从中得到快乐的惟一途径。

——琼·奈蒂杰

体重监控家：琼·奈蒂杰

1961 年，在纽约的皇后区，6 名体态肥胖的女性聚在一个小小的客厅里，试图互相帮助。其中一个肥胖的家庭主妇——琼·奈蒂杰，发起了一场减肥运动，逐渐形成了"体重监控家"这一世界上最先进的减肥品牌。琼·奈蒂杰以她非凡的勇气、独特的魅力，感染了无数和她经历相仿的人，今天每周有 100 多万人，在 30 个不同的国家参加这个项目。

琼·奈蒂杰的一生是真正意义上的传奇人生，她不是医生，不是营养学家，不是饮食学家，曾经只是个肥胖的家庭主妇。然而，她有一颗博爱的心，她生活的方式就是始终关心需要她的人，因此她成为人们心目中的减肥皇后。

昔日的胖妇人

　　20世纪初的纽约是美国的大熔炉，不同的文化、传统和梦想都在这里交汇。200万名犹太人陆续地从俄国和东欧移居美国，其中也包括大卫·斯鲁特斯基和梅·弗里德夫妇。

　　1923年，在纽约的布鲁克林，梅生下了7磅3盎司重的琼，琼是在勤劳工作和爱好美食的家庭环境中长大的。她那一代人的父母总是对子女说："吃吧，多吃身体才好。"所以邻居们喜欢用"可爱的丰满"来形容琼、她的妹妹海伦，还有她们的母亲。

　　琼的父亲很瘦，是个感情内敛的人，他是整个家庭的支柱。琼从心底里钦佩他。大卫是个出租车司机，有时也卖三明治贴补家用，但他向往着开创更成功的事业。梅则兼职做指甲修整师，帮助丈夫。即使在最困难的时候，琼的父母也总是想办法让餐桌上堆满食物。

　　在布鲁克林女子高中，琼学习努力，成绩很好。除了体重不断增加外，她出落成一个甜美的少女，笑容非常富有感染力。读高中的琼开始和男孩子约会，但她的约会对象常常是些肥胖的男生，她身边的朋友也都是那些不会令她自卑甚至比她更胖的人。琼从不和苗条女孩交往，因为她嫉妒她们的幸运，能吃东西又不会发胖。琼是副班长，数学成绩特别好，但她经常不上形体课，因为她不喜欢自己穿紧身服的样子，也不喜欢在自由组队时成为最后一个被选择的对象。1941年琼高中毕业，她希望通过到大学学习摆脱家里窘迫的环境。琼考进了纽约城市大学，她的理想是做数学教师。但是1942年，第二学期开始不久琼的父亲因为肺炎突然去世，琼不得不辍学，开始工作帮助维持家计。

　　1947年，正在美国国税局工作的琼，邂逅了刚从第二次世界大战战场服役归来的住在附近的马蒂·奈蒂杰。马蒂很英俊，还很风趣，非常具有幽默感，每个人都喜欢听他讲故事。让琼喜欢的地方是，马蒂也非常热衷美食。美食是他们关系中很重要的部分，别人约会时会选择跳舞、打保龄球或者溜冰，但琼和马蒂的约会却离不开美味佳肴。他们会走上几英里的路，目的就是要找到最好的饭店。只要在报纸上看到哪里有美食，那么不管那餐馆是什么样子的，他们都会去。

　　1947年琼和马蒂正式结婚。马蒂在俄克拉荷马的一家服装店里找到份工作，于是他们就搬了过去。一年后一个更好的工作机会，又把这对夫妇带到了宾夕法尼亚州的小镇沃伦。两年来琼一直渴望生个小孩，在沃伦她的梦想终于实现了。1949 年的夏天和秋天，琼和马蒂是在对孩子的期待中度过的。到 11 月琼的身体出现了问题，她呕吐了两个星期，医生决定帮她催产。12 月 6 日琼生下了第一个孩子，是个儿子。但是 36 小时后医生走进病房，眼里含着泪，琼马上知道出事了——孩子死了。没人知道原因，医生一直无法确定孩子死亡的原因。经过一段时间的调整，1952 年初，琼又生下了一个健康的孩子。她为孩子取名大卫，纪念她已经去世的父亲。

这年的下半年，奈蒂杰夫妇回到了纽约。离开布鲁克林 5 年后，琼和马蒂的体重都明显地增加了。那时琼身高 5.7 英尺，重 190 磅。1956 年当她再次怀孕时，医生警告她再不减肥就会出现并发症。医生开了份抑制食欲的处方，琼的体重下降了 30 磅，到年底理查德出生了。因为怀孕时吃了减肥药，理查德头 10 个牙齿长出来时就烂了。琼认为这都是那些药惹的，对减肥心生厌恶。

奈蒂杰夫妇在皇后区的一套公寓里安顿下来。马蒂找了份公车司机的工作，琼则在家里照顾两个儿子。奈蒂杰的家零乱而热闹，就像电视剧里演的那样，家庭关系融洽，大家大声笑、大声说话，从来不会压抑自己。靠公车司机的薪水抚养两个儿子并不是件容易的事，因此，马蒂又兼了份开豪华轿车的工作。聪明的琼则想到了另一个挣钱的计划。琼的叔叔和婶婶在新泽西有一个鸡场，她计划从那里批发鸡蛋，然后一家一家地去卖。当时没人想到这种鸡蛋生意最后会形成规模，一年不到，琼就成了社区的鸡蛋供应商。不过，无论她在这个领域多么成功，她还是不能控制食欲，而且把自己的坏习惯传给了孩子们。儿子大卫·奈蒂杰回忆道："如果我成绩不好，母亲就会对我说'你下次要考得好一点，我就做巧克力泡芙或者饼干给你吃'。"

琼不断地尝试各种减肥方法，她收集了很多节食的方案，尝试通过抽烟、喝咖啡、催眠减肥。她总是在节食，不是水果食谱，就是减肥药、兴奋剂等其他的东西。她对体重是否下降显得非常紧张和焦虑。马蒂却不在乎，认为琼用不着减肥，但琼认为这是必须做的事，这对她很重要。

1961 年秋天的一个下午，琼到她常去的一个超市，当时她体重达到了 200 多磅，要穿 22 号的衣服。她认识的一个朋友走过来说"琼，你看上去不错"。但她才高兴了一秒钟，朋友接着问她什么时候生，可是琼根本没有怀孕。她不知道怎么回答，只是感觉被人狠狠地打了一下。琼意识到自己现在过度肥胖了，她决定到纽约健康肥胖诊所看看。

"体重监控家"的诞生

　　医生给了她一些食谱，其中大部分和她在家收集的食谱相同，只有一份例外。这份减肥食谱，不是以"你不要吃"开始，它不说不能吃，而是说必须吃。每天必须吃两片面包，喝两杯牛奶，每星期要吃 5 次鱼。这份减肥食谱使琼的体重开始下降。不过严格遵守那份食谱，并不是件容易的事，因为那意味着她必须放弃从小就养成的每天吃两袋饼干的习惯。琼经常把饼干放在浴室的一个大袋子里，偷吃饼干不但影响了体重下降的进度，而且是件很尴尬的事。此时的琼非常需要与人分享她的痛苦，她做出的牺牲，还有她的尴尬。她意识到现在的问题在于她该如何独立地坚持下去。

　　20 世纪 50 年代，经济的繁荣使美国人的饮食习惯发生了显著的改变。电视晚餐成为美国家庭中的生力军，快餐厅向大众提供了容易导致肥胖的方便餐。二战后美国人的体形不再苗条，习惯性的过度饮食和错误的饮食习惯，造成了严重后果。1961 年，新总统一家走入白宫，美国人注意到了他们健康的体形。在肯尼迪时代，肯尼迪向大家介绍了运动的重要性。对像琼这样的人来说，美国人对健康的关注使她更为窘迫，因为她已经和体重斗争了那么长时间。减肥食谱令她取得了一些成绩，不过她发现自己最需要的是与人交流。这种欲望变得很强烈，甚至超过了琼对减肥的需要，她非常希望告诉别人自己的感受。

　　每周三琼都和朋友打麻将，她的牌友也都是些体重超标的人，琼把希望寄托在她们身上了。1961 年的一个下午，琼邀请牌友到她家。首批会员海伦·格林斯坦参加了第一次的活动，她回忆说："我第一次讲了真心话。我在那里发现了和我一样的人。她们也喜欢晚上在没人看见的时候吃东西。我们可以向彼此袒露心迹。"活动非常愉快，大家决定下周再次聚会，但不是打麻将，而是要一起讲讲食物。到第二个星期三，又有 3 位女性加入了她们的聚会，当时没起什么名字，就叫"琼小组"。两个月后，聚会的人数达到了 40 人，奈蒂杰家门前停满了车。

琼的体重在一星期内轻了两磅，她的体重稳定下降，但丈夫马蒂对妻子的行为并不赞赏，他怀念过去那个一起享受美食的伴侣。马蒂认为聚会只是暂时的，他以为很快就会过去，她们又会恢复打麻将的。但是琼已经没时间打麻将了，聚会的规模越来越大，她不得不把地点改到了公寓的地下室。大家带了折叠椅来，并一起买了体重秤，每星期测体重。佛罗伦斯·罗戈夫负责称体重，并记录下来，如果哪个人重了一磅或是没说实话，没人会责怪，他们会说"下星期会减下去的"。所有的人都会受到大家的鼓励，这一点帮助很大。体重数据表明聚会卓有成效。在那间地下室里发生的事就像是奇迹。

本来抱有怀疑态度的马蒂打保龄球时，他的同伴说："如果你减肥的话会打得更好。在皇后区那里有个金发太太，我不知道她的名字，听说她办了个减肥班。"那晚马蒂回家后红着脸小声问琼平时喝的奶昔是什么做的。他也打算加入了。最后这个长得像拉尔夫一样的男人体重下降了 70 磅，他的保龄球成绩也提高了。

除了减肥，琼还经历了另外一些变化，就像当年的圣女贞德一样，琼全身心地投入到了她的新角色中。她以平实的语言、特有激情和幽默，鼓励大家投入到减肥运动中。在减肥聚会开始的几个星期后，琼戒掉了吃饼干的习惯。1962 年 10 月 30 日，这是琼永远不会忘记的日子，这天她的体重降到了 142 磅。正确的饮食结构，加上与志同道合的朋友在一起，让琼足足轻了 72 磅。一种想飞起来的感觉充盈着她的身体。她变成了一个迷人而充满魅力的女性。

这时琼最热衷的是如何帮助其他人减肥成功，她总是打起精神带着体重秤，随时准备帮助别人。如果有个胖子可能住在 3 条街外的地方，甚至可能住在山上，她也会马上过去。1962 年末琼认识了居住在长岛的弗利斯·利珀特，她邀请琼去她家里和一群朋友聊天。但费利斯的丈夫艾尔·利珀特并不赞成减肥食谱，他认为这很可笑，结果一星期后他轻了 7 磅。艾尔是一位成功的服装商，琼和她的食谱折服了他。他对于自己减肥成功很兴奋，所以非常想帮助琼，因为琼并不富有。艾尔对别人说："有个女子很有活力，她从一个地下室走到另一个地下室。"他给了琼一个 2000 美元的信封表示想和她合作。对于艾尔的帮助琼很困惑，因为她正在推广的食谱并不是什么新东西，而且她对营养学也不精通。然而艾尔看到了，琼的项目与别人的不同，那就是琼的魅力。

1963年的春天，琼找了一位律师，正式把"胖子琼俱乐部"改为"体重监控家"。体重监控家公司的第一堂公开课，是在皇后区一家电影院的楼上进行的。琼向每位学员收取两美元，和楼下电影票的价钱一样。当天来了许多肥胖的男人、女人和孩子，令人不可思议。公开课的地方太小，因此那天琼连续上了8节课。"体重监控家"的起源，是一份减肥食谱，由高蛋白、低糖类、低脂肪的食物组成，其理念是糖会令人肥胖，所以那就像是治疗课。"体重监控家"的理念，是把人们集中起来，制造一种团体力量，一种大家互相比较、竞争的压力，彼此监督吃的东西，分享心得。人们不只是减了肥，而且找回了久违的自信。

偶像时代

琼没有给肥胖的人们吃减肥药，却帮助他们找回了自尊，也使人们意识到，爱护自己是最重要的事情。当体重减轻后，他们就会更加爱护自己。于是琼引起了巨大的轰动。

1965年底，琼和艾尔考虑是否能把减肥事业作为一个有利可图的产业来做。20世纪60年代，美国媒体越来越关注人们的形象，曾在50年代风行一时的丰满女孩形象已经过时，苗条纤细的女孩成为新时代的偶像。"苗条就是时髦"——琼利用这样的口号开始赚钱。要求加入"体重监控家"学习班的人越来越多，琼开始聘请一些通过她的课程减肥成功的人担任讲师，她的挑选标准是他们必须记得自己肥胖时候的感觉。她在艾尔的帮助下开设分公司，还发展了特许经销商在亚利桑那州凤凰城、蒙特利尔等地发展。4年后，体重监控家公司在全世界开了200多家分公司，发展了100多个特许经销商。"体重监控家"取得了可观的利润，不到一年特许经销商的营业额就翻了一倍。

琼的丈夫马蒂曾经靠驾驶公车养家，现在他买了一家公车公司的股份，而衣服尺寸缩小为12号的琼则为自己购置了许多新衣。不过奈蒂杰夫妇尽量让自己和孩子们按照原来轨道生活，他们买了新房子，但新房子还是在原来的街区内。琼希望一切都维持原状，但不可否认的是她对自己名人的形象越来越痴迷了。琼成了体重监控家公司的代言人。她的演讲座无虚席。她还出现在电视台脱口秀节目中，受到了电视观众的吹捧，同时也受到了名人的吹捧。琼的朋友多姆·德鲁斯开玩笑说自己的一只鹦鹉以前像鹰那么大，后来加入了"体重监控家"变苗条多了，轻巧得就像只黄雀。

琼成了大家的家庭主妇、大家的母亲，当琼在公开场合活动的时候，艾尔则在幕后发展着"体重监控家"。公司的经营日趋多样化，20世纪60年代末，公司进一步扩大了规模。他们推出了畅销食谱、系列冷冻食品、厨房秤、杂志、甚至还有肥胖女孩夏令营。1968年，艾尔决定把公司上市。体重监控家公司的股票以11.25美元上市，第一个交易日结束时，股价就涨到了30美元。10年前琼在银行里只有1.56美元的存款，现在她成了百万富翁。

成为大众偶像的琼工作非常紧张，拍照也成为家常便饭

1969年底，那些通过琼的帮助而成功减肥的人，他们减掉的体重总重量超过了1700万磅。琼不仅成为想减肥的女性的偶像，而且成了所有女人的偶像。琼完成这些工作很困难，因为她还有丈夫和两个儿子需要照顾，但她还是做到了。马蒂的公车公司破产之后，他来到琼的公司上班，为公司寻找新的店面。琼的工作非常紧张，演讲、拍照、宣传接连不断，这一切不知不觉中影响了他们的婚姻。马蒂不希望成为公众人

物，更想过一种简单的生活。他们的关系一度脆弱得就像是一根用旧的橡皮筋，越拉越长，直至断裂。1971 年琼和马蒂分居，第二年他们结束了 24 年的婚姻。

1972 年，琼搬到了加州，在洛杉矶的布伦特伍德区买了幢房子。从"胖子琼俱乐部"到"体重监控家国际公司"，10 年过去了，琼希望举行一个盛大的 10 周年庆典活动，她计划让那些曾经肥胖现在却体态苗条、建立了自信的女性走上舞台。这是个艰巨的计划，但从过去的 10 年中，琼已经学会把不可能的事变为现实。1973 年体重监控家公司的 10 周年庆典对琼具有重要的意义，她希望用盛大的聚会庆祝这个节日，她请来公关专家霍华德·鲁宾斯坦帮忙，租下了麦迪逊广场花园。10 周年庆典将持续一星期，第一项活动是把纽约的时代广场变为"体重监控家广场"。来自世界各地的"体重监控家"拥戴者聚到了麦迪逊广场，鲍勃·霍普、瑟儿·贝利、查尔斯·赖利等人为琼和 1.7 万名观众表演了节目。明星们走下舞台后，主办方准备结束当天的活动。已经 10 点钟了，观众却不愿离去。当前体重监控家公关主任沃伦·亚当斯鲍姆心领神会地将耀眼的琼迎上舞台时，观众们都站了起来。

麦迪逊广场是琼生命中的一个转折，她看着台下的观众决定辞去公司总裁的职务。她要让每个人都能感受到她的真实存在，要真正融入到喜爱她的大众中间。

"我要用一辈子证明我能成功"

琼是"体重监控家"最有价值的资产，她的存在使公司走进了辉煌的时代。1979 年，亨氏公司决定出资 7000 万美元收购"体重监控家"，一旦收购成功，琼将获得 7000 万美元。然而"体重监控家"就像她的孩子，她永远不会放弃自己的孩子，所以她拒绝了亨氏公司。

20 世纪 80 年代，美国出现许多减肥食谱与"体重监控家"一较高下。人们越来越注重运动，注重心血管保健。"体重监控家"也密切关注营养和饮食研究成果，同时他们也坚持着最初倡导的哲学的减肥理念，那就是必须在一个互相帮助的环境中理智地减肥。这种坚持使琼登

琼·奈蒂杰用行动证明了她的成功

上了减肥王国的高峰，1989年，欧修拉艾杰协会向琼颁发了特别成就奖。第二年67岁的琼搬到拉斯维加斯。她向内华达大学捐赠基金，用自己的财富奖励那些正在求学的学生，因为她经常后悔自己当初没能读完大学。每年她的基金可以为20名没有能力缴付学费的学生提供全额奖学金，帮助他们完成大学学业。1994年，内华达大学成立了琼·奈蒂杰妇女研究中心。内华达大学授予琼荣誉博士学位的一年后，她发现自己的嘴巴出现灼痛，医生诊断她患了三叉神经痛。这种罕见的疾病将影响病人脸部的神经，并且无法治愈。对琼来说最困难的就是公开演讲，她必须每隔几分钟就要停下来休息一下。无法再给大家讲故事的琼，把注意力转向了自己的家族和朋友。这一年琼告别了她的事业，回到了拉斯维加斯的家。

到1994年，调查显示美国三分之一以上的人体重超标，几乎一半的儿童超重。当时健身界的风云人物是苏珊·波特，她推行一种叫做"停止疯狂"的节食健身运动，相比之下"体重监控家"似乎成了明日黄花。直到1997年，公司才找到了一个能像琼一样与公众沟通的代言人——约克公爵夫人萨拉·弗格森。她从十几岁就开始减肥，嫁入英国王室后，她的体重一直是英国小报的话题。

萨拉认为自己的问题是从被人称为"肥胖公爵夫人"开始的，这打击了她的自尊心，所以她接受了"体重监控家"的帮助。减肥成功的公爵夫人帮助"体重监控家"走入21世纪。公司推出了"123成功步骤"简化食谱，这份食谱中的每种食物都被标上热量值。只要控制在一定的热量值范围内，什么东西都能吃。公爵夫人和新的食谱取得了成功，"体重监控家"的会员增加了50%。虽然代言人变成了萨拉，但在全世界举行的"体重监控家"公开课中，人们感受到的依然是琼的精神。

　　"你会意识到享受减肥的惟一方法是与别人分享，那是你从中得到快乐的惟一途径。你告诉别人你的心得，那是最大的快乐。我想这也是我们公司的基础。"琼·奈蒂杰在总结一生的减肥事业时如是说。她有一颗博爱的心，她彻底释放了自己，并用一辈子来证明自己能够成功。

如果奴隶制没错，那就没什么是错误的了，我一生从未这样地确信我做的是正当的。

——亚伯拉罕·林肯

伟大的解放者：亚伯拉罕·林肯

亚伯拉罕·林肯，美国第16任总统，一位极其重要而又特殊的历史人物。在逆境中，他不屈不挠，忍辱负重，带领美利坚民族向着恢复国家统一和解放黑奴的伟大目标稳步前进；在胜利时，他不居功自傲，始终保持着谦虚质朴、宽厚仁慈的贫民本色，为维护联邦大业和国家的长远利益而奋斗不已。最终他功成身死，成为正义事业的伟大殉道者。列夫·托尔斯泰这样评价他："他的地位相当于音乐中的贝多芬，诗歌中的但丁，绘画中的拉斐尔和人生哲学中的基督。即使他不当总统，他也将无可争辩地和现在一样伟大，但是这恐怕只有上帝才知道。"

从荒野之子到州议员

亚伯拉罕·林肯的祖父于18世纪80年代从弗吉尼亚来到肯塔基州，但在开荒时被印第安人枪杀了，那时他的小儿子托马斯·林肯只有6岁。托马斯继承了父亲留下的土地，仍以农耕为生，几乎没受过一点教育。1809年2月12日，托马斯的妻子南希在他们的小木屋中产下一个男婴，他们给他取了一个和祖父相同的名字——亚伯拉罕。受生活所迫，托马斯正不断地在肯塔基和印第安纳寻找肥沃的土地，所以林肯很小就开始从事重体力劳动。不仅如此，托马斯的脾气还非常暴躁，经常会为了小事而打骂林肯，后来虽然收敛了一些，但仍把林肯当成奴隶一样对待。正在成长中的林肯时刻想要逃避这种生活。

林肯5岁时在村里办的一所简陋的学校断断续续上了一年学。1816年，父亲托马斯将全家迁居到印第安纳州的佩里县，林肯从此便中断了学习。家庭对林肯的影响主要来自母亲

林肯从小就如饥似渴地吸收各种知识，以充实自己

南希，她对林肯非常体贴，但当林肯还只有8岁的时候，她却因感染了一种名为乳毒症的流行病而去世。母亲的死给林肯带来了莫大的痛苦，他和仅长自己两岁的姐姐相依为命。他的父亲无力照顾两个孩子，一年后便娶了年轻寡妇莎拉·布什·约翰斯顿为继室。莎拉自己也有3个小孩，但她对林肯比对自己的亲生孩子还好，她关心林肯的学习，在林肯12岁和14岁时曾送他去学校读过几个月的书。由于托马斯的农场需要劳动力，林肯不得不中断正规学习，从此他走上了自学之路。林肯努力不懈地学习，以知识充实自己，为此他会长途跋涉很远去向人借一本自己感兴趣的书，然后坐下来慢慢细读。他之所以孜孜不倦地学习的一个

重要原因是他鄙视父亲，他父亲甚至连自己的名字都不会写。他把父亲当作反面教材，认为父亲懒散暴躁、胸无大志、反对知识，立志要做一个与父亲完全不同的人。依照法律，林肯要在他父亲身边工作到 21 岁。他为父亲做的最后一份差事是在伊利诺伊州迪凯特市的新农场围栅栏，然后他便离家出走，四处漂泊。

1831 年，林肯在伊利诺伊州新塞勒姆附近一个商业繁盛的小村定居，这是他第一次经历都市生活。林肯在一家百货店当小职员，因为他的诚恳和说不完的笑话，他极受欢迎。林肯讲故事的本领掩盖了贫穷的家庭和缺乏教育给他带来的自卑，他时刻希望身边的人能敬重他。1832 年爆发了黑鹰战争，印第安黑鹰酋长试图以武力夺回他的族地。为保护当地居民的安全，包括林肯在内的充满了冒险精神的年轻人组成了自愿军民兵。当时要选出长官，于是林肯在一个营的兵当中被选中，这带给他的喜悦比以往任何成功都多。他变得自信起来，不再对自己的出身背景感到羞愧。在黑鹰战争结束后几个月，恢复平民身份的林肯兴起了参加竞选的念头。他决定竞选州议会的议席，从此踏上了从政的道路。

林肯第一次参选未获成功，但是两年后他再次尝试终于成功地当选为州议员。他的成功与资历无关而完全在于他处理人际关系的技巧，他拥有令人喜爱的、富于智慧的气质。州议员是一份兼职的工作，林肯得到了兼职的薪酬，另外他还兼当测量员和邮差等工作，而且还入股了他工作的店铺。尽管事务繁忙，林肯仍然腾出时间学习法律，只不过 3 年他便取得了律师资格。

在州议会中所议定的政策都是关于当地事务的，林肯独特地提出了一项有关全国事务的议案，即奴隶制度。奴隶在美国已经存在有 200 年了，当时主要集中在南方，北方鼓吹解放奴隶的人正在努力地游说要终结奴隶制度，但是他们在北方也得不到很多支持，因为种族歧视仍然存在。在伊利诺伊州，州议会谴责解放分子，称他们为滋事者。而林肯及另一位同僚则坚持认为奴隶制度不公平，且是一项坏政策，这在当时是一种大胆的行为。

1837 年林肯离开新塞勒姆，到州府斯普林菲尔德当律师。他骑着借来的马进了城，随身携带的钱只够他租房子。一个叫乔舒亚·斯皮德的店铺老板很钦佩他的一篇演说，让出店铺楼上的半间房给他住，他们以后成了知己。

　　林肯遭受过爱情的伤痛，在新塞勒姆他曾跟旅馆老板的女儿安·鲁特利奇有过婚约，但却眼睁睁地看着她死于伤寒。安是林肯一生惟一真正深爱的女人，多年以后在白宫他仍时常回忆起和安的那段爱情。后来他同玛丽·欧文斯又订了婚，这是一次很失败的婚约，不久就被林肯主动解除了。从此林肯不再考虑结婚，他不想让任何人控制自己。但是他却得到了斯普林菲尔德最出众的女士的青睐，她就是 21 岁的玛丽·托德。

法庭上，林肯以自己天赋的说服力和令人倾心的品质轻松折服陪审团

　　玛丽·托德来自肯塔基州一个富有的家庭，是个社会名流，野心勃勃，十分高傲，扬言一定要跟有朝一日能够当上总统的人结婚。有一段时间她来到斯普林菲尔德跟姐姐一起住，在这里她看上了林肯。当时斯普林菲尔德的人都认为林肯会闯出名堂，玛丽也因此而为他着迷。交往了一段时间，他们就订婚了。但随后林肯开始对婚姻感到恐惧，他退缩了，取消了婚约。一直等到他的朋友乔舒亚·斯皮德结了婚，告诉他婚姻生活的快乐，他才重新考虑婚事。分开了 18 个月之后，朋友们把林肯和玛丽再次拉到一起。这次他们很快就结婚了，那时林肯 33 岁，不到 9 个月他们的长子罗伯特·林肯出生了。

　　在斯普林菲尔德，林肯因为勤奋和诚实而闻名，别的律师称他为"诚实的亚伯"。林肯相信，赢得官司或者在政治上占先的最佳方法就是跟陪审团和选民相一致。在法庭上，林肯特意用浅显易懂的言词抗辩，以使普通人都能够理解他。他平易近人的个性和自嘲的幽默，使他具有天赋的说服力，再加上令人倾心的品质，林肯能轻松折服陪审团。律师所的业务越来越忙，1844年林肯终于有能力花上1500美元购买一间房子供家人居住。但是他的婚姻生活充满波折和痛苦，由于玛丽的天性娇纵，他经常遭受她的凌辱，而他只得悄悄离开，从不与之争执。

走向白宫之路

　　1846年林肯开始涉足全国政治，并得到其所在党派的支持得以跻身国会，这位来自伊利诺伊州的雄心勃勃的人，从此踏上了进军华盛顿之途。在华盛顿，林肯第一次对奴隶制度有了深入的接触。从他的住处到国会途中可以见到人贩市场，他称这些场所为"黑人窝棚"，男人和女人像牛羊般被贩卖，这对林肯的冲击很大，因为他一直坚信这个国家的原则是平等与自由。林肯提出全民公决以废除奴隶制，但很快便放弃了，因为几乎无人支持。在国会当了一届议员之后，他又回到了斯普林菲尔德，事实上这只是个轮替的议席。

　　离开政坛之后，林肯变得情绪低落。1849年托马斯·林肯在病床上要求见儿子最后一面，但是林肯无法忘记和原谅他儿时遭受的痛打。他在给父亲的回信中说见面只会加深彼此的痛苦，所以他拒绝回家，还拒绝参加父亲的丧礼。林肯与他父亲是完全不同的人，他父亲缺乏儿子的那份幽默感，也没有儿子的那种雄心和抱负。更不幸的是，几个月之后林肯不满4岁的二儿子被肺痨病夺去了生命，夫妇二人伤心至极，为了弥补伤痛玛丽再度怀孕。他们的第三个儿子威利于1850年出生，3年后四儿子塔德也出生了。林肯一度是个冷漠的父亲，现在却变得对孩子过分溺爱。

　　虽然没有政务缠身，但林肯仍然留意时局。到了1854年，奴隶制度在美国已成为热门的政治话题。国会却火上浇油，在南方奴隶主的操纵下通过了一项议案：堪萨斯和内布拉斯加两个自由州实行公民自决，允许奴隶制存在。而北方人则视奴隶制度如癌症，因为有奴隶就意味着有势力，他们担心南方人不断扩大势力，最终控制联邦政府损害北方人的利益。同别的北方人一样，林肯非常愤怒，他公开地以道德观反对奴隶制度的扩张："我们视'人人生而平等'这句箴言为不变的真理，现在我们竟如此热衷于成为主人。我们正在把这句箴言变为谎言。"但与那些主张立即废除奴隶制的激进的废奴主义者不同，林肯对于奴隶制问题采取了现实主义的态度。因为他清楚地认识到在美国已经存在了几百年的奴隶制不是一朝一夕就能改变的，所以主张采取逐步改变的方式。林肯理解北方人之所以惧怕奴隶制度的扩张还有一个重要原因，就是不愿意见到更多的黑人逃到北方，妨碍自己的利益。而北方的种族歧视也十分严重，尤其是伊利诺伊州。林肯在最初提出的议案中就涉及了这个问题，他要求制定一项治安政策以保障伊利诺伊州白人的自由；并公开承认要奴隶在政治或社会上和白人有同等的地位是不可能的。他甚至支持奴隶主买地成立殖民地，以安置获释的黑奴，然后用船运送他们回到非洲祖国去。

反对奴隶制扩张的北方人士已经组成了一个新的政党，那就是以林肯为首的共和党。1858 年他被提名为共和党参议院候选人，挑战伊利诺伊州民主党的斯蒂文·道格拉斯。后者提议任何要求保留奴隶制的州或地区应该有权保留奴隶制度。这是一场为国家道德和政治方向而进行的斗争。"一个分裂的家庭是无法维持下去的，我相信这个政府也无法长期忍耐它的人民一半是奴隶，而另一半却是自由人，必须一视同仁！"当林肯以这样的言辞开始他的竞选活动时，奴隶制问题已变成了暴力问题。反对和赞同奴隶制的人们发生了尖锐冲突，史称堪萨斯内战。这下整个国家都注意倾听起林肯和道格拉斯在伊利诺伊州所要展开的 7 场辩论了。虽然辩论引起了极大的关注，但是伊利诺伊州的选民并不是直接在他们两人当中选择其一。他们投票选的是州议会，再由州议会选出一名参议员。最后民主党在州议会当中获得了大多数，道格拉斯得以连任参议员。林肯只得回去继续当律师，但他却十分镇定，并相信在很多年后人们仍会记起他曾为民权尽过力。

事实上，林肯已经成了全国的知名人士，还被看作 1860 年总统大选的候选人之一。林肯对参与总统选举的第一个反应是捧腹大笑，然后说："像我这一种人也可以当总统吗？"但是几个月后他的想法改变了，他开始在全国四处演说。1860 年 2 月他来到了纽约，与在别的地方反应一样，他其貌不扬的外表令听众很失望。但当他开始说话的时候，人们看到的却是他与众不同的另一面。在纽约他反对奴隶制的演说获得听众热烈的响应，《纽约论坛报》称他是继圣保罗之后最伟大的人。

在芝加哥举行的共和党大会上，林肯并不是名列前茅的选手，但是许多代表相信他是最值得推举的，因为他在奴隶制问题上显得比较温和。林肯在头两轮选举中输了，但是在第三轮投票当中他胜出了。选举活动其实已表明公民的投票将确定奴隶制的命运。接着亲南方的对手分裂成了3个候选人，林肯现在已经是胜利在望。1860年11月林肯以39％的选票当选，几乎没有一张选票是来自蓄奴州的。南方人吓傻了，佐治亚州的一张报纸说"南方必须立刻武装起来"。他们担心共和党控制了联邦政府会取消奴隶制，限制南方的政治权力。

林肯试图说服南方停止实行奴隶制，但毫无结果。1860年圣诞节前不久，南卡罗来纳州脱离了联邦，南方各州紧随其后争相效仿。1861年1月子弹代替了语言，一支前往查尔斯顿港萨姆特要塞的北方运兵船遭到了南卡罗来纳州的攻击。他们说北方人不再有权进驻该堡。即将卸任的总统詹姆斯·布坎南手足无措，全国民众的目光投向了来自斯普林菲尔德的候任总统——林肯。

为内战而生的总统

林肯起初相信南方会冷静下来，否则作为总统他的职责就是要维持政府的存在，分裂是不容讨论的。但直到即将宣誓就职前，林肯对分裂都无能为力，他惟一的变化就是蓄起了胡须。他想这样可以令自己看起来更成熟些，更像个政治家，少一些丑陋。1861年2月林肯乘上专列前往华盛顿，斯普林菲尔德的市民们都来给他送行。没有任何行政经验的林肯即将接管一个似乎决心走向战争的国家。

林肯全家从伊利诺伊州到华盛顿用了两个星期的路程，其间的保安工作非常严密。在这次行程中，传来南方各州已经独立并且成立了美利坚联众国的消息，由杰斐逊·戴维斯出任总统，他宣称战争是无法避免的。当林肯到达费城的时候，有流言说在巴尔的摩有人要行刺他，在同僚的建议下他只好乔装改扮趁天黑坐火车进入华盛顿。

在总统就职典礼临近的时候，南北和解出现了一线曙光。因为林肯在演说词中表示支持南方维持同盟，可这并没有让南方平静下来，查尔斯顿的人们称他的演说是"白宫里的长臂猿放出来的毒气"。同一天，林肯收到查尔斯顿港萨姆特要塞联邦军的消息说，"如果没有补给，他们只可以再坚持 6 个星期"。林肯不得不做出决定，要么冒着战争的危险派船去驮马堡补充给养，要么命令萨姆特要塞的联军向南部同盟投降。最后林肯选择了前者，但只限于补给没有部署增兵。他对同僚说："如果要开战，也要南方开第一枪才行"。结果一语成谶。

1861 年 4 月 12 日，南部联盟向萨姆特要塞开了火，南北战争正式爆发。林肯反应非常迅速，马上召集起军队，暂时停行人身保护令，拘捕亲南方的人士，并且下令封锁南方港口。他的态度十分坚定和一致，他说分裂是违反宪法的，联邦比宪法的历史更长，所以联邦绝不允许分裂。在奴隶制问题上，林肯不得不非常谨慎，他对国会并不讳言说"这是提高人类素质的一场斗争"；但另一方面他又要很小心地不把解放黑奴说成是内战的目的，因为有 4 个具有战略性的边境州，即密苏里、肯塔基、马里兰和特拉华都忠于联邦，而它们仍然维持着奴隶制。林肯不能轻易地冒犯这些州，并希望在北方士气高涨时迅速击倒南方。他建议袭击布尔河附近的马纳萨斯，那是通往弗吉尼亚北部的要道。1861 年 7 月欧文·麦克道威尔将军带领一支联邦军在马纳萨斯附近袭击叛军，结果联邦军大败而回。林肯作为最高统帅的第一道指令宣告失败。

接着林肯任命乔治·麦克莱伦将军来指挥联邦军，麦克莱伦的傲气与风范足以同拿破仑相提并论，他在训练联邦军方面做得很出色，可是 6 个月过去了他却没有发动一场战役。他埋怨总统什么事都要管，甚至当众羞辱林肯是白痴、猩猩。但林肯却说："如果他能给我们带来胜利，我愿意为他牵马。"容忍是林肯性格中非常重要的一面。林肯对助手说他的目标是要打赢这一场战争，而个人的荣辱是次要的。

到 1862 年初，麦克莱伦将军仍然没有发动任何一场战役，而林肯希望全面向南方开战，以利用北军的军力优势逼使南方和解。来自战线的消息说，麦克莱伦不愿意动兵，而联邦军指挥官尤利西斯 .S. 格兰特却几乎把所有的南方军队赶出了田纳西州。林肯虽然从没有见过格兰特，但是对他产生了良好的印象。后来格兰特在夏洛以血战赢得的胜利遭到了猛烈的批评，林肯的回答却是："我不可以失去他，因为只有他肯作战。"格兰特的成功让林肯对战势感到了稍许的安慰。与此同时，玛丽为了炫耀刚装修好的白宫，开了一个大型奢侈的晚会，这让林肯恼怒不已。更不幸的是，他的儿子威利患了伤寒，不久就死去了。林肯悲痛至极，但是当时的国势根本容不得他过度伤心，他又全身心投入到战争中来。在西边战线，格兰特被挡住了；而在东边战线，麦克莱伦终于开始向里士满推进，但却被南方军的罗伯特·李给赶了回来。

颁布《解放宣言》

　　林肯认为是改变战略的时候了，为求痛击南方，他要解放黑奴。南方有 400 万奴隶，他们是南部同盟作战的巨大后备力量。虽然林肯曾经说过，总统没有宪法给予的权力可以取消奴隶制，可是战争改变了一切。最高统帅有权应军事的需要去做出这样的决定，由此可以鼓励黑奴离开南方，转而投向北方，以降低南方的战斗力，这也符合林肯希望见到世界上人人都有自由的愿望。1862 年 7 月下旬，林肯向内阁出示了他起草的《解放宣言》。宣言中明确指出：自 1863 年起，所有在叛乱州的黑奴都可以获得永远的自由。林肯不愿得罪实行奴隶制但又支持联邦政府的几个没有参战的州，宣言中并没有规定这些州一定要解放黑奴，但是却鼓励南方的黑奴逃离农庄。内阁支持林肯的宣言，但是要他再等一场战争的捷报才公布，免得让人以为北军已经无计可施。

　　在内阁等待胜利的时候，林肯却开始考虑该如何安置可能大量涌向北方的黑奴。设立殖民区是林肯让北方人接受《解放宣言》的方法之一。他要北方人相信解放黑奴的目的只是为了拯救联邦、赢得胜利，而不是真的要废除奴隶制。因为在当时如果把宣言说成是为了世界大同，将会使他的民望大跌，而北方政府也会随之倒台。

　　期待已久的捷报终于到了，1862 年 9 月麦克莱伦的军队在安特多姆血战中险胜罗伯特·李的军队。5 天之后，林肯宣读了《解放宣言》。北方人反应不一，废奴主义者和黑人领袖欣喜若狂，更多的人则因担心工作被黑人抢去而举行了暴动。在军队里，有些联邦军军官埋怨林肯发动了这场该死的废奴运动和黑人战争，许多联邦军士兵因此离开了军队。林肯早就预料到会有这样的强烈反应，并勇敢地面对了这一切，从而让世人了解了他是怎样的一位领袖，在战争史上确有他这样一位最高统帅敢如此改变战争的方向。总统颁布《解放宣言》的消息传到了南方叛乱诸州，先后有 50 万奴隶逃出奴隶主的种植园，配合联邦军展开了游击战。

联邦军在安特多姆获胜之后，林肯催促麦克莱伦将军追赶罗伯特·李的军队，但是麦克莱伦再次拒绝进军。林肯终于忍无可忍，他撤了麦克莱伦的职，转而任命安布罗斯·伯恩赛德为最高指挥官。可伯恩赛德将军在弗里德里克斯堡附近山上的一役却遭大败，付出了惨痛的代价。随后，林肯以约瑟夫·胡克取代了伯恩赛德，而胡克率领东线部队在钱瑟勒斯维尔又遇到了另一场灾难性的挫败。这一连串的失利让林肯感到沮丧万分，连心都碎了。林肯在迫不得已的情况下，只得征用黑人入伍。他起先还担心黑人不肯战斗，结果有 18 万黑人为联邦军作战。林肯称他们是守卫联邦的伟大力量，而且不再提出建立殖民区的问题。广大黑人的参战使内战发展成为真正群众性的革命战争。

1863 年，联邦军队由防御转入进攻。在宾夕法尼亚州的葛底斯堡，3 天的战事下来南方军竟然有 4 万人死伤，这是罗伯特·李所遭受的最惨重的一次挫败。捷报在 7 月 4 日传到了白宫，同一天联邦军将领格兰特也攻陷了密西西比州的重镇维克斯堡。林肯因为在独立纪念日得到这两个喜讯而万分高兴。

在联邦军获得几场重要的胜利之后，林肯在北方以极高的民望参加 1864 年总统选举，他知道他的连任机会与战争的胜利是分不开的。于是当东边的战况不利时，林肯就把西边战线最好的将军给调了过来。格兰特在弗吉尼亚州对罗伯特·李将军展开了全面进攻。没想到的是仅仅两个星期，格兰特的 10 万人马就损失了三分之一，其代价惨不忍睹。北方人震惊了。他们施以重大压力要与南方和解，但是林肯的条件是除非南方同意返回联邦并且放弃奴隶制。共和党成员认为这一下他想连任是绝不可能的了，连林肯也认为自己会遭到惨败。林肯不仅要面对失败，而且要面对的还是他的老对手乔治·麦克莱伦，他现在很可能成为民主党候选人。如果麦克莱伦当选，停火很可能成为现实。

没想到选情突然又对林肯有利了，联邦将军威廉·谢尔曼向南推进，攻陷了亚特兰大。北方人再一次充满爱国热情，转而支持林肯，结果林肯以悬殊的选票数击败了麦克莱伦。连任成功转而又影响了格兰特和谢尔曼继续向最终的胜利迈进。时机到了，林肯要利用他的影响力彻底解放黑奴。本来他的《解放宣言》只在战时有效，现在林肯向国会施压通过了宪法第十三条修正案，永久地废除了奴隶制度。对南方来说，只要他们重回联邦的怀抱，并且接受废除奴隶制的条件，北方随时可以停战；林肯甚至愿为奴隶主做出赔偿。但这却遭到了南方的拒绝，战争只好继续进行下去。

到1865年4月上旬，格兰特的军队终于攻陷了南部同盟的首府里士满。南军主帅罗伯特·李将军在阿波马托克斯向格兰特投降，内战完全结束了。喜气洋洋的林肯4月11日站在白宫门前向公众发表讲话，他愿意宽恕南方叛军，然后更语出惊人地宣布，他将成为第一个给黑人以选举权的总统。

功成身死

在白宫外众多的听众当中，有一个人无法接受黑人拥有选举权这个事实，他就是约翰·威尔克斯·布斯，一个美国著名演员，也是南方蓄奴运动的支持者，曾策划绑架林肯。现在南部同盟即将崩溃，他决定采取更激烈的行动。

1865年4月14日基督受难节，林肯因为战争结束而显得特别高兴。当天晚上，他和妻子玛丽一起前往歌剧院观赏歌剧。当林肯到达时，已经开始的表演立即停止，剧场里奏起了国歌，观众全都站起来向他欢呼，就在这时布斯的暗杀计划也在进行中。布斯和剧院里的职员很熟，所以轻而易举地就进入了总统包厢。不巧的是，站岗的警卫刚好到楼下去看表演了。当演出进行到第三幕的时候，全场欢声雷动，布斯走到了林肯的背后向他的后脑开了一枪，林肯向前倒下了。

在总统的包厢里，玛丽大声呼叫："有人杀了总统！"一位叫理查·里尔的军医冲进了包厢，帮助林肯进行人工呼吸，那个时候他的心脏还在跳动。很快又有4位医生赶来进行抢救，他们把林肯搬到街对面的一家旅馆，把他斜放在床上。林肯的伤势太严重了。次日早上7点22分林肯与世长辞，终年56岁。他的遗体在复活节运回白宫，人们称那一天为"黑色复活节"。因为林肯在基督受难节遇刺身亡，很多人便将他视为耶稣基督。在华盛顿，林肯的遗体在国会山让公众瞻仰3天，数以十万计的人前来悼念他。

在暗杀事件过了一个星期之后，一列有九节车厢的火车载着林肯的遗体离开了国会山，返回了伊利诺伊州，这是4年前林肯去华盛顿就职的道路。在沿途一些城市里，因为太多的人想前往瞻仰他的遗容而引发

林肯遇刺身亡

了暴动。在斯普林菲尔德这个林肯认为让自己拥有了一切的城市里，他找到了安息之所。他伟大的美国之旅结束了。玛丽·林肯方寸大乱，她在疯狂的边缘又活了17年。

　　虽然林肯在有生之年看见了内战的胜利，可是美国却在开始统一与南部重建的艰苦旅程中失去了他。林肯对解放黑奴所做的贡献，比任何一个后继者都多。他死得太早了，人们只能猜测他在第二任期内可能会有的成就，其实光是他在第一任期内的成就就足以使历史学家将他看作美国最出色的总统了。

我肯定能够拯救这个国家，而且非我莫属。

——温斯顿·丘吉尔

二战第一人：温斯顿·丘吉尔

　　他是 20 世纪最负盛名的政治家，活跃在英国及世界政治舞台达半个世纪之久，风云变幻的政治生涯贯穿了这位时代英雄的一生。他是一名出色的军事家，在晚年领导他的民族走过了英国历史上一段最为关键的时期，他的口号"拿起武器"鼓舞了整个民族，挽救了国家的命运。他还是一位著名的作家，一生著书不断，诺贝尔文学奖也因有他登榜而备感荣耀。他的一生，就如同一部英国现代史的缩影。他是英国的象征，在战争中他发誓要果断，在失利时他全力反抗，在胜利后他宽宏大量，在和平时他慈祥友善。他就是伟大的英国人温斯顿·丘吉尔。

337

独特的议员

温斯顿·斯宾塞·丘吉尔于 1874 年 11 月 30 日出生在英格兰牛津郡的布伦海姆宫，他的父亲兰道夫·丘吉尔勋爵是马尔巴罗公爵七世之子，曾任财政大臣和下院保守党领袖，他的母亲詹尼·杰罗姆·丘吉尔是美国《纽约时报》的出版商莱奥纳多·杰罗姆的女儿。这样的家庭背景为丘吉尔日后走上政坛准备了有利的条件。他那一半的美国血统促使他终生致力于加强两大英语国家的团结。由于父母热衷功名、忙于社交，年轻的丘吉尔在孤独中接受了严格的教育。7 岁时他住进圣乔治寄宿学校，这是一所为英国贵族子弟开办的传统寄宿学校。13 岁时他又进了哈罗公学，两年后转入军事专修班。18 岁时投考英国皇家军校（桑赫斯特军校的前身），进入骑兵专业。1894 年丘吉尔从军校毕业，被任命为第四皇后轻骑兵团陆军少尉。年轻的丘吉尔少尉在许多战役中都有突出的表现，尤其是在南非布尔战役中的英勇表现使他成了众所周知的英雄。

1900 年，26 岁的丘吉尔作为保守党人在众议院里取得了一席职位，从此步入政界。当时一些老练的政客听过丘吉尔的就职演说后，预言他总有一天会成为首相的，然而他的抱负和骄傲为他树敌不少，人们称他思想肤浅、过于任性、反复无常。但是丘吉尔对英国的内外政策都有自己的独特见解，他一贯观点鲜明，直言不讳。为了坚持自己认为正确的意见，他不惜退党、转党。1905 年初他因主张自由贸易而离开保守党，5 月正式转入自由党，与自由党领袖劳合·乔治关系密切。同年 12 月自由党政府成立，丘吉尔被任命为殖民地事务部次官，这是他担任的第一个高级政府职务。他在自由党内活动了 20 年之久，1924 年他又因与自由党领导人发生意见分歧而退党，并以"独立的反社会主义者"和"宪政主义者"的身份参加选举。第二年他又回到保守党内，在以后 40 年中再也没有转过党。

1914 年第一次世界大战爆发，丘吉尔任英国海军部部长，在制定盟军战略时他是关键性人物。在他的指挥下，英国舰队在战役中对德国的盟军土耳其发动了突袭，目的是对德国造成围攻之势，取得达达尼尔海峡的控制权。但是由于某些舰长在执行命令时失职，导致 5 艘英国战舰在土耳其的雷区失踪。这是一场悲剧性的战役，失利责任落在了丘吉尔身上，在众议院他遭到了奚落。

由于受一些有权势的朋友的影响，丘吉尔勉强能继续留在政府里，但他想要实现的远大政治抱负已经被击碎了。他过起了比较悠闲的生活，大部分时间用来著书、绘画、砌墙、养猪，虽然只是靠稿费来维持生计，但并不比做议员时的收入少。表面看来丘吉尔似乎活得悠闲自在，其实他正忧心忡忡地注视着欧洲及世界局势的巨大变化。尤其是德国发生的事情引起了他的深切关注，当时阿道夫·希特勒正设法掌权。丘吉尔警告说，这些强健的日耳曼青年不是在寻求地位，而是在寻找武器。但是英国首相斯坦利·鲍德温并没有被惊醒，他是一个自满的领导人。现在只有丘吉尔公开反对希特勒，并催促英国建立自己的防御体系，他警告说德国的空军力量会很快超过英国皇家空军。

1938 年，英国的新任首相内维尔·张伯伦也对希特勒的好战深感不安，但他只是想通过协商来解决。他确信自己可以通过体面的手段来处理这些问题，并唤起希特勒的理性。张伯伦与希特勒在慕尼黑会议上见面，纳粹头目许诺如果他得到捷克的一部分就不会再索取更多的地盘，张伯伦答应了希特勒的条件。随后首相返回了英国，他确信已经取得了这个时代的和平。但丘吉尔却不这样认为，他说英国得到的是彻底的失败。

临危授命

1939 年 9 月 1 日，希特勒的装甲军攻入波兰，张伯伦和平时代的预言在不到 12 个月时间内就被证实是完全错误的。英国人变得异常愤怒，但悔之已晚。张伯伦召开紧急内阁会议，会议结束时他做出了两个重大决定：立即宣布对德开战和让丘吉尔加入他的政府。25 年来丘吉尔第二次又被委任为海军部部长，他直接来到法国前线，但在这里他看到的却是盟军的懦弱，他警告说他们正把主动权交给希特勒。丘吉尔对海军进行调整，制定了新的战略，加强了附近各个海域的防守与攻击。当张伯伦还在为他的外交失利而懊悔时，海军已把丘吉尔的反抗言论化为了行动。在南大西洋，3艘英国巡洋舰向不可一世的"伯爵号"德国战舰发起挑战。在激烈的海战中英国舰炮击中"伯爵号"，他们沉船而逃。丘吉尔第一个向凯旋的军官们表示祝贺，他自豪地微笑着。20多年来他一直生活在达达尼尔海峡战役的阴影之中，现在终于挽回了荣誉。

1940年4月8日，希特勒的军队侵入挪威，而挪威是英国防御体系中的一个关键环节。英国军队竭力阻止他们的入侵，但不到一个月希特勒就击败了他们。如今张伯伦面临政府垮台的危险，他的和平政策带来了战争，他的战争政策又带来了失败。张伯伦来到白金汉宫辞去了首相职务，国王问他谁可以组织新的政府，他毫不迟疑地推荐了丘吉尔。丘吉尔回忆起他在那个决定性夜晚的感受时说："我感到自己似乎与命运之神走在一起，我过去的生命都是在为这个时刻和考验做准备。"就任首相前的丘吉尔对全国人民发出号召："我们要保卫我们的岛屿，大英帝国是不可征服的。我们要战斗，直到该诅咒的希特勒从我们眼前消失。我们确信最终一切都会好起来的。"

1940年5月，首相丘吉尔在危机中肩负起了领导整个民族的使命。欧洲大陆上，纳粹在法国猛击盟军的地面部队。英军撤退到了敦刻尔克，他们在这里被包围起来，纳粹空军发动猛烈的袭击，打算在海滨消灭这些无助的盟军士兵。但是英国皇家空军很快掌握了敦刻尔克的制空权，逐渐地击退了纳粹空军。在地面，英国人将困境中的军队营救到各种各样的船只上，25万多士兵撤离到了英国，而英国此时已落入了被纳粹包围的境地，伦敦则是纳粹空军的主要袭击目标。

1940年夏季，不列颠战役打响了。丘吉尔对这场战役的意义有深刻的认识，他向他的人民宣讲："希特勒知道他必须在这座岛屿上把我们打败，否则他们就会失败。如果我们能抵抗住他，整个欧洲都会得到自由；但如果我们失败了，整个世界，包括我们所知道和关心的一切都会陷入一个新的黑暗的世纪深渊，世界将会变得更邪恶。让我们勇敢地担负起这个职责，如果大英帝国和她的联盟能够存在一千年，人们仍会说这是他们一生最辉煌的时刻。"

纳粹德国开始对伦敦进行空袭，空袭持续了85天。皇家空军的战斗机在英国上空日夜迎战纳粹德国空军，尽管1/4的飞行员牺牲了，英国皇家空军还是取得了决定性的胜利。丘吉尔对胜利的评价是：在人类冲突的历史上还从来没有过这样的事例。最终德军闪电战消退了，数月来第一次没有听到鸣叫的报警器警世德军的空袭，伦敦人民从城市的废墟中钻了出来，不列颠战役取得了胜利。丘吉尔异常激动，对战争的前景充满希望。他对议员和全国人民说："我们无法知道如何才能得到解放，或者何时才能得到解放。但有一点是肯定无疑的，希特勒脚步所留下的每一点痕迹，他污浊腐朽的手指留下的每一个脏迹都将被擦去、被清洗干净，必要时我们会将它们从地球表面炸出去。"

赢取联合

现在英国5000万人民的精力都投入到了战争中，丘吉尔鼓舞他的人民，同时也鼓舞自己："只有不断的努力才能使我们灵魂不死。"但想要战胜德军，英国人还必须生产大量的战争物资，而此时欧洲所有的资源都在纳粹的控制之下，这几乎成了无法完成的任务。

1941年8月份，丘吉尔悄悄地登上英国"威尔士王子号"战舰，他计划在北大西洋上与罗斯福总统进行会面。他确信要想打败希特勒，美国必须参战，他必须取得罗斯福的信任，整个民族的命运就取决于此。8月14日，"威尔士王子号"战舰与美国的"奥古斯塔号"巡洋舰在纽芬兰岛沿岸相遇，丘吉尔与罗斯福面对面地坐到了一起，这也是两人之间友谊的开始。战舰靠在海港，丘吉尔与罗斯福连续交谈了4天，他们签署了《大西洋宪章》。星期日，两艘战舰上的船员在"威尔士王子号"战舰上举行了宗教仪式，丘吉尔被他周围的团结氛围深深打动，两年来他一直在与希特勒孤军作战，现在罗斯福要加入他的阵营了。带着新的信心丘吉尔驾船返回英国，他知道美国的资助将会加强，更为重要的是他了解到英国不再是孤立地与纳粹斗争。

1941年12月7日，与罗斯福会面后不到4个月，日本袭击珍珠港，进攻新加坡，发动了太平洋战争。美国被日本拖入了战争。闻讯丘吉尔匆匆赶到华盛顿，与罗斯福就共同的战斗计划进行磋商，12月26日丘吉尔向美国国会发表了历史性的演讲："许多人对日本竟然在一天之内对美国和大英帝国同时发动战争感到吃惊，当然他们从事了一项相当艰难的工作。他们怎样看待我们，也许他们并没有意识到我们会与他们战斗到底，直到给他们一个让他们和全世界都不会忘记的教训。我们并非被授予这个去探索神秘未来的任务，尽管如此我还是公开声名，我坚定不移地希望和信仰在未来的岁月里，英国人民和美国人民会为了他们自己的安全以及所有人的利益走到一起，为尊严、公正与和平而战斗！"演讲结束后，丘吉尔到达白宫与罗斯福总统进行最后战略会谈，实现了丘吉尔期望已久的英美联盟。

回到伦敦之后，丘吉尔向他的人民保证，美国会在抗德战争中增加砝码的。丘吉尔知道整个联盟战略的成败，取决于他称之为北大西洋战争的结果，但希特勒控制着大西洋海路，美国无法加入欧洲的战

1841年12月26日丘吉尔在美国国会发表历史性演讲

争。大量的商业护运船队载着从美国和加拿大运往英国的武器和供给品，不幸的是，只有很少船只到达了目的地。纳粹的潜水艇成为北方海域的主人，对于这些无声的袭击者，仅有简单武器装备的商船根本无法自卫。为了击破大西洋上的阻拦，盟军将他们的兵力投入到反潜水艇战斗中。护运船队的规模越来越大，速度也越来越快；全副武装的护卫舰相伴着；在空中，英国新发明的雷达技术使德国潜水艇在发起攻击之前就被察觉并被消灭。于是，更多的护运船队得到了安全保障，到达英国的供给越来越多。希特勒对北大西洋的封锁被打破了。

1942年初尽管有美国的帮助，非洲的英国军队还是被纳粹击败了，新加坡和马来西亚也相继被日本攻陷，英国在远东的战略位置受到了威胁。议会上，丘吉尔和他的内阁被指控在战争中处置失当，反对派提议公开谴责丘吉尔。首相非常坦诚地回答了对他的批评："我从来没有许诺过什么，除了流血、流泪、流汗。"议会和民众对丘吉尔的坦率做出了回应，谴责动议以绝大多数票被否决。从这个时刻起，丘吉尔的领导地位已是毋庸置疑了。

1942 年 8 月 12 日，英国和苏联终于决定联合起来共同对付德国。丘吉尔到达莫斯科与斯大林进行第一次交谈，会谈中充满怀疑和敌对情绪，在会议的最后一天，两位领导人终于达成了协议。丘吉尔许诺在非洲战场发动全面进攻，以减轻苏联前线的压力。在北非，德国陆军元帅埃文·隆美尔被称为"沙漠之狐"，许多人相信他是不可战胜的。为了领导英国军队战胜隆美尔，丘吉尔挑选了敦刻尔克富有战场经验的蒙哥马利将军。在埃及沙漠中的艾尔·阿拉曼地区，蒙哥马利冒着全军覆没的危险发起了全面进攻，战线长达 50 多英里，战火持续了数日。经过了一个星期的进攻与反进攻，蒙哥马利接到了战线前方传来消息：隆美尔的战线已被击破，纳粹军队开始溃退。这场战役带给了盟军彻底的胜利。丘吉尔满怀信心地返回到伦敦，与他的人民共享胜利的欢乐。

胜利与背弃

1943 年 11 月 28 日，德黑兰会议召开。对丘吉尔来讲，这是一次令人沮丧的会议，苏联和美国两个大国要承担起战争的重担，丘吉尔发现自己在三大巨头中只是一个次要角色。令他更为沮丧的是，在这次重要会议上他又患上了喉炎，只能轻声说话。会议结束时制定了一个大规模进攻计划，由苏联从东面向德军发起进攻，英国则成为进攻法兰西的基地。

由于迫切需要转入进攻，丘吉尔飞到突尼斯与艾森豪威尔将军会谈，但他此时的健康状况十分令人忧虑。很快他生病的消息传到了伦敦。英国人民在战争中第一次感到不安。在他们最黑暗的时刻是丘吉尔

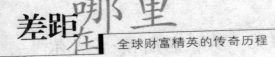
用胜利的梦想鼓舞着他们，如今最困难的时刻已经过去，而丘吉尔却似乎无法看到梦想变为现实的那一刻了。他正面临着死亡的威胁，连续4天整个世界都在等待有关他的消息。直到1943年圣诞节，丘吉尔才返回到伦敦。人民欢呼雀跃来迎接他，他也十分高兴，还告诉记者说，他是吃了混合有白兰地的磺胺类药才被救活的。

丘吉尔再次投入到进攻法兰西的计划中，他的精力和热情很快就重现了。随着进攻日的推进，最高指挥部了解到丘吉尔和艾森豪威尔的意见产生了分歧：丘吉尔坚

德黑兰会议上的三大巨头

持要在行动日亲临战场，而艾森豪威尔认为这太危险。但丘吉尔决心已定，似乎不容悔改，最后英国国王私下要求丘吉尔在行动日留在伦敦，他才不情愿地答应了。行动日的下午，英国公众了解到盟军部队已在诺曼底登陆，在这个至关重要的日子，丘吉尔的面容异常平和、带着微笑，人民看到他就知道事情的进展一定非常顺利。不出所料，从诺曼底传来了令人兴奋的消息。几天之后，丘吉尔不再受限制了，他出发到诺曼底视察那里的情况。4年前一支受到重创的盟军队伍几乎在这里全军覆没，现在丘吉尔可以自豪地宣称，他已经报了敦刻尔克之仇。在战争的最后阶段，丘吉尔成了前线最受欢迎的常客。所有的盟军士兵都不会忘记丘吉尔独自与希特勒作战的情景，他的勇气和反抗促进了欧洲这场正义运动。1945年的春季德军终被打垮，苏军进入被摧毁的柏林。1945年5月8日欧洲出现了和平。

1945年6月17日，丘吉尔到波茨坦参加政府首脑会议，讨论欧洲

的新和平以及战争最后阶段的抗日工作问题。但是丘吉尔在会议中途不得不离去，返回伦敦去接受 10 年来第一次大选的结果。选举的结果似乎早有定论，丘吉尔是英国现代最受爱戴的政治家，他也已经做好了准备，一等到他的胜利得到证实就立即返回波茨坦继续会谈。接着不可思议的选举结果公布了，在英国人民似乎最爱戴丘吉尔的时刻，他们却将丘吉尔和他的政党排除在了政府之外。在波茨坦，工党领袖克莱门特·艾登在三巨头会议中取代了丘吉尔的位置，震惊的世界问道：温斯顿·丘吉尔在哪里？

辉煌余生

丘吉尔受到了很大的伤害，但他并没有颓丧。回到家中，他开始撰写一套六卷本的第二次世界大战史书，后来因此获得了诺贝尔文学奖。从繁忙的政务中解脱出来之后，丘吉尔重新找到了个人生活的乐趣，他热情地拥抱自己不断扩大的家庭。1951 年，丘吉尔再次返回政坛，此时英国工党面临严重的经济危机正不知所措。丘吉尔再次竞选首相，在竞选当中他丝毫未显示出任何衰老的迹象。选举前夕他坦白地告诉公众，他祈求能得到这次机会，这是他要索取的最后奖励了。竞选结果公布温斯顿·丘吉尔赢得了他最后的奖励。

1954 年，丘吉尔已经连续三年担任首相一职，为了庆祝他的加冕，伊丽莎白女王册封他为嘉德爵士。在丘吉尔 80 岁的生日宴会上，议会两院聚在一起祝贺温斯顿爵士。他接受了两件礼物，一本包括议会所有成员签名的书和一幅他的画像。作为一名有鉴赏力的艺术评论家，丘吉尔并不喜欢这幅画，但他幽默地说：这幅画是典型的现代艺术作品，它将公正与力量结合了起来，表现了任何活跃的议员都不可缺少的或者不应惧怕去面对的品质。

丘吉尔在法国南部安度晚年，偶尔会在海岸边作画或散步。在他引退后不到 12 年的时间里，整个世界已将丘吉尔看作历史的巨人，历史学家们也给予了他崇高的赞誉，其中一人写道：在人类的冲突史上，从

未见过有这么多的人都要感激这样一个不可征服的人。面对这种至高评价丘吉尔却说，拥有狮子般勇敢的心的是整个民族，我只是有幸被召唤去发出狮吼罢了。

　　1964年11月30日，丘吉尔为自己隆重地举行了90岁诞辰活动。1965年1月24日他因病逝世，终年91岁。

　　我珍视实现民主和自由社会的理想。在那样的社会里，人人都和睦相处，拥有平等的权利。我希望为这个理想而活着，并去实现它。但是如果需要，我也准备为这个理想献出生命。

——纳尔逊·曼德拉

❧ 通向自由之路：纳尔逊·曼德拉 ❧

　　曼德拉生在一个肤色决定个人命运的国家。他一生都在为建设一个人人平等的国家而奋斗。他有铁一般坚强的意志，一旦决定做一件事就绝不会动摇。他很清楚自己该做什么，为了民族的生存，战胜个人的痛苦。近30年的铁窗生涯足以击垮一个人，但他却从监狱里走出，带领他的国家走向新的开始。为了表彰他为废除南非种族歧视所做的贡献，诺贝尔和平委员会授予他1993年诺贝尔和平奖。

家乡的生活

  南非特兰斯凯地区临近印度洋，地处偏远，有连绵的山谷和蜿蜒的小溪。1918 年 6 月 18 日，纳尔逊·曼德拉就出生在这里的一个非洲王族家庭里。他的父亲在当地算是富有的，有足够的牛来养活妻子和 13 个孩子。他的母亲住在邻近的村子里，在那里，他度过了自己的童年。那是个田园诗般的地方。他放牧，跟其他的男孩打架，是个十分难缠的好斗的人。但是，村庄之外却是一个让他们害怕的白人世界。在小孩子眼里，白人就像是神，来自他们不知道的地方。曼德拉七岁的时候，白人世界影响了他。村里的黑人老师觉得他需要一个名字来适应白人社会。曼德拉第一天去学校，老师问他的名字，他回答说："我叫罗利赫拉哈拉·曼德拉。"他的老师显得有点吃惊，说："哦，我就叫你纳尔逊了。"那天晚上，他回家告诉妈妈，他有了个新名字叫纳尔逊。他母亲连这个名字的音都发不好，所以很少那么叫他。但是在学校以及白人世界，他的名字从此就叫纳尔逊。

  曼德拉九岁那年，田园诗般的乡村生活突然结束。父亲去世，母亲送他去了"雄殿"，让滕布族的大酋长监护他。在那里，他将被培养成部落的领袖。"雄殿"是滕布族人生活的中心，大酋长和地方首领在这里解决各种争端。曼德拉看着首领们协商问题，心里既好奇又敬畏。让小曼德拉吃惊的是，许多人批评起大酋长来非常尖刻。对于曼德拉来说，这成了真正民主的标志。

  大酋长把曼德拉当做自己的儿子，想把他培养成下任酋长的顾问。为了让他受到良好的教育，他把曼德拉送到了一所贵族寄宿学校。曼德拉高中毕业不久后，考入赫尔堡大学，这所大学是南非黑人心目中的哈佛。在这里，他第一次陷入道德上进退两难的困境。在一次他认为不公平的选举中，他被选入学生代表会，但他毅然拒绝，于是校方开除了他。这件事原本无足轻重。但他觉得这是原则问题，绝不能让步。曼德拉认为正确的事就要坚持，这种道德信条贯穿了他的一生。

  21 岁的曼德拉回到了特兰斯凯。令他吃惊的是，大酋长已经给他安排了新娘。曼德拉对婚姻生活毫无准备，而且也不愿娶一个当地女孩。

于是，他出走去了约翰内斯堡。

加入非国大

1914年，曼德拉来到了约翰内斯堡。这座城市让他看到了真正的南非，看清了种族隔离造成的种种不幸。这个国家把黑人同白人区分开来，这明确地限定了黑人的一生。从在医院出生那一刻起，不论在他回家的巴士上，还是在学校里，界线都很分明。在他成年后，只能做非洲人干的活，他的家也只能是非洲人的家。上街只能坐非洲人坐的劣等火车。他可以被人随时随地叫住出示他的证件，证件上标明他所能去的地区。曼德拉生平第一次感受到他是白人社会里的一个黑人。幸而他小时候远离白人种族的偏见和所受到的保护，使他免于像许多南非黑人那样被心理压力击垮。

青年时期的曼德拉

曼德拉到了约翰内斯堡不久，经人介绍认识了沃尔特·西苏鲁，一个活跃在南非非洲人国民大会里的著名非洲商人。西苏鲁觉得曼德拉能够成为一个强有力的斗争领袖。非洲人国民大会的活跃分子正在试图通过温和的方式来结束种族不平等。在西苏鲁的帮助下，曼德拉白天在一家律师事务所工作，晚上继续学习法律。西苏鲁开始带他参加会议，曼德拉一边观察，一边听演讲，广泛了解各种观点，在政治上开始成长起来。在这段时期，曼德拉与西苏鲁的侄女伊威琳坠入爱河，几个月后他们结婚了。

1944年，第二次世界大战临近尾声，南非的抵抗运动也进入了新时期。南非黑人们在工厂里干活，以支援这一打着自由民主幌子的战争，而他们自己却没有自由和民主。为了争取自己的自由和民主，曼德拉和非国大的其他年轻激进分子，在非国大内部成立了青年联盟，开展更猛烈的斗争。

非暴力抵抗

　　1946 年，28 岁的曼德拉在约翰内斯堡过起了相对安适的生活。他的第一个孩子出生了，是一个男孩。他第一次有了自己的家，享受着普通人的幸福生活。但是好景不长。1948 年，以白人为主的南非国民党凭着向白人承诺将实施彻底的种族隔离而掌管了政权。新政府一上台，就抛出了一系列苛刻的压制黑人的法令，这就是所谓的种族隔离法，目的在于永久地维护白人的最高利益。黑人们一下子明白了，现在他们在自己的国家里成了不受欢迎的人。

　　曼德拉和一些激进分子决定反击。他们发起了非暴力不合作的抵抗运动。这场运动像野火一样在一个接一个的城市蔓延，迅速燃遍了全国。成千上万的黑人第一次加入了政治运动，反对种族隔离法。随着这次运动的成功开展，曼德拉的名字也传遍了全国。到了 1952 年底，曼德拉已经成了南非当局的眼中钉。政府决定封上他的嘴，给他下了一道禁令。他不能参加公众聚会，不能同时与一个以上的人交谈，甚至不能参加儿子的生日聚会。这严重限制了他的演说和行动自由。从此，曼德拉只能在幕后继续斗争，而他的家庭更是承受着巨大的压力。

　　与此同时，政府继续粗暴地实行种族隔离，镇压所有的反抗。黑人们被迫离开了自己的家，有时甚至是在枪口的逼迫下到郊外贫瘠的土地上定居。压迫一天天严重起来，曼德拉的斗志也在不断高涨。他意识到自己没有退路，这是他命中注定的。

　　1956 年 12 月，在一次全国范围内的镇压中，警察以最高叛国罪逮捕了曼德拉和其他 155 名激进分子。曼德拉对政治工作的全心投入，加上他的被捕，让他的妻子伊威琳难以承受。婚后 12 年，她离开了他。现在曼德拉一个人面对叛国罪的审判。这场审判持续了 4 年，最后他被无罪开释。

　　在这段艰难的日子里，命运又一次向曼德拉敞开了幸福的大门。在一次受审回家的路上，他遇见了一个年轻而美丽的姑娘。她就是温妮·马迪基泽拉。温妮是早期非洲现代女性中的一个。她很独立，有自己的见解。1958 年 6 月 14 日，曼德拉和温妮在特兰斯凯的一个小教堂里举行了婚礼。这段婚姻给曼德拉带来了无尽的欢乐，他对温妮的爱给了他继续斗争的勇气。然而此时他的生活又面临着一个巨大的转折。

1960 年，在黑人城镇沙佩维尔，南非当局为了阻止时局的变

曼德拉和非洲人国民大会其他成员在一起

化，露出了暴力的狰狞面目。在一次示威中，警察向一群黑人男女和孩子开枪，打死了 69 名非洲人。暴动迅速在各地爆发，南非当局宣布执行紧急状态，取缔非洲人国民大会。

暴力反抗

非国大被取缔之后，曼德拉也转入了地下斗争。他秘密组建了非国大的武装力量——"民族之矛"，进行战略性的破坏行动。担任秘密领袖意味着过逃亡的生活，每一步都要做事先的周密计划。1962 年 1 月，他秘密出国，对非洲各国和英国进行了访问，寻求武装斗争的支持和资金援助。他在阿尔及利亚和埃塞俄比亚接受了军事训练。走出南非的曼德拉第一次感觉到了真正的自由。但这样的日子很快就结束了。同年七月，曼德拉悄悄回到南非，不久就被警方逮捕了。他被指控非法出国和煽动罢工，入狱五年。

曼德拉在监狱时，秘密警察偷袭了非国大的地下总部，逮捕了最高军事指挥部的领导人，指控他们破坏和阴谋颠覆政府。曼德拉将同他们一起接受审判。这次南非当局的态度十分强硬。曼德拉等人知道他们可能会被判处极刑。曼德拉把这场审判作为最后的机会，要向全世界说出真相。他拒绝为自己辩护，决定把审判当作政治而不是法律。在法庭

上，他慷慨激昂地陈述了 4 个小时。当陈述结束时，曼德拉说道："我与白人统治进行了斗争，我也同样反对黑人统治。我珍视实现民主和自由社会的理想，在那样的社会里，人人都和睦相处，拥有平等的权利。我希望为这个理想而活着，并去实现它。但是如果需要，我也准备为这个理想献出生命。"

狱中斗争

1964 年 6 月 12 日，南非最高法院将 45 岁的曼德拉和另外 7 个人，以阴谋推翻政府罪处以终身监禁。他们被送往罗本岛服刑。这是一个距离开普顿七英里远的四面环海的岩石小岛，与外界完全隔绝。那里一切生命和时间都被封存了起来，没有钟表，没有报纸，24 小时都亮着灯。罗本岛上实行着比外界更严格的种族主义制度，即使在生活必需品上，曼德拉和其他黑人囚犯也只得到最少的一份。曼德拉第一年只获准见妻子一面，再过两年才能再见到她。整整 20 年过去了，他才终于触摸到她的手。

从入狱第一天开始，曼德拉决定绝不屈服。他从未向轻蔑和虐待低头，相反，他要求得到像正常人一样的尊重。正是有这种坚定信念，他才活了下来。曼德拉和他的战友们进行斗争的一个场所，便是石灰采石场。13 年中他们每天在烈日下干着敲石头等繁重的活，但是他们也让看守们明白该怎么对待他们。他们不逃跑，但也不听从发号施令。他们按照自己能承受的劳动强度来干活。曼德拉的言行震住了监狱的看守。他们从来没有见过这样自信而又有尊严的囚犯，况且他还是一个黑人。日子一天天过去，曼德拉的行为成功地改变了他们对他的态度。

1969 年，曼德拉的大儿子滕比死于车祸。南非当局不准他参加葬礼，远离家庭的折磨几乎让他崩溃。更令曼德拉痛苦万分的是，妻子温妮同样遭到了政府的迫害，她被隔离，被迫离开孩子们；而孩子们不得不离开家庭去学校，他们没有钱，没有亲人照顾。

曼德拉在监狱里一天天衰老，南非似乎也在渐渐地淡忘他。

到了 80 年代中期，在黑人城镇索韦托，黑人学生示威时遭到了警察枪杀。一下子，全世界的目光都投向了南非，来自国内外对南非当局的压力迅速增长。变革的趋势已无法阻挡。全球反对种族隔离、要求释放曼德拉的呼声越来越高。曼德拉已经超出了他个人生命的意义，而成为追求自由、要求变革的象征。

现在南非成了一个被世界遗弃的国家，社会处在一片混乱中，经济面临崩溃。南非当局明白迟早要解决曼德拉的问题。他们最担心他死在牢里成为争取自由的烈士。

1985 年，南非政府迈出了重要的一步，提出如果曼德拉声明放弃使用暴力，他将获释。但是曼德拉直截了当地回绝了。曼德拉十分清楚政府需要他。他看到气候在变化，种族隔离在世界各国受到了唾弃，形势正朝着有利于黑人的方向转变。同时政府方面的态度也在缓和，希望找到走出困境的道路。从 1985 年起，曼德拉开始了与政府长达 5 年的一系列秘密对话。这些对话，将为最终结束白人统治奠定基础。

1989 年 9 月，德克勒克就任南非总统后，形势发展之快超过了所有人的预料。在一个月里，南非当局释放了西苏鲁和其他犯叛国罪的领导人，并在两个月里解除了种族隔离法。1990 年 2 月初，被取缔的非国大恢复了合法地位。

曼德拉发表演讲

历史性的时刻终于到了。2 月 11 日，在被关押了将近 30 年之后，已经 70 岁的曼德拉终于获得了自由。全国沉浸在欢庆的海洋中，在开普敦 50 多万曼德拉的支持者挤满了中央广场，有黑人，也有白人，人们一起听曼德拉近 30 年来第一次演讲。曼德拉在南非监狱的最底层度过了近半生的时光，如今他成了全世界的焦点。也许他从未怀疑过这一天的到来，所以才能从容面对突如其来的变化。曼德拉明白自己肩头的担子有多重，整个国家差一点卷入内战，政府把他作为最好的筹码来挽救和平；而南非黑人们更是寄希望于他来赢得平等。

新南非

曼德拉获释之后，在与政府进行的历史性的第一次会议上，他被选为非国大领导人。三天之后，双方决定携手推进和平进程。旁观者难以想像他们曾经是势不两立的敌人。

现在曼德拉到各国进行访问，都被视为世界著名的领导人，受到英雄般的欢呼。事实证明他是位一流的政治家，在基本原则上他从不让步，但他对何时该妥协也心中有数。在政治舞台上，曼德拉赢得了一个个巨大的成就。1994 年 4 月南非迎来了史无前例的全民大选。开国三百多年来，南非黑人第一次能够行使公民权，选择自己的领袖。曼德拉同南非官方的种族歧视斗争了一生，而他从政府那里赢得的让步，却是谁也想像不到的。全世界为他的巨大成就而欢呼。1999 年 12 月，他与南非总统德克勒克同获诺贝尔和平奖。

时间不允许曼德拉沉浸在荣誉里，现在他作为总统候选人，正带领着非国大开展第一次竞选活动。他已经 75 岁了，看上去却像不到 40 岁，他在全国往返奔波，似有无穷的精力。终于到了竞选这一天。1994 年 4 月 27 日，几百万南非黑人投了票。在一些地区，投票者在烈日下排队等候了三天，为了能争先行使这个不寻常的新权利。众望所归，曼德拉领导的非国大在选举中胜出。

1994 年 5 月 10 日，南非首都比勒陀利亚，在一度象征白人专权的政府大楼里，曼德拉宣誓就任南非总统。从昔日特兰斯凯的牧童到一个囚犯，直至今日成为总统，曼德拉为南非开辟新的篇章。身为南非总统，曼德拉担负着艰巨的任务。他一方面要调解这个分裂的国家里的人民，一方面还要满足广大黑人的需求。任务一天天逼近，按照承诺，新政府将向 700 万无家可归的黑人提供住房和就业机会，给广大的新地区安装饮用水和电力设施。为了国家未来，还要向所有人提供教育机会。

事实上，实现对人民的承诺花去了比预期更长的时间，曼德拉已经成功地改善了许多人的生活。现在，怀孕妇女和不满六岁的儿童能享受免费的医疗照顾，上学的儿童每天中午能吃上一餐免费的三明治。剩下的承诺虽然还没有兑现，但是人们都乐意等待。在他们看来，曼德拉是个言出必行的人。就连那些表示怀疑和许多害怕他执政的人，也渐渐服从了他的领导。

当然，也有人批评曼德拉，其中最引人注目的是他的妻子温妮，她指责曼德拉过分关注如何来消除白人的恐惧。1995年3月，曼德拉以不合作为由将温妮逐出了内阁。一年后，他们的夫妻关系也走到了尽头。结婚38年后，他们离了婚。

付出了辛劳，得到了回报，很少有国家领导人会得到如此广泛的赞扬。曼德拉向全世界证明，即使在最不可能的地方，民主也能实现。曼德拉与国王首相们打交道，但更多时候，他把手伸向

中年处于困境中的曼德拉

了普通老百姓，他同成千上万的人握过手。同10年前相比，今天的南非完全是另外一个世界。那时人们都以为会在血腥杀戮中自我毁灭，但是没有。一个为了自由的政治抱负坐牢半生的人，给这个国家带来了和平，这是20世纪的奇迹。人们这样评价曼德拉："他奠定了新社会的基石。他受的苦比任何人都要多，但走出监狱后他却说'我没有仇恨'。""无论是在肉体上，还是在道德上，曼德拉都是勇气的典范。""当这个国家将化为碎片时，是他将人们团结了起来。他给了我们自由。"

有谁做得像曼德拉那样，向所有的人推荐了和平和解的信念？他的目光总是看到了国家民族的最大利益，而放弃了个人的仇恨。在我们这个地球上，做出和解比煽动仇恨困难得多。值得庆幸的是，南非选择了曼德拉！

阅读此书，是这个时代的我们终生享用不尽的精神盛宴，因为它承载的厚重，也因为它真实的再现。展页细读，这些人的生平故事以风趣酣畅的语言风格跃然纸上，宛如一条条清澈见底的小溪。我们能从每一处细节中获得强烈的阅读快感，欲罢不能。掩卷沉思，这些鲜活的人物呼之欲出，成为我们精神的导师，给我们以冲破羁绊的前进动力！

责任编辑：刘春燕
艺术设计：Grand 格煌广告

我们永远为心中的未来进行设计，我们的员工永远跟着最新的硬件和软件科技走！

——软件帝王：比尔·盖茨

我是地球上最幸运的人。我不认为我做到了一切，但是我有最精彩的经历。

——世界第一CEO：杰克·韦尔奇

一个年轻人只要他下定决心，没有什么事是他办不到的。

——汽车王国的主宰：亨利·福特，

回顾是浪费时间，我真正的兴趣是始终朝前看！

——狂人：纳尔森·洛克菲勒

世界上没有丑女人，只有不关心或者不相信自己魅力的女人。

——美丽的天使：雅诗·兰黛

我的信条是：向过去学习，着眼现在，梦想未来。我坚信人应当从不幸中学习，因为人生中最大的不幸可能会转化成你的有利条件。我的生活就是这样。

——地产大亨：唐纳德·特朗普

我肯定能够拯救这个国家，而且非我莫属。

——二战第一人：温斯顿·丘吉尔

ISBN 7-80158-572-0

9 787801 585721

ISBN 7-80158-572-0/Z · 250

定价：32.80元